Debbie Mumm

Meine schönsten Landhaus-Quilts

Über 70 einfache Patchwork- und Deko-Ideen
Mit Profi-Tipps zum schnellen Nacharbeiten

AUGUSTUS

Die Deutsche Bibliothek – CIP-Einheitsaufnahme
Ein Titeldatensatz für diese Publikation ist bei Der
Deutschen Bibliothek erhältlich.

Die englische Originalausgabe erschien bei Rodale Press
Inc., 33 East Minor Street, Emmaus, PA 18098, U.S.A.

Übersetzung: Bernadette Mayr, Kempten
Lektorat der deutschen Ausgabe:
Helene Weinold-Leipold, Aystetten
Illustrationen: Debbie Mumm
Anleitungszeichnungen: Sandy Freeman
Layout: Dale Mack
Fotos: Barros & Barros
Herstellung und Umschlaggrafik: Charmaine Müller

Augustus Verlag München 2000
© Weltbild Ratgeber Verlage GmbH & Co. KG.

Satz: satz-studio gmbh, Bäumenheim
Druck und Bindung: Appl, Wemding

Gedruckt auf 115 g umweltfreundlich chlorfrei gebleichtes
Papier.

ISBN 3-8043-0843-0

Printed in Germany

Anmerkung der Übersetzerin:
Als Amerikanerin hat Debbie Mumm all ihre Modelle
in Inch-Maßen erarbeitet. Daraus resultieren biswei-
len geringfügige Differenzen beim Umrechnen ins
metrische System, die jedoch keine Auswirkungen
auf das fertige Ergebnis haben.

Zur Erinnerung
an meinen lieben Vater
Richard L. E. Kvare

INHALT

EINLEITUNG

Es wird Sie nicht überra-
schen, wenn ich verrate,
dass ich gerne mit Patchwork
dekoriere. Dieses Buch zu
schreiben, war eine wunderbare Erfahrung für mich – ich
genoss es sehr, jeden Raum mit
Quilts und Patchwork auszu-
statten und dabei all die Stoffe
benutzen zu können, die ich
liebe. Sicher können Sie sich
gut vorstellen, wie schön diese
Dinge auch in Ihrem Haus
wirken können.

Ich mag verschiedene Deko-
rationsstile und ich liebe The-
mengruppen. Es machte mir
großen Spaß, jeweils passende Themen zu den
einzelnen Räumen zu finden und Projekte
dafür zu entwerfen. Natürlich hatte ich viel
mehr Ideen, als in diesem Buch Platz fanden!
Da ich aber auch mein eigenes Haus neu dekoriert habe und einige der Räume zeige,
konnte ich jedes Thema so umfassend gestalten, wie ich wollte, und die schönsten Objekte
auswählen.

Absoluter Höhepunkt war für mich das Um-
dekorieren meines Schlafzimmers in ein elegantes Wohnschlafzimmer. Eine Abweichung
von meinem sonst üblichen Landhausstil und
eine Herausforderung – das Ergebnis ist wunderbar! Jedesmal freue ich mich auf die ver-

blüfften Gesichter meiner
Freunde, wenn ich ihnen den
Raum zeige. Sie glauben, eine
andere Welt zu betreten.
Ebenso schön war für mich,
meine eigenen Stoffe verwenden zu dürfen und Klassik
mit Country-Stil zu verbinden.

Ein anderer interessanter
Teil der Arbeit an diesem
Buch war das Planen, Skizzie-
ren und Malen der Seiten
»Ländlich dekorieren«
(S. 2–7). Es sind alles De-
korationsvorschläge aus meinem Notizbuch, in dem ich
über ein Jahr lang meine Ideen festhielt. Während ich überlegte, wie ich meine Notizen und
Ideen in Wasserfarben umsetzen könnte,
dachte ich stets daran, dass dieser Teil des Buches besonders schön werden und trotzdem
Tipps und Anregungen klar und deutlich vermitteln sollte. Ich verbrachte viel Zeit mit Über-
legen und Planen, doch schließlich war ich mit
dem Ergebnis zufrieden und ich hoffe sehr,
dass Sie diese Seiten mit demselben Vergnügen
betrachten, das ich beim Malen empfand.

Die Arbeit an diesem Buch verhalf mir zu
vielen Erkenntnissen und Einsichten, die
das Dekorieren und Renovieren betreffen.
Hier sind meine Tipps:

Debbies Dekorations-Checkliste

✓ Entscheiden Sie sich für ein Zimmer und beschäftigen Sie sich nur mit diesem einen Raum.

✓ Studieren Sie Wohnbücher und Illustrierte. Legen Sie ein Notizbuch für alle Zeitschriften-Ausschnitte, Notizen und Gedanken an.

✓ Wählen Sie ein Dekorationsthema und ein Farbschema.

✓ Sammeln Sie alle Ideen und bitten Sie auch Ihre kreativen Freundinnen um Ideen und Hilfe.

✓ Kalkulieren Sie die Kosten und stellen Sie ein Budget bereit.

✓ Verkaufen Sie die alten Sachen auf dem Flohmarkt, damit Sie Geld für die neuen haben.

✓ Bringen Sie Altes auf Vordermann: Sessel und Sofa lassen sich aufpolstern, Möbel anstreichen.

✓ Gehen Sie auf die Suche nach Zubehör für Ihr neues Thema. Stöbern Sie in Ausverkäufen und auf Flohmärkten nach Schätzen. Aber auch Antiquitätengeschäfte, Hobby- und Geschenkeläden oder Fachgeschäfte für Dekorationsbedarf sind viel versprechende Jagdgründe.

✓ Entscheiden Sie, wie Sie die Wände gestalten wollen. Sie können sie streichen, tapezieren, ihnen in Schwammtechnik Struktur verleihen oder Bordüren schablonieren.

✓ Denken Sie an die Fußböden. Suchen Sie sich beispielsweise einen neuen Teppich oder Bodenbelag aus. Holzböden können abgeschliffen werden.

✓ Stellen Sie drei oder vier Stoffe in verschiedenen Farbabstufungen und Oberflächen für die Fensterdekoration und allerlei Accessoires zusammen.

✓ Wählen Sie ein Muster für einen neuen Quilt an der Wand oder über dem Bett.

✓ Schließlich stellen Sie einen Zeitplan auf und fangen an: Beginnen Sie mit den Wänden; dann widmen Sie sich der Reihe nach dem Fußboden, den Möbeln, den Fenstern und schließlich dem schmückenden Beiwerk.

Denken Sie daran, dass alles immer etwas länger dauert und mehr kostet, als Sie gedacht haben. Doch wofür auch immer Sie sich entscheiden, freuen sich darauf und lassen Sie sich von niemandem hetzen.

Die Quilts und Projekte in diesem Buch habe ich speziell für die einzelnen Raumthemen entworfen, doch kann man die meisten davon beliebig kombinieren und auch in anderen Zimmern verwenden. Zum ersten Mal habe ich auch Bettquilts entworfen – eine willkommene und neue Richtung für mich. Nun können Sie jedes Zimmer komplett durchgestalten, und das alles in einem einzigen Buch! Betrachten Sie als Erstes die Fotos. Hier finden Sie jede Menge Ideen und Projekte für Ihr Haus.

Beim Durchblättern fällt Ihnen vielleicht der »Wochenende«-Stempel auf manchen Fotos auf. Diese Modelle können Sie an einem Wochenende beginnen und fertig stellen. Außerdem habe ich überall Tipps eingestreut. Achten Sie auf folgende Symbole:

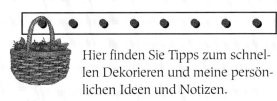

Hier finden Sie Tipps zum schnellen Dekorieren und meine persönlichen Ideen und Notizen.

Diese Kästchen enthalten Vorschläge, wie die Grundidee kreativ abzuwandeln ist.

Dies ist das Symbol für wichtige, hilfreiche Tipps zum Nacharbeiten der Projekte.

Nun wünsche ich Ihnen viel Vergnügen beim Quilten und beim Dekorieren Ihres Hauses oder Ihrer Wohnung!

Debbie Mumm

COUNTRY DECORATING
WITH
Debbie Mumm

Zauber-tinte

Rot

Blau

Hier sehen Sie einige meiner liebsten Methoden, eine Wohnung ländlich zu dekorieren. Sie sind ganz reizend, einfach zu fertigen und billig, und sie geben jedem Zimmer Wärme und Behaglichkeit. ♥ Debbie Mumm.

Körbe

Puppen

CLASSIC COUNTRY
Akzente

Krug und Waschschüssel

Quilts, Quilts, Quilts ...

Alte Nähmaschine und Zubehör

BACK DOOR ♥ FRIENDS

♥ Stellen Sie einen Topf mit Ihren Lieblingsblumen neben die Eingangstür. Ich liebe Sonnenblumen und Geranien.

♥ Hängen Sie einen fröhlichen Quilt an die Innenseite der Türe, als Willkommensgruß für Nachbarn und Freunde.

♥ Schmücken Sie den Eingang mit einem Kranz, einem Zweig oder einer Girlande aus getrockneten Kräutern oder Blumen.

♥ Stellen Sie einen Korb mit Tee, Kaffee und Ihren Lieblingsplätzchen bereit. Dann haben Sie immer etwas anzubieten, wenn Freunde überraschend hereinschneien.

WILLKOMMEN

Stapeln Sie ein paar Kissen und binden Sie eine schöne Schleife darum.

HOMESPUN TOUCHES

ABUNDANCE OF BUTTONS

EINRAHMEN UND AUFHÄNGEN

Hängen Sie eingerahmte Quiltblöcke oder Drucke und Bilder an eine schöne Vorhangstange und bringen Sie links und rechts originelle Abschlüsse an.

Legen Sie Knöpfe in Körbe, Schälchen, Tassen, Teller oder alte, abgenutzte Holzschublädchen. Nähen Sie sie auf Ihre Quilts – in die Ecken und auf die Patchworkblöcke. Schmücken Sie Kissen, Duftsäckchen, Lampenschirme und Schalen damit. Knöpfe machen Alltagsgegenstände interessant und gemütlich.

QUILTS MAKE IT FEEL LIKE HOME

PILLOWS WITH PIZZAZZ

Nähen Sie Knöpfe, Quasten oder Applikationen auf schlichte, gekaufte Kissen und Sie haben einen einmaligen Zimmerschmuck.

COZY COMFORTS

Applizieren Sie einfache Stoff- oder Filzmotive mit Schlingstich auf eine gekaufte Woll- oder Faserpelzdecke.

QUILTS IM MITTELPUNKT

Quilts hängen vom Kaminsims oder aus einem Korb, liegen gefaltet und gestapelt auf einer Truhe oder einem Beistelltisch, sind über ein Sofa oder einen Lehnstuhl drapiert oder hängen vom Treppengeländer.

Weiches Licht

Bekleben Sie Lampenschirme mit Stoffstücken, Knöpfen, Aufklebern, Geschenkpapier, Postkarten und Patchworkmustern, die Sie aus buntem Papier ausschneiden.

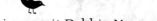

Teekannen

Herzen

Bienen

Bären

Gießkannen

Marien-
käfer

Knöpfe

Körbe

COUNTRY COLLECTIONS

Katzen

WAS ICH AM LIEBSTEN SAMMLE

Gestalten Sie eine Ecke oder ein ganzes Zimmer mit Ihrer Lieblingssammlung.
Sammeln ist ein vergnügliches Hobby. Es gibt Ihren Flohmarktbesuchen
ein Ziel und Ihren Freunden immer eine Idee für ein Geschenk! Wer sammelt,
hat stets etwas zu dekorieren.

Arche Noah

Wetter-
fahnen

Hasen

Flicken-
puppen

Engel

Nikolaus

Sonnen-
blumen

Finger-
hüte

Uhren

Vögel

Schnee-
männer

Vogel-
häuschen

Span-
schachteln

Bäume

Wassermelonen

ROOM THEMES

Wählen Sie zuerst ein Thema und bauen Sie erst dann das Zimmer um. Versuchen Sie, jeden Raum völlig anders zu gestalten. Viel Spaß mit den Anregungen auf dieser Seite – und natürlich all den anderen in diesem Buch.

WILD WEST

- Nähen Sie Kissen aus künstlichem Kuhfell und Webpelz.
- Hängen Sie Cowboyhüte an die Wand.
- Sammeln Sie Pfeilspitzen und zeigen Sie sie in einer Vitrine.
- Machen Sie einen Lampenfuß aus einem Cowboystiefel.
- Basteln Sie einen Garderobenständer in Form eines Kaktus.
- Schablonieren Sie eine Bordüre von Kakteen um die Wände.
- Nähen Sie einen Fensterbehang aus Halstüchern.
- Arrangieren Sie Blumen in einem Blecheimer.

AMERICANA COUNTRY

- Sammeln Sie amerikanische Flaggen.
- Greifen Sie auf Flohmärkten nach allem, was rot, blau oder weiß ist.
- Nähen Sie einen Stars-and-Stripes-Quilt und hängen Sie ihn auf oder drapieren Sie ihn dekorativ.
- Schablonieren Sie Sterne an die Wände, entweder als Bordüre oder verstreut.
- Dekorieren Sie das Fenster mit einem Querbehang aus bunten Wimpeln.
- Häkeln Sie einen Flickenteppich in Rot, Weiß und Blau.

DOWN ON THE FARM

- Hängen Sie eine Weizengarbe, ein Bündel Maiskolben oder einen kleinen Heuballen an einen dekorativen Haken.
- Stellen Sie Ähren in einen Zinkeimer.
- Bemalen Sie eine alte Milchkanne mit Country-Motiven.
- Füllen Sie einen Drahtkorb mit hölzernen oder ausgeblasenen Eiern.
- Benutzen Sie einen Melkschemel als Hocker.
- Flechten Sie eine Girlande aus Stroh.
- Binden Sie getrocknete Blumen und Kräuter mit Bändern aus Sackleinen zusammen.
- Stellen Sie Blumen in leere Milchflaschen.

GARDEN DELIGHTS

- Stellen Sie ein Stück Lattenzaun vor eine Wand.
- Basteln Sie eine Vogelscheuche für drinnen und ziehen Sie ihr alte Sachen an, von denen Sie sich nicht trennen können.
- Hängen Sie ein Arrangement aus Gartengeräten an die Wand.
- Stellen Sie dicke Kerzen in Tontöpfe.
- Schablonieren Sie Krähen oder Weinreben an die Wände.
- Stellen Sie frische Blumen in eine Gießkanne.
- Benutzen Sie einen Ast als Gardinenstange.
- Winden Sie eine Kräutergirlande.

QUILT LOVERS

- Stapeln Sie neue oder antike Quilts in einer Truhe.
- Zeigen Sie alte Nähutensilien in einem Korb.
- Füllen Sie eine alte Nähschublade mit Knöpfen, Stoffstücken und antikem Schmuck.
- Legen Sie kleine Quilts und alte Puppen zusammen in ein Bettchen oder eine Wiege.
- Wickeln Sie Stoffstücke zu Rollen und dekorieren Sie einen alten Picknickkorb damit.
- Rahmen Sie übriggebliebene Patchworkblöcke ein.

THE COUNTRY DECORATOR

MURPH'S TURF

Kleben Sie Sportler-karten auf ein altes oder roh belassenes Nachtkästchen und schrauben Sie Bälle als Knöpfe oder Füße an. COOL!

TIME FOR TEA

Ein schönes Arrangement ergeben allerlei Leckereien zum Tee in einem Korb auf einer Truhe.

FAMILY-ROOM RETREAT

COZY

Behagliche Ecken und Winkel

Stapeln Sie drei alte Papp-koffer auf einem Beistelltisch und bewahren Sie Spiele und Puzzles darin auf.

- Kleben Sie eine Collage aus Familien-andenken und Urlaubserinnerungen.
- Bauen Sie aus Mini-aturbalken eine kleine Blockhütte und schmücken Sie diese mit einem winzigen Log-Cabin-Quilt.
- Sammeln Sie Blätter im Garten oder Park und besprühen Sie sie mit Gold-, Silber- oder Kupferfarbe. Dann binden Sie sie an Kränze oder legen sie in einen Korb oder eine Schale.
- Dekorieren Sie alte Puppen und Stofftiere in einem kleinen Leiterwagen und packen Sie passende Quilts dazu.
- Schönes Holzspielzeug, in einer Ecke gruppiert, ist funktionell und zugleich hübsch.

- Schmücken Sie im Winter einen Kranz mit künstlichen Schneemännern.
- Füllen Sie einen Korb mit Pinienzapfen, Nüssen und Früchten.

THE BIRD BATH

Nähen Sie lustige Stoffbordüren an die Kanten von Handtüchern, damit sie zum Thema passen.

Bemalen Sie kleine hölzerne Vögelhäuschen und setzen Sie sie als Abschluss an die Gardinenstangen.

Schablonieren Sie einen Vogelhäuser auf eine Sisalmatte.

HOLIDAY

Haustüre

Lustige Fundstücke vom Flohmarkt heißen Besucher willkommen: eine alte Kohlen- oder Schneeschaufel, weihnachtliches Immergrün, antike Skier oder Schneeschuhe, alte Fausthandschuhe, Schlitten oder Schlittschuhe.

FOR A SPECIAL GIRL

Arbeiten Sie eine Girlande mit ausgestopften Herzen und hängen Sie sie über Türe oder Bett. Sticken Sie auf jedes Herz einen Buchstaben des Namens.

FRUITY KITCHEN

Debbies Rezept

FÜR EINE BAUERNKÜCHE:

- rotwangige, goldgelbe und grüne Äpfel
- Birnen in Braun und Gelb
- leuchtend rote Kirschen

Mischen Sie die Früchte mit leuchtend roten und naturfarbenen Karos. Mit wenig Schwarz würzen. Fügen Sie eine Handvoll grüner Blätter hinzu und verteilen Sie alles großzügig in Ihrer Küche. Sofort genießen!

COVERED BOXES

Dekorieren Sie gekaufte Pappschachteln mit Stoffen und Knöpfen.

Gestalten Sie ein gekauftes Tablett mit Apfelmotiven: So servieren Sie Apfelkuchen und Kaffee perfekt.

©Debbie Mumm

ESSZIMMER MIT CHARME

Teefreunde werden frohlocken! Das belieb-
teste Getränk der Welt erhält hier endlich
die Aufmerksamkeit, die es verdient.
Das entzückende Tee-Thema in diesem
Esszimmer schafft die richtige Stimmung
für entspannende Gespräche, auch wenn
Sie etwas anderes als Tee trinken.
Wie das Zimmer an Weihnachten aussieht,
sehen Sie auf Seite 31.

TISCHQUILT
»TEEKANNEN«

Diese Teekannen sind in dem satten Rot und Braun der alter Staffordshire-

Keramik gehalten. Englische Töpfer des ausgehenden 17. Jahrhunderts

hatten großen geschäftlichen Erfolg mit ihren Teekannen, Tassen und Tellern.

Ihre nostalgisch anmutenden Kannen schmücken hier einen hoch aktuellen

Tischquilt, der sich dank moderner Applikationstechniken ganz leicht nähen

lässt. Legen Sie ihn nicht nur zur Teestunde auf – Teekannen rund um den

Tisch passen auch zu Frühstück, Mittag- und Abendessen.

Fertige Größe: 87 × 87 cm   **Fertiger Teekannenblock: 23 × 18 cm**

MATERIAL

(Muster mit deutlich erkennbarer Richtung eignen sich nicht.)

Patchworkstoffe, 110 cm breit:

0,25 m rot-schwarz gemustert für die Teekannen

0,25 m hellbeige gemustert für den Hintergrund

0,25 m hellbeige-schwarz gemustert für die Blockmitte

0,60 m grün gemustert für Gitter und Einfassung

0,25 m schwarz gemustert für den Patchworkrand

0,25 m rot gemustert für den Patchworkrand und die Eck-quadrate

0,10 m gelb gemustert für den Patchworkrand

0,60 m bunt gewürfelt für den Randstreifen

1 m Rückseitenstoff

Reste von verschiedenen farblich passenden Stoffen für die Applikationen

Außerdem:

1 m Baumwollvlies

dünnes, aufbügelbares Klebevlies (Vliesofix®)

Sticktwist

4 passende Knöpfe, ca. 1,5 cm Ø

ZUSCHNITT

Waschen und bügeln Sie alle Stoffe. Schneiden Sie die Stoffe entsprechend der Tabelle zu. Verwenden Sie dabei Rollschneider, Quiltlineal und Schneidematte. Alle Maße beinhalten 0,6 cm Nahtzugabe.

STOFF	ERSTER SCHNITT		ZWEITER SCHNITT	
Farbe	Anzahl	Format	Anzahl	Format
rot-schwarz gemustert	**Teekannen**			
	4	Quadrate: 14 × 14 cm	kein zweiter Schnitt	
hellbeige gemustert	**Hintergrund**			
	3	Streifen: 6,5 × 107 cm	4	Rechtecke: 6,5 × 24 cm
			8	Rechtecke: 6,5 × 14 cm
			16	Quadrate: 3,8 × 3,8 cm
hellbeige-schwarz gemustert	**Mittelquadrate der Blöcke**			
	1	Quadrat: 16,5 × 16,5 cm	kein zweiter Schnitt	
	4	Quadrate: 14 × 14 cm	kein zweiter Schnitt	
grün gemustert	**Gitter**			
	7	Streifen: 2,5 × 107 cm	2	Streifen: 2,5 × 65 cm
			4	Streifen: 2,5 × 62,5 cm
			2	Streifen: 2,5 × 24 cm
			6	Streifen: 2,5 × 19 cm
			2	Streifen: 2,5 × 16,5 cm
	Einfassung			
	4	Streifen: 7 × 107 cm	kein zweiter Schnitt	
schwarz gemustert	**Patchworkrand**			
	4	Streifen: 3,8 × 107 cm	8	Streifen: 3,8 × 36 cm
rot gemustert	**Patchworkrand**			
	2	Streifen: 3,8 × 107 cm	4	Streifen: 3,8 × 36 cm
	Eckquadrate			
	4	Quadrate: 11,5 × 11,5 cm	kein zweiter Schnitt	
gelb gemustert	**Patchworkrand**			
	2	Streifen: 3,8 × 107 cm	4	Streifen: 3,8 × 36 cm
bunt gewürfelt	**Rand**			
	4	Streifen: 11,5 × 65 cm	kein zweiter Schnitt	

Teekannenblöcke nähen

Sie benötigen vier Teekannenblöcke. Wie Sie die Eck-Dreiecke für alle vier Blöcke schnell und einfach anfertigen, lesen Sie auf Seite 268 und 269 (»Rationelles Nähen« und »Eckdreiecke schnell genäht«). Bügeln Sie die Nahtzugaben zu den angenähten Dreiecken hin.

① Nähen Sie 4 hellbeige gemusterte 3,8-cm-Quadrate an jedes der 4 rot-schwarz gemusterten 14-cm-Quadrate **(Abb. 1)**. Bügeln Sie.

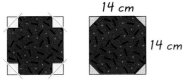

Abbildung 1

② Nähen Sie die 4 Einheiten aus Schritt 1 mit 0,6 cm Nahtzugabe zwischen die 8 hellbeige gemusterten Teile von 6,5 × 14 cm. Bügeln Sie, wie die Pfeile in **Abb. 2** angeben.

Abbildung 2

③ Nähen Sie die 4 hellbeige gemusterten Teile von 6,5 × 24 cm an die 4 Einheiten aus Schritt 2 **(Abb. 3.)**. Bügeln Sie. Jeder Block misst nun 24 × 19 cm.

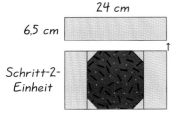

Abbildung 3

Applikation

Die Applikationsteile werden auf den Teekannenblöcken angebracht, wie unter »Schlingstichapplikation« auf Seite 272 beschrieben. Mit der Maschine können Sie wahlweise mit Platt- oder

Applikationsstich nähen. Lesen Sie alles über diese Techniken unter »Maschinenapplikation« (Seite 271/272). Arbeiten Sie jeweils mit dünnem, aufbügelbarem Klebevlies (Vliesofix®).

① Lesen Sie die Anleitung »Aufbügelapplikation« (Seite 270/271). Pausen Sie die Konturen von Tülle, Henkel, Deckel und Margerite (Seite 17) je 4 × ab.

② Bügeln Sie die Applikationsteile mit Klebevlies auf die entsprechenden Stellen der Teekannen. **Abb. 4** zeigt die Anordnung.

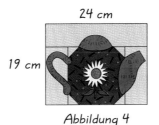

Abbildung 4

③ Arbeiten Sie dekorative Schlingstiche mit zwei Fäden Sticktwist um alle Kanten der Applikation.

Mittelblock nähen

① Nähen Sie die Gitterstreifen von 2,5 × 16,5 cm an Ober- und Unterkante des beige-schwarzen 16,5-cm-Quadrats **(Abb. 5)**. Bügeln Sie in Richtung der Gitterstreifen.

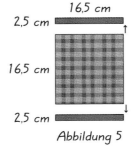

Abbildung 5

Sticken Sie die Schlingstiche zuerst

Es ist sinnvoll, zuerst die Schlingstiche um die Kanten der Applikationsmotive zu arbeiten und dann erst die Blöcke des Teekannen-Quilts zusammenzusetzen. So bleibt die Arbeit handlich und Sie können jederzeit daran arbeiten, wenn Sie ein paar freie Minuten haben.

② Nähen Sie einen Gitterstreifen von 2,5 × 19 cm an jede Seite, wie in **Abb. 6** gezeigt. Bügeln Sie.

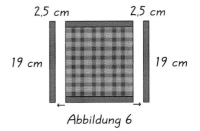

Abbildung 6

③ Legen Sie 4 Patchwork-Randstreifen von 3,8 × 36 cm (2 schwarze, 1 roten und 1 gelben) nebeneinander, wie in **Abb. 7** gezeigt. Nähen Sie die Streifen zu einem 11,5 × 36 cm großen Streifenset zusammen. Wechseln Sie bei jeder Naht die Nährichtung und bügeln Sie die Nahtzugaben zu den schwarzen Streifen hin. Halbieren Sie das Streifenset; jede Hälfte ist etwa 18 cm lang.

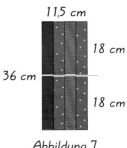

Abbildung 7

④ Nähen Sie die beiden Hälften zu einem neuen Streifenset von 21,5 × 18 cm zusammen. Mit Hilfe von Rollschneider und Quiltlineal schneiden Sie davon quer Abschnitte von je 3,8 × 21,5 cm ab. Jeder Abschnitt besteht aus 8 Quadraten **(Abb. 8)**.

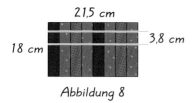

Abbildung 8

⑤ Mit einem Nahttrenner entfernen Sie von zweien der 3,8 × 21,5 cm großen Abschnitte ein schwarzes Quadrat und erhalten so 2 Abschnitte mit je 7 Quadraten, die Sie in Schritt 6 benötigen. Vergleichen Sie die Länge der Abschnitte mit Ober- und Unterkante des Mittelteils. Es kann sein, dass Sie ein paar Nähte enger oder weiter nachnähen müssen (maximal 1 mm), damit die Längen übereinstimmen. Wie in **Abb. 9** gezeigt, stecken und nähen Sie die 3,8 × 18 cm großen Patchwork-Randstreifen an Ober- und Unterkante. Bügeln Sie zum Gitterstreifen hin.

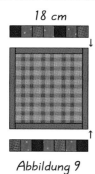

Abbildung 9

⑥ Nähen Sie je eins der schwarzen Quadrate aus Schritt 5 an das rote Quadrat am Ende der übrigen 3,8 × 21,5 cm großen Abschnitte **(Abb. 10)**. Bügeln Sie.

Schnelle Dekoration fürs Fenster

Hängen Sie kleine Kränzchen rechts und links oben an Ihr Fenster und drapieren Sie Ihren Lieblingsstoff, indem Sie ihn durch die Kränzchen ziehen. Umwickeln Sie den Stoff mit einer Girlande aus Efeu. Wechseln Sie den Stoff oder die Girlande nach Jahreszeit.

Abbildung 10

⑦ Wie in **Abb. 11** gezeigt, stecken und nähen Sie die 3,8 × 24 cm großen Streifen an die Seiten. Bügeln Sie. Der Mittelblock misst nun 24 cm im Quadrat.

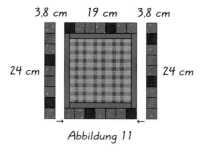

Abbildung 11

Eckblöcke nähen

① Nähen Sie 5 Streifen von 3,8 × 36 cm (2 schwarz gemusterte, 1 roten und 2 gelbe) zu einem 14 × 36 cm großen Streifenset zusammen **(Abb. 12)**. Wechseln Sie bei jeder Naht die Nährichtung und bügeln Sie die Nahtzugaben zu den schwarzen Streifen hin. Mit Rollschneider und Lineal schneiden Sie 8 Ab-

schnitte à 3,8 × 14 cm von diesem Streifenset ab. Jeder Abschnitt besteht aus 5 Quadraten.

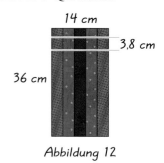

Abbildung 12

② Stecken und nähen Sie die 3,8 × 14 cm großen Patchworkstreifen an Ober- und Unterkante der 4 beige-schwarzen Quadrate mit 14 cm Seitenlänge **(Abb. 13)**. Bügeln Sie die Nahtzugabe zur Mitte hin.

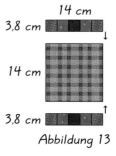

Abbildung 13

③ Nähen Sie die 7 verbleibenden 3,8 × 36 cm großen Streifen (4 schwarz gemusterte, 2 rote und 1 gelben) in der in **Abb. 14** gezeigten Farbfolge zu einem Streifenset von 19 × 36 cm zusammen. Wechseln Sie bei jeder Naht die Nährichtung und bügeln Sie die Nahtzugabe zu den schwarzen Streifen hin. Schneiden Sie mit Rollschneider und Lineal von diesem Streifenset 8 Abschnitte à 3,8 × 19 cm ab. Jeder Abschnitt besteht aus 7 Quadraten.

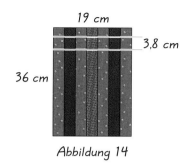

19 cm

3,8 cm

36 cm

Abbildung 14

④ Stecken und nähen Sie die 3,8 × 19 cm-Patchworkstreifen an die Seiten, wie **Abb. 15** zeigt. Bügeln Sie. Jeder Eckblock misst nun 19 × 19 cm.

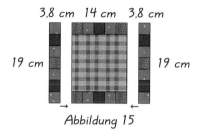

3,8 cm   *14 cm*   *3,8 cm*

19 cm   *19 cm*

Abbildung 15

Oberseite zusammensetzen

① Nähen Sie 2 Eckblöcke à 19 × 19 cm, 2 Gitterstreifen à 2,5 × 19 cm und 1 Teekannenblock im Format 24 × 19 cm zusammen, wie **Abb. 16** zeigt. Bügeln Sie. Arbeiten Sie dieselbe Einheit noch einmal.

② Nähen Sie je einen Gitterstreifen von 2,5 × 62,5 cm an Ober- und Unterkante der zusammengesetzten Einheit aus Schritt 1 **(Abb. 17)**. Bügeln Sie.

③ Nähen Sie die restlichen beiden 24 × 19 cm großen Teekannenblöcke, die 2 Gitterstreifen à 2,5 × 24 cm und das 24-cm-Mittelquadrat wie in **Abb. 18** gezeigt zusammen. Bügeln Sie.

④ Nähen Sie die beiden Einheiten aus Schritt 2 und die aus Schritt 3 zusammen, wie **Abb. 19** (Seite 16) zeigt. Bügeln Sie.

⑤ Nähen Sie die Gitterstreifen von 2,5 × 65 cm an die Seiten. Bügeln Sie die Nahtzugabe zum Gitterstreifen hin.

⑥ Nähen Sie die 11,5 × 65 cm großen Randstreifen an Ober- und Unterkante. Bügeln Sie die Nahtzugabe zu den Randstreifen hin.

⑦ Nähen Sie ein rotes 11,5-cm-Quadrat an jedes Ende der verbleibenden 11,5 × 65 cm großen Randstreifen. Bügeln Sie die Nähte zum Rand hin. Stecken und nähen Sie die Randstreifen an die Seiten. Bügeln Sie.

Quiltlagen montieren

Legen und heften Sie Rückseite, Vlies und Oberseite aufeinander (siehe »Quiltlagen montieren«, Seite 275). Schneiden Sie Rückseite und Vlies bis auf 0,6 cm an die Kante der Oberseite zurück.

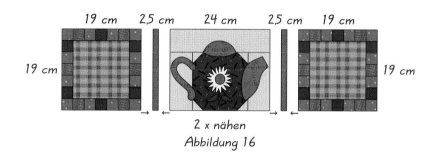

19 cm   *2,5 cm*   *24 cm*   *2,5 cm*   *19 cm*

19 cm   *19 cm*

2 x nähen
Abbildung 16

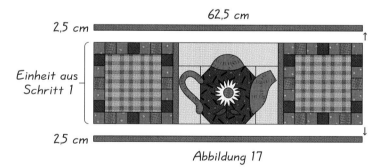

62,5 cm

2,5 cm

Einheit aus Schritt 1

2,5 cm

Abbildung 17

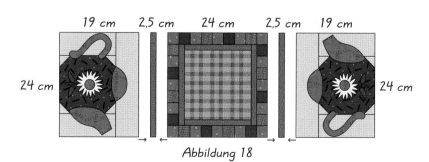

19 cm   *2,5 cm*   *24 cm*   *2,5 cm*   *19 cm*

24 cm   *24 cm*

Abbildung 18

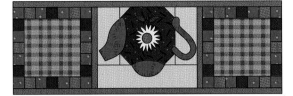

Einheit aus Schritt 2

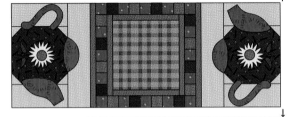

Einheit aus Schritt 3

Einheit aus Schritt 2

Abbildung 19

87 cm

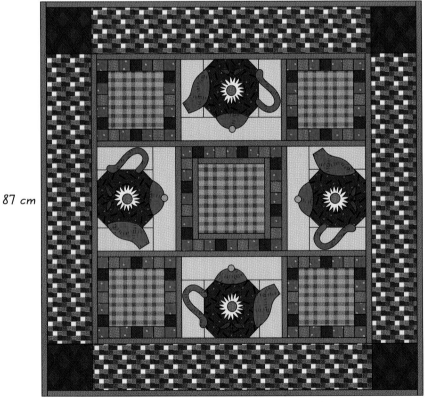

87 cm

ANORDNUNG DES TISCHQUILTS

Quilt einfassen

Lesen Sie die Anleitung »Quilt einfassen« (Seite 275/276) und fassen Sie den Quilt mit den 4 Einfassstreifen von 107 cm Länge und 7 cm Breite ein.

Letzte Stiche

Quilten Sie von Hand oder mit der Maschine in den Nahtlinien von Teekannen, Gitterstreifen, Eckquadraten und den Patchwork-Randquadraten. Umrahmen Sie die Applikationen 1 mm vom Umriss entfernt. Mit Hilfe einer gekauften Quiltschablone quilten Sie eine Blüte in den Mittelblock und in die Eckblöcke. Quilten Sie jeden Teekannenblock im 3-cm-Raster und den Rand im 5-cm-Raster. Nähen Sie je einen Knopf auf die Deckel der Teekannen.

Frische Blumen

Schmücken Sie den Tisch mit einem Strauß Margeriten, den Sie in Ihre Lieblingsvase oder in eine alte Teekanne stellen.

MARGE-
RITE

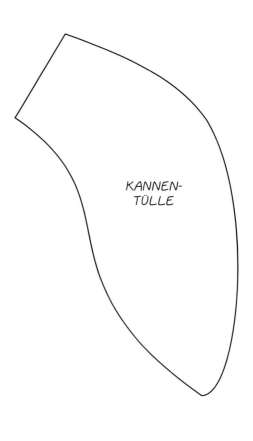

KANNEN-
TÜLLE

KANNENDECKEL

KANNEN-
HENKEL

ZEICHENERKLÄRUNG

———— Kontur

- - - - - Kontur (wird später
von Stoff bedeckt)

WOCHENENDE

TEEKANNEN-TRIO

Ob es nun der Tee zum Frühstück, zur Nachmittagspause oder der krönende

Abschluss des Abends ist – wenn dieses Trio von Teekannen in ihrem Esszim-

mer hängt, ist einfach immer Teezeit. Arbeiten Sie Ihre Kannen in rustikalen

Tönen, wie auf dem Foto gezeigt, oder kombinieren Sie Blütendrucke in Früh-

lingsfarben (siehe Farbvariante auf Seite 21). Wofür Sie sich auch

entscheiden, mit den hier beschriebenen schnellen und einfachen Techniken

nähen Sie Ihren Quilt in Rekordzeit.

Fertige Größe: 46 × 81 cm   **Fertiger Teekannenblock: 23 × 18 cm**

MATERIAL

(Muster mit deutlich erkennbarer Richtung eignen sich nicht.)

Patchworkstoffe, 110 cm breit:

je 0,15 m oder je ein 12 × 12 cm großes Quadrat schwarz gemustert, rot gemustert und bunt gemustert für die Teekannen

je 0,10 m von 3 verschiedenen beige gemusterten Stoffen für den Hintergrund

0,50 m grün gemustert für Gitterstreifen und Einfassung

0,10 m oder je ein 3,8 bis 6,5 cm breiter und 80 cm langer Streifen von 7 Stoffen für den Patchwork-Randstreifen

0,6 m Rückseitenstoff

Reste von verschiedenen farblich passenden Stoffen für die Applikationen

Außerdem:

0,6 m dünnes Volumenvlies

dünnes, aufbügelbares Klebevlies (Vliesofix®)

Sticktwist

3 verschiedene Knöpfe, 1,5 – 2 cm ⌀

ZUSCHNITT

Waschen und bügeln Sie alle Stoffe. Schneiden Sie die Stoffe entsprechend der Tabelle zu. Verwenden Sie dabei Rollschneider, Quiltlineal und Schneidematte. Alle Maße beinhalten 0,6 cm Nahtzugabe.

STOFF	ERSTER SCHNITT		ZWEITER SCHNITT	
Farbe	Anzahl	Format	Anzahl	Format
schwarz, rot, bunt gemustert	**Teekannen** – aus jedem der 3 Stoffe zuschneiden:			
	1	Quadrat: 11,5 × 11,5 cm	kein zweiter Schnitt	
beige gemustert	**Hintergrund** – aus jedem der 3 Stoffe zuschneiden:			
	1	Streifen: 6,5 × 107 cm	1	Rechteck: 6,5 × 24 cm
			2	Rechtecke: 6,5 × 14 cm
			4	Quadrate: 3,8 × 3,8 cm
grün gemustert	**Gitterstreifen**			
	3	Streifen: 3,8 × 107 cm	2	Streifen: 3,8 × 65 cm
			4	Streifen: 3,8 × 24 cm
	Einfassung		Einen der Streifen teilen in:	
	3	Streifen: 7 × 107 cm	2	Streifen: 7 × 53,5 cm
Randstoffe	**Patchwork-Randstreifen**			
	7	80 cm lange Streifen in Breiten zwischen 3,8 und 6,5 cm	kein zweiter Schnitt	

Blöcke nähen

Die drei Teekannenblöcke werden in drei verschiedenen Farbkombinationen genäht. Stellen Sie die Farben zusammen, bevor Sie zu nähen beginnen und achten Sie immer auf die richtige Kombination.

Fertigen Sie drei Teekannenblöcke ohne Margeriten an (siehe »Teekannenblöcke nähen« und »Applikation« Seite 12/13).

Oberseite zusammensetzen

① Nähen Sie mit 0,6 cm Nahtzugabe je einen Gitterstreifen à 3,8 × 24 cm an die Oberkante jedes Blocks **(Abb. 1)** Bügeln Sie die Nahtzugabe zum Streifen hin.

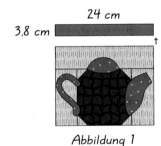

24 cm
3,8 cm

Abbildung 1

② Nähen Sie die 3 Blöcke untereinander und bügeln Sie das ganze Stück. Nähen Sie den letzten 3,8 × 24 cm großen Gitterstreifen an die Unterkante **(Abb. 2)**. Bügeln Sie.

③ Nähen Sie die Gitterstreifen von 3,8 × 65 cm an die Seiten. Bügeln Sie die Nähte zu den Streifen hin.

3,8 cm

24 cm

Abbildung 2

Patchwork-Randstreifen nähen

① Nähen Sie die 7 Streifen à 80 cm (einen von jeder Farbe) zu einem Streifenset von 29 × 80 cm zusammen. Wechseln Sie bei jeder Naht die Nährichtung und bügeln Sie alle Nähte in eine Richtung. Mit Rollschneider und Quiltlineal schneiden Sie von diesem Streifenset 8 Abschnitte à 9 × 29 cm ab **(Abb. 3)**.

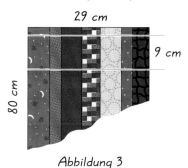

Abbildung 3

② Stecken und nähen Sie je einen 9 × 29 cm großen Patchwork-Randstreifen an Ober- und Unterkante des Teekannen-Teils. Bügeln Sie die Nahtzugaben zum Gitterstreifen hin.

③ Für die Seiten nähen Sie je 3 der 9 × 29 cm großen Streifensets zu 2 Patchwork-Randstreifen von 9 × 85 cm aneinander. Stecken und nähen Sie diese Bordüren-streifen an die Seiten und schneiden Sie die überstehende Länge ab. Bügeln Sie.

Quiltlagen montieren

Legen und heften Sie Rückseite, Vlies und Oberseite aufeinander, wie unter »Quiltlagen montieren« auf Seite 275 beschrieben. Schneiden Sie Vlies und Rückseite bis

auf 0,6 cm an die Kanten der Oberseite zurück.

Quilt einfassen

Fassen Sie den Quilt entsprechend der Anleitung auf Seite 275/276 (»Quilt einfassen«) mit den 7 cm breiten Streifen ein. Verwenden Sie dabei die beiden 53,5 cm langen Streifen für Ober- und Unterkante, die beiden 107 cm langen Streifen für die Seiten.

Letzte Stiche

Quilten Sie von Hand oder mit Maschine in den Nahtlinien von Teekannen, Gitterstreifen und den Patchwork-Randstreifen. Die Umrisse der Applikationen quilten Sie in 1 mm Abstand. Quilten Sie ein diagonales 3-cm-Raster auf den Hintergrund jedes Tee-kannenblocks. Nähen Sie je einen Knopf auf die Deckel der Teekannen.

Etikett in Tassenform

Nach der Vorlage für die Teetassen (Seite 26) können Sie ein origi-nelles Etikett aus Stoff für Ihren Quilt zu-schneiden. Schreiben Sie mit wasserfestem Stift den Titel des Quilts, Ihren Namen und das Datum darauf. Dann nähen oder bügeln Sie die Tasse auf die Rückseite des Quilts auf.

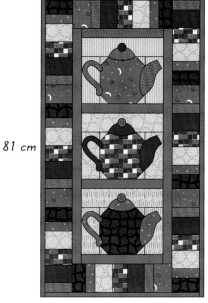

46 cm

81 cm

ANORDNUNG DES QUILTS

FARBVARIANTE

Geblümte Stoffe in Blau, Rosa, Lavendel und Pfirsich verleihen dem Teekannen-Quilt eine frühlingshafte Anmutung.

TEE-SAMPLER

Tee trinken mit Freunden, anregende Gespräche, Freundschaften schließen –

das hat eine fast 4000 Jahre alte Geschichte. Nähen Sie diesen kleinen

Sampler zu Ehren des traditionsreichen Getränks und hängen Sie ihn zur

Freude Ihrer Gäste an die Wand ihres Esszimmers.

Fertige Größe: 38 × 37 cm

MATERIAL UND ZUSCHNITT

Waschen und bügeln Sie alle Stoffe. Schneiden Sie die Stoffe entsprechend der Tabelle zu. Verwenden Sie dabei Rollschneider, Quiltlineal und Schneidematte. Alle Maße beinhalten 0,6 cm Nahtzugabe.

STOFF	MENGE	TEILE	MASS
hell- bis mittelbraun gemustert für den Hintergrund	je 0,10 – 0,25 m von 5 Stoffen	1 1 1 1 1	7,5 × 9 cm (Block 1) 9 × 9 cm (Block 2) 7,5 × 9 cm (Block 3) 10 × 14 cm (Block 4) 14 × 14 cm (Block 5)
grün gemustert für die Gitterstreifen	0,10 m (in 2 Streifen zu 2,5 × 107 cm schneiden)	2 3 1 2	Streifen: 2,5 × 25,5 cm Streifen: 2,5 × 24 cm Streifen: 2,5 × 14 cm Streifen: 2,5 × 9 cm
rot gemustert für den Rand	je 0,10 m von 2 Stoffen	je 1	Streifen: 6,5 × 27 cm
schwarz gemustert für den Rand	je 0,10 m von 2 Stoffen	je 1	Streifen: 6,5 × 35,5 cm
uni schwarz für die Einfassung	0,10 m (in 2 Streifen zu 2,5 × 107 cm schneiden)	2 2	Streifen: 2,5 × 38 cm Streifen: 2,5 × 37 cm
Rückseitenstoff	0,50 m	–	–
dünnes Volumenvlies	0,50 m	–	–
verschiedene farblich passende Stoffe für die Applikationen	Reste oder 0,10-m-Stücke	–	–

Außerdem: dünnes, aufbügelbares Klebevlies (*Vliesofix®*), Sticktwist, Knopf 1,5 cm ⌀

Hintergrund zusammensetzen

Vor dem Aufbügeln der Applikationen müssen Sie die Quilt-Oberfläche zusammensetzen. Arbeiten Sie nach den **Abbildungen 1** bis **3**. Nähen Sie mit 0,6 cm Nahtzugabe und bügeln Sie nach jedem Arbeitsgang zu den Gitterstreifen hin.

① Nähen Sie den Stoff für Block 2 zwischen 2 Gitterstreifen à 2,5 × 9 cm **(Abb. 1)**.

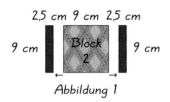

2,5 cm   9 cm   2,5 cm

9 cm   Block 2   9 cm

Abbildung 1

② Nähen Sie die Einheit aus Schritt 1 zwischen die Stoffe der Blöcke 1 und 3 **(Abb. 2)**.

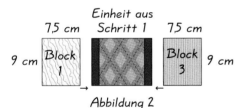

Einheit aus
7,5 cm   Schritt 1   7,5 cm

9 cm   Block 1   Block 3   9 cm

Abbildung 2

③ Nähen Sie den 2,5 × 14 cm großen Gitterstreifen zwischen die Stoffe für Block 4 und 5 **(Abb. 3)**.

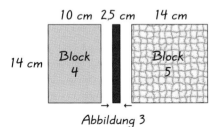

10 cm   2,5 cm   14 cm

14 cm   Block 4   Block 5

Abbildung 3

④ Nähen Sie einen 2,5 × 24 cm großen Gitterstreifen zwischen die Einheiten aus Schritt 2 und 3 **(Abb. 4)**.

24 cm

Einheit aus Schritt 2

2,5 cm

Einheit aus Schritt 3

Abbildung 4

⑤ Nähen Sie die restlichen 2,5 × 24 cm großen Gitterstreifen an Ober- und Unterkante der Einheit aus Schritt 4. Bügeln Sie die Nahtzugaben zum Gitterstreifen hin.

⑥ Nähen Sie die 2,5 × 25,5 cm großen Gitterstreifen an beide Seiten. Bügeln Sie.

⑦ Nähen Sie die 6,5 × 27 cm großen Randstreifen an Ober- und Unterkante. Bügeln Sie die Nahtzugaben zum Rand hin.

⑧ Nähen Sie die 6,5 × 35,5 cm großen Randstreifen an die Seiten. Bügeln Sie.

⑨ Nähen Sie die 2,5 × 37 cm großen Einfassstreifen an Ober- und Unterkante. Bügeln Sie die Nahtzugaben jeweils zum Einfassstreifen hin.

⑩ Nähen Sie die 2,5 × 38 cm-Einfassstreifen an die Seiten. Bügeln Sie.

Applikation

① Verfahren Sie, wie unter »Aufbügelapplikation« auf Seite 270/271 beschrieben. Pausen Sie die Vorlagen für Teekanne, Wasserkessel, Teetassen, Zuckerdose und Teebeutel von Seite 25/26 ab. Übertragen Sie auch die Buchstaben auf dem Teebeutelanhänger, bevor Sie die Motive aufbügeln.

② Bügeln Sie jedes Motiv in der Mitte des entsprechenden Blocks mit Klebevlies fest. Applizieren Sie jedes Motiv einzeln gemäß der Grafik auf Seite 25 links oben.

③ Sticken Sie die Buchstaben auf dem Teebeutelanhänger, den »Faden«, die Konturen des Teebeutels und die Dampfschwaden mit einem Faden Sticktwist in Stielstich (siehe »Zierstiche«, Seite 272).

Stoffe ganz nach Geschmack

Völlig anders sieht der Wandquilt aus, wenn Sie ihn aus japanischen Stoffen oder aus Blaudrucken nähen.

Letzte Stiche

① Legen Sie Oberseite und Rückseitenstoff rechts auf rechts aufeinander. Breiten Sie beides über das Vlies, die Rückseite liegt auf dem Vlies. Stecken Sie die Lagen aufeinander fest. Nähen Sie mit 0,6 cm Nahtzugabe um alle Kanten und lassen Sie eine 10 cm breite Öffnung zum Wenden frei. Schneiden Sie Vlies und Rückseite auf die gleiche Größe wie die Oberseite zu und kappen Sie die Ecken. Wenden Sie den Quilt und schließen Sie die Wendeöffnung mit Handstichen. Bügeln Sie den Quilt.

② Quilten Sie in den Nahtlinien der Gitterstreifen und der Einfassung. Umquilten Sie die Applikationen in 1 mm Abstand. Quilten Sie ein diagonales 3-cm-Raster auf den Rand. Nähen Sie den Knopf auf den Kannendeckel.

38 cm

37 cm

ANORDNUNG DES WANDBEHANGS

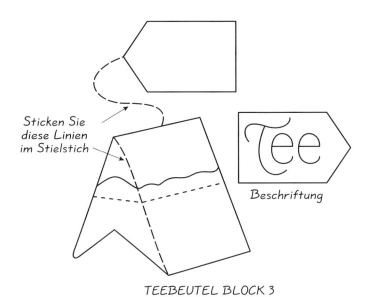

Sticken Sie diese Linien im Stielstich

Beschriftung

TEEBEUTEL BLOCK 3

ZUCKERDOSE
BLOCK 1

Knopf

TEEKANNE
BLOCK 5

ZEICHENERKLÄRUNG

———— Kontur

- - - - Kontur (wird später
von Stoff bedeckt)

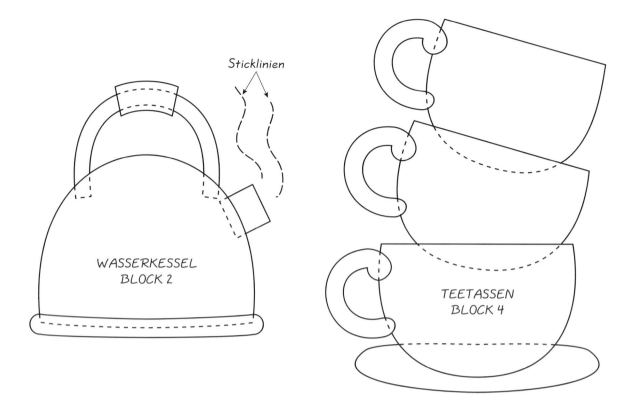

Sticklinien

WASSERKESSEL
BLOCK 2

TEETASSEN
BLOCK 4

ALLES FÜR DIE TEESTUNDE

LÄNDLICH DEKORIEREN • EINFACH UND SCHNELL

Veranstalten Sie Ihre eigene Teezeremonie und bezaubern Sie Ihre Gäste mit passendem Tischschmuck, Servietten, Serviettenringen (Seite 30) und Tischkarten im Tee-design (Seite 30). Arbeiten Sie dieses Zubehör in Land-hausfarben oder wählen Sie die Farben passend zu Ihrem Teegeschirr aus.

TEEKANNEN-
TISCHGESTECK
Höhe: 45 cm

Material

Teekanne aus Papiermaché
Acrylfarbe
Decoupage-Lack
passende Stoff- oder Papiermotive
Mattlack (Spray)
Patina
Blumensteckmasse
Styroporkugel, 9 cm Ø
Styroporkugel, 6,5 cm Ø
Holzdübelstab, 0,6 cm Ø, 40 cm
  lang, gebeizt
Klebstoff (für Styropor geeignet)
Ziermoos
verschiedene Knöpfe
Draht, mittlere Stärke
Heißklebepistole mit Klebesticks
1 m Zierband, drahtverstärkt

Anleitung

① Bemalen Sie die Teekanne mit
Acrylfarbe (siehe »Dekoratives
Bemalen«, Seite 53) und lassen
Sie die Farbe trocknen. (Die
Kanne auf dem Foto ist schwarz,

der Henkel rot bemalt.) Fügen Sie
Muster wie Punkte oder Karos
hinzu.

② Bekleben Sie die Kanne mit
Hilfe des Découpage-Lacks mit
Stoff- oder Papiermotiven und las-
sen Sie sie trocknen.

③ Besprühen Sie die Teekanne mit
Mattlack und lassen Sie ihn
gründlich trocknen.

④ Tragen Sie Patina entsprechend
der Gebrauchsanweisung auf und
lassen Sie die Kanne wieder trocknen, bevor Sie eine zusätzliche
schützende Lackschicht darüber
sprühen.

⑤ Füllen Sie die Kanne mit Blumensteckmasse. Dann stecken
Sie die Styroporkugeln mit 4 cm
Abstand auf den Dübelstab – die
größere unten, die kleinere oben
– und kleben sie fest. Stecken Sie
den Stab in die Teekanne.

⑥ Bedecken Sie die Kugeln und
die Öffnung der Kanne mit Klebstoff und befestigen Sie das Ziermoos darauf.

⑦ Dekorieren Sie das Gesteck mit
Knöpfen und lustigen Drahtsteckern. Wickeln Sie dazu Draht
mittlerer Stärke um einen Dübelstab oder einen Bleistift und kleben Sie Stoff- oder Papiermotive
an das obere Ende. Kleben Sie die
Knöpfe mit Hilfe der Klebepistole
auf.

⑧ Binden Sie eine Schleife aus
drahtverstärktem Band um den
Stamm des Gestecks.

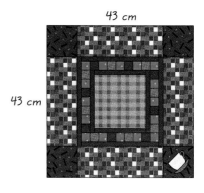

43 cm
43 cm

TEESERVIETTEN
Fertige Größe: 43 × 43 cm
(Siehe Foto auf Seite 8/9)

Material

für 4 Servietten

Patchworkstoffe, 110 cm breit:
0,25 m beige-schwarz kariert für
  die Mitte
0,35 m grün gemustert für die
  Kontraststreifen
0,25 m schwarz gemustert für die
  Patchworkbordüre
0,10 m rot gemustert für die
  Patchworkbordüre
0,10 m gelb gemustert für die
  Patchworkbordüre
0,70 m bunt gemustert für den
  Randstreifen
0,30 m rot-schwarz gemustert für
  die Eckquadrate
1,10 m Rückseitenstoff
Reste von farblich passenden
  Stoffen für die Applikationen
Außerdem:
dünnes, aufbügelbares Klebevlies
  (Vliesofix®)
Sticktwist

Servietten
zusammensetzen

① Beachten Sie die Zuschnitt-
maße auf Seite 28. Arbeiten Sie
mit 0,6 cm Nahtzugabe. Nähen
Sie die 2,5 × 16,5 cm-Kontrast-

ZUSCHNITT

Waschen und bügeln Sie alle Stoffe. Schneiden Sie die Stoffe entsprechend der Tabelle zu. Verwenden Sie dabei Rollschneider, Quiltlineal und Schneidematte. Alle Maße beinhalten 0,6 cm Nahtzugabe.

STOFF	ERSTER SCHNITT		ZWEITER SCHNITT	
Farbe	Anzahl	Format	Anzahl	Format
beige-schwarz kariert	**Mittelquadrat**			
	4	Quadrate: 16,5 × 16,5 cm	kein zweiter Schnitt	
grün gemustert	**Kontraststreifen**			
	8	Streifen: 2,5 × 107 cm	8	Streifen: 2,5 × 27 cm
			8	Streifen: 2,5 × 24 cm
			8	Streifen: 2,5 × 19 cm
			8	Streifen: 2,5 × 16,5 cm
schwarz gemustert	**Patchworkbordüre**			
	4	Streifen: 3,8 × 70 cm	kein zweiter Schnitt	
rot gemustert	**Patchworkbordüre**			
	2	Streifen: 3,8 × 70 cm	kein zweiter Schnitt	
gelb gemustert	**Patchworkbordüre**			
	2	Streifen: 3,8 × 70 cm	kein zweiter Schnitt	
bunt gemustert	**Äußerer Rand**			
	6	Streifen: 10 × 107 cm	16	Streifen: 10 × 27 cm
rot-schwarz gemustert	**Eckquadrate**			
	2	Streifen: 10 × 107 cm	16	Quadrate: 10 × 10 cm
Rückseitenstoff	4	Quadrate 45,5 × 45,5 cm	kein zweiter Schnitt	

streifen an Ober- und Unterkante der vier 16,5 cm Mittelquadrate aus schwarz-beigem Karostoff (**Abb. 1**). Bügeln Sie.

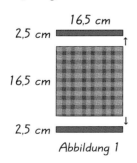

Abbildung 1

② Nähen Sie die 2,5 × 19 cm großen Kontraststreifen an die Seiten (**Abb. 2**). Bügeln Sie.

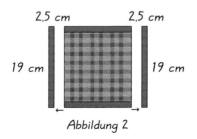

Abbildung 2

③ Legen Sie die 8 Streifen à 3,8 × 70 cm für die Patchworkbordüre nebeneinander: 4 schwarz gemusterte, 2 rot gemusterte und 2 gelb gemusterte (Farbfolge siehe **Abb. 3** auf Seite 29). Nähen Sie die Streifen zu einem 21,5 × 70 cm großen Streifenset zusammen. Wechseln Sie bei jeder Naht die Nährichtung und bügeln Sie die Nahtzugaben zu den schwarzen Streifen hin. Schneiden Sie von diesem Streifenset mit dem Rollschneider 16 Abschnitte à 3,8 × 21,5 cm ab. Jeder Abschnitt besteht aus 8 Streifen.

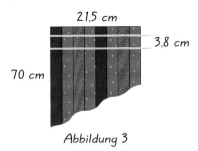

Abbildung 3

④ Von 8 der Abschnitte entfernen Sie mit dem Nahttrenner jeweils ein schwarzes Quadrat. So erhalten Sie 8 Abschnitte mit je 7 Quadraten für Ober- und Unterkante. Legen Sie die abgetrennten schwarzen Quadrate für Schritt 5 beiseite. Vergleichen Sie die Länge der Abschnitte mit Ober- und Unterkante der Einheiten aus Schritt 2. Vielleicht müssen Sie einige Nähte enger oder weiter nachnähen (maximal 1 mm), damit das Maß stimmt. Stecken und nähen Sie die 3,8 × 19 cm großen Patchworkstreifen, wie **Abb. 4** zeigt, an Ober- und Unterkante der Einheiten aus Schritt 2. Bügeln Sie.

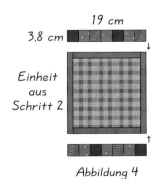

Abbildung 4

⑤ Nähen Sie je eines der abgetrennten 3,8-cm-Quadrate aus Schritt 4 an die rot gemusterten Enden der 8 verbleibenden

3,8 × 21,5 cm großen Patchworkabschnitte **(Abb. 5)**. Bügeln Sie.

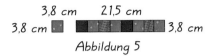

Abbildung 5

⑥ Nach der Anordnung von **Abb. 6** stecken und nähen Sie die 3,8 × 24 cm großen Patchworkstreifen an die Seiten der Einheit aus Schritt 4. Bügeln Sie.

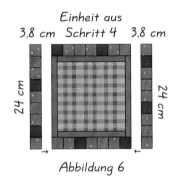

Abbildung 6

⑦ Nähen Sie die 2,5 × 24 cm großen Kontraststreifen an Ober- und Unterkante der Einheiten aus Schritt 6. Bügeln Sie die Nahtzugaben zu den Streifen hin.

⑧ Nähen Sie die 2,5 × 27 cm großen Kontraststreifen an die Seiten. Bügeln Sie.

⑨ Nähen Sie die beiden 10 × 27 cm großen Randstreifen an Ober- und Unterkante der Einheiten aus Schritt 8. Bügeln Sie die Nahtzugaben nach außen.

⑩ Nähen Sie je ein rot-schwarz gemustertes 10 cm-Quadrat an beide Enden der verbleibenden 10 × 27 cm großen äußeren Randstreifen. Bügeln Sie die Nahtzugaben zum Randstreifen hin. Stecken und nähen Sie diese Randstreifen an die Seiten. Bügeln Sie.

Applikation

Die Applikationsmotive auf den Servietten werden mit der Schlingstichtechnik aufgenäht (siehe Seite 272). Sie können mit der Nähmaschine im Plattstich oder einem anderen Applikationsstich applizieren (siehe »Maschinenapplikation«, Seite 271/272). Arbeiten Sie alle diese Techniken mit dünnem, aufbügelbarem Klebevlies.

① Verfahren Sie nach der Anleitung »Aufbügelapplikation« (Seite 270/271). Pausen Sie die Teetassen von Seite 30 ab.

② Bügeln Sie je eine Teetasse in ein Eckquadrat jeder Serviette (siehe Grafik auf Seite 27, rechts oben). Denken Sie daran, an den Kanten die 0,6 cm Nahtzugabe frei zu lassen, wenn Sie die Teetassen aufbügeln.

③ Sticken Sie mit zweifädigem Sticktwist Schlingstiche um die Konturen der Applikation.

Fertigstellen

Legen Sie Oberseite und Rückseite jeder Serviette rechts auf rechts und steppen Sie mit 0,6 cm Nahtzugabe rundum. Lassen Sie eine 10 cm breite Wendeöffnung frei. Schneiden Sie die Nahtzugaben an den Ecken ab, wenden Sie die Servietten auf rechts und schließen Sie die Wendeöffnung von Hand. Bügeln Sie die fertigen Servietten.

SERVIETTEN-RINGE

(Siehe Foto auf Seite 8/9)

Material

für vier Serviettenringe

6,5 × 76 cm Baumwollstoff,
  rot gemustert für die Ringe
6,5 × 76 cm Filz für die Rückseite
dünnes Klebevlies (*Vliesofix®*)
Sticktwist
4 Knöpfe, 2 cm ⌀

Zusammensetzen

① Verfahren Sie nach der Anleitung »Aufbügelapplikation« (Seite 270/271). Bügeln Sie die linke Seite des Stoffstreifens auf den Filzstreifen auf.

② Schneiden Sie den Streifen mit dem Rollschneider und dem Quiltlineal in 4 Stücke à 4 × 18 cm.

③ Fassen Sie die Kanten mit Schlingstichen aus zweifädigem Sticktwist ein (Seite 272).

④ Nähen Sie jeweils auf ein Ende einen Knopf. Für das Knopfloch schneiden Sie einen 2,5 cm langen Schlitz in das andere Ende des Serviettenrings und fassen es mit Schlingstichen aus zweifädigem Sticktwist ein. Knöpfen Sie den Streifen zum Ring.

ZEICHENERKLÄRUNG

—— Kontur

- - - - - Kontur (wird später von Stoff bedeckt)

TEEKÄNNCHEN-TISCHKARTEN

Höhe: 14 cm

(Siehe Foto auf Seite 26)

Material

für 4 Tischkarten

Reste von verschiedenen, farblich passenden Stoffen für die Applikationen und die Rückseiten
dünnes, aufbügelbares Klebevlies (*Vliesofix®*)
feiner, wasserfester Filzstift
4 Blumentöpfe aus Ton, 5 cm ⌀
Acrylfarben
Mattlack (Spray)
Patina
Blumensteckmasse
Klebstoff
Ziermoos
Holzdübelstab, 0,3 cm ⌀, mindestens 40 cm lang

TEEKANNE (TISCHKARTE)

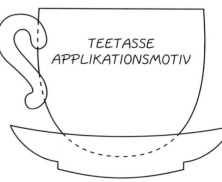

TEETASSE APPLIKATIONSMOTIV

Anfertigung

① Verfahren Sie gemäß Schritt 1 bis 4 der Anleitung »Aufbügelapplikation« (Seite 270/271). Benutzen Sie die Teekannen-Vorlage auf dieser Seite. Legen und bügeln Sie die fertigen Teekannen auf die linke Seite des Rückseitenstoffes. Schneiden Sie die Formen entlang der Umrisse aus und schreiben Sie mit wasserfestem Filzstift auf jede Kanne einen Namen.

② Zum Bemalen müssen die Blumentöpfe sauber und trocken sein. Bemalen Sie die Außenseite der Blumentöpfe und die Innenseite des Randes mit Acrylfarbe (siehe »Dekoratives Bemalen«, Seite 53). Sprenkeln Sie die Töpfe nach Belieben.

③ Besprühen Sie die Töpfe mit Mattlack und lassen Sie sie trocknen. Dann tragen Sie Patina entsprechend den Herstellerangaben auf, lassen sie trocknen und sprühen Sie eine zweite Schicht Mattlack darüber.

④ Füllen Sie jeden Topf mit Blumensteckmasse und kleben Sie Ziermoos auf die Oberfläche.

⑤ Sägen Sie den Holzstab in 4 mindestens 10 cm lange Stücke und bemalen Sie alle mit Acrylfarbe. Stecken Sie in jeden Topf einen dieser Stäbe und kleben Sie die kleinen Teekannen daran fest.

ENGEL ALLÜBERALL

Engel und Sterne sind meine liebsten Weihnachts-
motive. Wenn ich mein Haus mit ihnen schmücke,
verbreiten sie ihren festlichen Zauber überall.
Die Modelle auf dieser Seite bringen weihnachtliche Stimmung ins Wohn- und Esszimmer
und sind gar nicht schwer zu nähen. Wenn Sie
möchten, erfreuen die Engel Sie sogar das
ganze Jahr über mit ihrem himmlischen Charme.

WEIHNACHTS-ENGEL

Dieses Engelspärchen erinnert an Stoffpuppen und schreit geradezu danach, genäht zu werden. Der sternenbedeckte Engelquilt hier im Fenster ist das Richtige für Engelfreunde und alle, die gerne weihnachtlich dekorieren (einen neutraleren Farbvorschlag finden Sie auf Seite 37). Sehr ansprechend ist auch der Tischläufer mit Schachbrettblock, Sternen und Engeln (links unten im Bild; Anleitung Seite 38). Ihr Esszimmer wird weihnachtliche Wärme ausstrahlen!

Engelsquilt

Fertige Größe: 71 × 55 cm   **Fertiger Engelsblock: 20 × 30,5 cm**

MATERIAL

(Muster mit deutlich erkennbarer Richtung eignen sich nicht.)

Patchworkstoffe, 110 cm breit:

0,10 m uni beige für Köpfe, Arme und Beine

0,25 m beige-schwarz gemustert für den Hintergrund

je 0,10 m von zwei verschiedenen gelb gemusterten Stoffen für die Flügel

je 0,15 m oder je 12 × 21,5 cm von zwei verschiedenen rot gemusterten Stoffen für die Kleider

0,30 m rot gemustert für die Gitterstreifen

0,70 m schwarz gemustert für Rand und Einfassung

0,70 m Rückseitenstoff

Reste oder je 0,10 m von zwei verschiedenen goldgelb gemusterten Stoffen für die applizierten Sterne

Außerdem:

0,70 m dünnes Volumenvlies

dünnes, aufbügelbares Klebevlies (Vliesofix®)

Bouclégarn, naturfarben, für die Haare

Sticktwist

ZUSCHNITT

Waschen und bügeln Sie alle Stoffe. Schneiden Sie die Stoffe entsprechend der Tabelle zu. Verwenden Sie dabei Rollschneider, Quiltlineal und Schneidematte. Alle Maße beinhalten 0,6 cm Nahtzugabe.

STOFF	ERSTER SCHNITT		ZWEITER SCHNITT	
Farbe	Anzahl	Format	Anzahl	Format
uni beige	**Köpfe, Arme, Beine**			
	1	6,5 × 26 cm (Köpfe)	kein zweiter Schnitt	
	2	4 × 38 cm (Arme)	kein zweiter Schnitt	
	1	2,5 × 6,5 cm (Beine)	kein zweiter Schnitt	
beige-schwarz gemustert	**Hintergrund**			
	2	Streifen: 6,5 × 107 cm	2	Rechtecke: 6,5 × 21,5 cm
			4	Rechtecke: 6,5 × 9,2 cm
			4	Rechtecke: 6,5 × 9 cm
			4	Rechtecke: 6,5 × 6,5 cm
			2	Rechtecke: 6,5 × 3,2 cm
			4	Rechtecke: 3,8 × 3,8 cm
	2	2,5 × 107 cm Streifen	4	Rechtecke: 2,5 × 33 cm
			2	Rechtecke: 2,5 × 21,5 cm
gelb gemustert	**Flügel** – aus jedem der Stoffe schneiden:			
	1	6,5 × 107 cm Streifen	2	Rechtecke: 6,5 × 14 cm
			2	Quadrate: 3,8 × 3,8 cm
rot gemustert	**Kleider** – aus jedem der beiden Stoffe schneiden:			
	1	11,5 × 21,5 cm Rechteck	kein zweiter Schnitt	
rot gemustert	**Gitterstreifen**			
	3	Streifen: 3,8 × 107 cm	2	Streifen: 3,8 × 49,5 cm
			2	Streifen: 3,8 × 38 cm
			1	Streifen: 3,8 × 33 cm
schwarz gemustert	**Rand**			
	4	Streifen: 9 × 107 cm	2	Streifen: 9 × 55 cm
			2	Streifen: 9 × 53,5 cm
	Einfassung			
	4	Streifen: 7 × 107 cm	kein zweiter Schnitt	

Köpfe und Arme nähen

① Fertigen Sie nach der Vorlage von Seite 41 eine Schablone für die Engelsköpfe an.

② Falten Sie das 6,5 × 26 cm große Stoffstück quer zur Hälfte rechts auf rechts und zeichnen Sie den Umriss der Schablone zweimal auf, lassen Sie etwa 1,5 cm Abstand zwischen den einzelnen Formen (**Abb. 1**). Noch nicht ausschneiden!

Falz · 6,5 cm
13 cm
Abbildung 1

③ Nähen Sie entlang der aufgezeichneten Linien und lassen Sie die Unterkante zum Wenden geöffnet **(Abb. 2)**. Schneiden Sie jeden Kopf mit 3 mm Nahtzugabe aus. Knipsen Sie die Nahtzugaben an den Kurven ein, wenden Sie die Köpfe auf rechts und bügeln Sie.

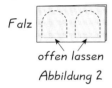

Falz
offen lassen
Abbildung 2

④ Für die Arme falten Sie die beiden 4 × 38 cm großen Stücke der Länge nach rechts auf rechts. Schließen Sie die lange Seite mit 0,6 cm Nahtzugabe **(Abb. 3)**. Wenden Sie jeden Schlauch auf rechts, bügeln und halbieren Sie ihn. Sie haben nun 4 Arme à 1,5 × 19 cm.

Falz
2 cm
38 cm
Abbildung 3

Hilfe zum Wenden
Benutzen Sie eine Sicherheitsnadel oder eine lange Wendenadel zum Wenden der Arme. Wendenadeln erhalten Sie in Handarbeitsfachgeschäften oder im Versand.

Schnelle Eckdreiecke

Sie nähen 2 Engelsblöcke mit jeweils verschiedenen Stoffkombinationen. Wählen Sie die gelben und roten Stoffe aus, bevor Sie zu nähen beginnen. Der Hintergrund ist bei beiden gleich. Halten Sie sich beim Nähen an die gefundene Anordnung. (»Schnelle Eckdreiecke« siehe Seite 269). Bügeln Sie die Nähte zu den angesetzten Ecken hin.

① Für die linken Flügel nähen Sie je ein beige-schwarz gemustertes Quadrat von 3,8 cm und eines von 6,5 cm Seitenlänge an die gegenüberliegenden Ecken der beiden gelb gemusterten Rechtecke von 6,5 × 14 cm. Bügeln Sie. **(Abb. 4)**.

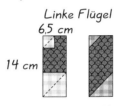

Linke Flügel
6,5 cm
14 cm
Abbildung 4

② Für die rechten Flügel nähen Sie je ein beige-schwarz gemustertes 3,8 cm und ein 6,5 cm großes Quadrat an die gegenüberliegenden Ecken der beiden gelb gemusterten 6,5 × 14 cm großen Rechtecke, doch diesmal an die jeweils anderen beiden Ecken als in Schritt 1. **Abb. 5** zeigt die richtige Anordnung.

Rechte Flügel
6,5 cm
14 cm
Abbildung 5

③ Platzieren Sie die »Arme« auf den Ecken der beiden rot gemusterten 11,5 × 21,5 cm großen Rechtecke und legen Sie sie in der Mitte über Kreuz. Nähen Sie je ein gelb gemustertes 3,8 cm-Quadrat diagonal über die Ecken (in jeweils der richtigen Farbe) **(Abb.6)**. Bügeln Sie.

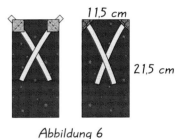

11,5 cm
21,5 cm
Abbildung 6

Blöcke zusammensetzen

Lesen Sie unter »Rationelles Nähen« auf Seite 268, wie man gleiche Blöcke in einem Arbeitsgang näht. Achten Sie genau darauf, dass die Eckdreiecke wie in den Abbildungen angeordnet sind. Arbeiten Sie mit 0,6 cm Nahtzugabe und bügeln Sie nach jedem Arbeitsgang und stets in Pfeilrichtung.

① Nähen Sie an die linken Flügel mit den angesetzten Eckdreiecken (6,5 × 14 cm) je ein beige-schwarz gemustertes 6,5 × 9 cm großes Rechteck **(Abb. 5)**. Bügeln Sie.

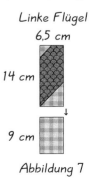

Linke Flügel
6,5 cm
14 cm
9 cm
Abbildung 7

② Nähen Sie an die rechten Flügel mit den angesetzten Eckdreiecken (6,5 × 14 cm) je ein beige-schwarz gemustertes, 6,5 × 9 cm großes Rechteck **(Abb. 8)**. Bügeln Sie.

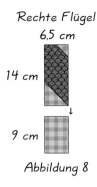

Rechte Flügel
6,5 cm

14 cm

9 cm

Abbildung 8

③ Nähen Sie die roten 11,5 × 21,5 cm großen Stücke für die Kleider zwischen die Flügel aus Schritt 1 und 2 **(Abb. 9)**. Bügeln Sie.

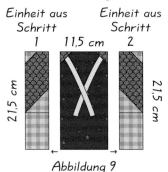

Einheit aus Schritt 1   Einheit aus Schritt 2
11,5 cm
21,5 cm   21,5 cm

Abbildung 9

④ Nähen Sie 2 beige-schwarz gemusterte Stücke à 9,2 × 6,5 cm, 2 beigefarbene Stücke à 2,5 × 6,5 cm und 1 beige-schwarzes Stück von 3,2 × 6,5 cm aneinander **(Abb. 10)**. Bügeln Sie. Nähen Sie 2 solche Einheiten.

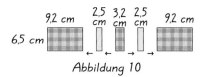

9,2 cm   2,5 cm   3,2 cm   2,5 cm   9,2 cm

6,5 cm

Abbildung 10

⑤ Nähen Sie die beiden Einheiten aus Schritt 3 an die Einheiten aus Schritt 4. **(Abb. 11)**. Bügeln Sie.

Einheit aus Schritt 3

Einheit aus Schritt 4

Abbildung 11

⑥ Heften Sie die Engelsköpfe in die Mitte der schwarz-beige gemusterten 21,5 × 6,5 cm großen Stücke **(Abb. 12)**.

21,5 cm

6,5 cm

Abbildung 12

⑦ Nähen Sie die Einheiten aus Schritt 6 an die Einheiten aus Schritt 5 **(Abb. 13)**. Bügeln Sie. Jeder Block misst jetzt 21,5 × 32 cm.

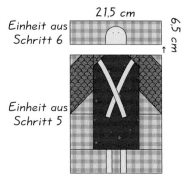

Einheit aus Schritt 6
21,5 cm   6,5 cm

Einheit aus Schritt 5

Abbildung 13

⑧ Nähen Sie an Ober- und Unterkante der Blöcke je einen schwarz-beige gemusterten Streifen von 2,5 × 21,5 cm **(Abb. 14)**. Bügeln Sie.

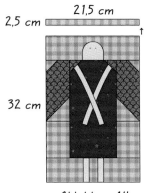

21,5 cm
2,5 cm

32 cm

Abbildung 14

⑨ Nähen Sie die beige-schwarz gemusterten, 2,5 × 33 cm großen Streifen an die Seiten jedes Blocks **(Abb. 15)**. Bügeln Sie. Jeder Engelsblock misst nun 24,5 × 33 cm.

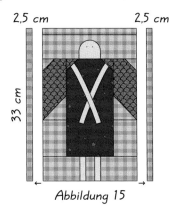

2,5 cm   2,5 cm

33 cm

Abbildung 15

Oberseite zusammensetzen

① Nähen Sie den 3,8 × 33 cm großen Gitterstreifen zwischen die beiden Blöcke. Bügeln Sie die Nahtzugaben zum Gitterstreifen hin.

② Nähen Sie die beiden 3,8 × 49,5 cm großen Gitterstreifen an Ober- und Unterkante. Bügeln Sie.

③ Nähen Sie die beiden 3,8 cm breiten und 38 cm langen Gitterstreifen an die Seiten. Bügeln Sie.

④ Nähen Sie die 9 × 55 cm großen Randstreifen an Ober- und Unterkante. Bügeln Sie die Nahtzugaben zum Randstreifen hin.

⑤ Nähen Sie die 9 × 53,5 cm großen Randstreifen an die Seiten. Bügeln Sie.

Applikation

① Lesen Sie die Anleitung »Aufbügelapplikation« auf Seite 270/271. Pausen Sie 5 große und 6 kleine Sterne von den Vorlagen auf Seite 41 ab.

② Bügeln Sie die Sterne auf den Rand, wie in der Grafik »Anordnung des Quilts« rechts gezeigt.

Quiltlagen montieren

Legen und heften Sie Rückseite, Vlies und Oberseite aufeinander, wie unter »Quiltlagen montieren« auf Seite 275 beschrieben. Schneiden Sie Rückseite und Vlies bis auf 0,6 cm an die Kante der Oberseite zurück.

Quilt einfassen

Fassen Sie den Quilt mit den 107 cm langen Einfassstreifen ein (siehe Seite 275/276).

Noch mehr Sterne

Lust auf »himmlischen Dekor«? Dann bügeln Sie doch Sterne auch auf Vorhänge und Volants auf. Schablonieren Sie Sterne mit dem Schwamm auf Möbel, Wände, Decken und Fußböden.

Letzte Stiche

① Quilten Sie mit der Maschine oder von Hand in den Nahtlinien von Flügeln, Kleidern, Beinen, Gitterstreifen und dem Rand. Auf den Kleidern quilten Sie Längslinien mit 2 cm Abstand. Quilten Sie ein diagonales 3-cm-Gitter über den Hintergrund und beliebige Linienmuster auf den Rand.

Umquilten Sie die Sterne 1 mm von den Kanten entfernt.

② Sticken Sie Haare aus Garn an die Köpfe. Sticken Sie die Augen im Knötchenstich wie unter »Zierstiche« (Seite 272) beschrieben. Nähen Sie die Köpfe von Hand fest. Verknoten Sie die Enden der Arme und nähen Sie die Arme an diesen Stellen fest.

71 cm

55 cm

ANORDNUNG DES QUILTS

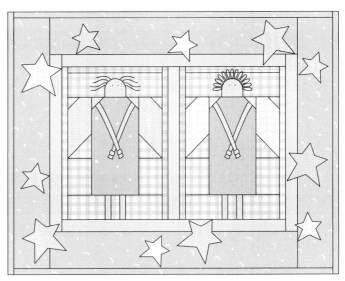

FARBVARIANTE

Pastellfarbene Engel wirken besonders zart. Dieser Quilt kann das ganze Jahr über hängen bleiben.

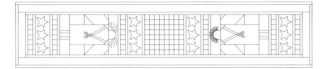

Tischläufer mit Engeln

Fertige Größe: 33 × 155 cm

Fertiger Engelsblock: 20 × 30,5 cm

(Siehe Foto auf Seite 32)

MATERIAL

(Muster mit deutlich erkennbarer Richtung eignen sich nicht.)

Patchworkstoffe, 110 cm breit:

0,10 m uni beige für Köpfe, Arme und Beine

0,25 m beige gemustert für den Hintergrund

0,10 m gelb gemustert für die Flügel

0,15 m rot gemustert für die Kleider

0,25 m dunkelbeige gemustert für das Schachbrettmuster

0,70 m schwarz gemustert für das Schachbrettmuster, den äußeren Rand und die Einfassung

0,10 m uni schwarz für den Hintergrund der Sterne

0,25 m rot gemustert für die Gitterstreifen

1,70 m Rückseitenstoff

Reste von verschiedenen, farblich passenden Stoffen für die Sterne

Außerdem:

1,70 m dünnes Volumenvlies

dünnes, aufbügelbares Klebevlies *(Vliesofix®)*

0,25 m schmale Spitze für die Kleider

Garn oder Fasern für die Haare

Sticktwist

ZUSCHNITT

Waschen und bügeln Sie alle Stoffe. Schneiden Sie die Stoffe entsprechend der Tabelle zu. Verwenden Sie dabei Rollschneider, Quiltlineal und Schneidematte. Alle Maße beinhalten 0,6 cm Nahtzugabe.

STOFF	ERSTER SCHNITT		ZWEITER SCHNITT	
Farbe	Anzahl	Format	Anzahl	Format
beige, uni	**Köpfe, Arme, Beine**			
	1	6,5 × 26 cm (Köpfe)	kein zweiter Schnitt	
	2	4 × 38 cm (Arme)	kein zweiter Schnitt	
	4	2,5 × 6,5 cm (Beine)	kein zweiter Schnitt	
beige gemustert	**Hintergrund**			
	2	Streifen: 6,5 × 107 cm	2	Rechtecke: 6,5 × 21,5 cm
			4	Rechtecke: 6,5 × 9,2 cm
			4	Rechtecke: 6,5 × 9 cm
			4	Quadrate: 6,5 × 6,5 cm
			2	Rechtecke: 6,5 × 3,2 cm
			1	Quadrat: 3,8 × 3,8 cm

STOFF	ERSTER SCHNITT		ZWEITER SCHNITT	
Farbe	Anzahl	Format	Anzahl	Format
gelb gemustert	**Flügel**			
	1	Streifen: 6,5 × 107 cm	4	Rechtecke: 6,5 × 14 cm
			4	Quadrate: 3,8 × 3,8 cm
rot gemustert	**Kleider**			
	2	Rechtecke: 11,5 × 21,5 cm	kein zweiter Schnitt	
dunkelbeige gemustert	**Schachbrett**			
	4	Streifen: 3,8 × 68,5 cm	kein zweiter Schnitt	
schwarz gemustert	**Schachbrett**			
	4	Streifen: 3,8 × 68,5 cm	kein zweiter Schnitt	
	äußerer Rand		Schneiden Sie 2 der Streifen in:	
	4	Streifen: 5 × 107 cm	2	Streifen: 5 × 24 cm
			2	Streifen: 5 × 53,5 cm
	Einfassung		Schneiden Sie 2 der Streifen in:	
	4	Streifen: 7 × 107 cm	2	Streifen: 7 × 35,5 cm
			2	Streifen: 7 × 66 cm
schwarz, uni	**Sternenhintergrund**			
	1	Streifen: 9 × 107 cm	4	Rechtecke: 9 × 21,5 cm
rot gemustert	**Gitterstreifen**		Schneiden Sie 4 der Streifen:	
	7	Streifen: 2,5 × 107 cm	14	Streifen: 2,5 × 21,5 cm

Blöcke nähen

Lesen Sie »Köpfe und Arme nähen« auf Seite 34/35 und »Schnelle Eckdreiecke« auf Seite 35. Sie nähen 2 gleiche Engelsblöcke. Lesen Sie »Blöcke zusammensetzen« auf den Seiten 35/36. Folgen Sie den Schritten 1 bis 7. Nach dem Zusammensetzen misst jeder Engelsblock 21,5 × 32 cm.

Oberseite zusammensetzen

① Für die Schachbrettblöcke wechseln Sie helle und dunkle Streifen à 3,8 × 68,5 cm ab und nähen sie an den Längskanten aneinander. Dies ergibt ein Streifenset von 21,5 × 68,5 cm. Wechseln Sie bei jeder Naht die Nährichtung und bügeln Sie die Nahtzugaben zu den schwarzen Streifen hin. Schneiden Sie von diesem Streifenset mit Rollschneider und Quiltlineal 14 Abschnitte von 3,8 × 21,5 cm ab (**Abb. 16**).

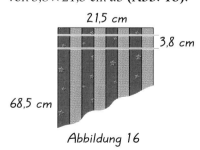

21,5 cm

3,8 cm

68,5 cm

Abbildung 16

② Nähen Sie 8 Schachbrettstreifen à 3,8 × 21,5 cm in der gezeigten Anordnung aneinander (**Abb. 17**). Bügeln Sie die Nahtzugaben in Richtung der Pfeile. Der fertige Schachbrettblock misst nun 21,5 cm im Quadrat.

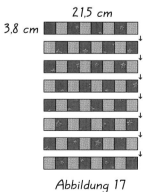

21,5 cm

3,8 cm

Abbildung 17

③ Nähen Sie den Schachbrett-block von 21,5 cm im Quadrat, 14 Gitterstreifen à 2,5 × 21,5 cm, 4 uni schwarze Sternenhintergrundstrei-fen à 9 × 21,5 cm, 6 Karostreifen à 3,8 × 21,5 cm und 2 Engelsblöcke in der gezeigten Anordnung zu-sammen **(Abb. 18)**. Bügeln Sie zu den Gitterstreifen hin.

④ Halbieren Sie einen der 107 cm langen Gitterstreifen in zwei 53,5 cm lange Streifen. Nähen Sie jeden an einen der beiden ande-ren 107-cm-Streifen zu einer Gesamtlänge von jeweils etwa 160 cm zusammen. Nähen Sie diese verlängerten Streifen an die Seiten des Tischläufers. Schnei-den Sie die überstehenden Enden ab und bügeln Sie das Teil.

⑤ Nähen Sie die 5 × 24 cm großen Randstreifen an die kurzen Enden des Tischläufers. Bügeln Sie die Nähte zur Außenkante hin.

⑥ Nähen Sie je einen 5 × 53,5 cm großen Randstreifen und einen der 5 × 107 cm langen Randstrei-fen zu einer Gesamtlänge von jeweils etwa 160 cm zusammen. Bügeln Sie. Dann nähen Sie diese Randstreifen an die Längskanten, schneiden die überstehenden Enden ab und bügeln.

Applikation

① Lesen Sie die Anleitung »Auf-bügelapplikation« (Seite 270/271). Pausen Sie zwölf Sterne von den Vorlagen auf Seite 41 ab.

② Bügeln Sie die Sterne mit Kle-bevlies auf den Hintergrundstoff auf, wie in der Grafik auf Seite 41 (»Anordnung«) gezeigt.

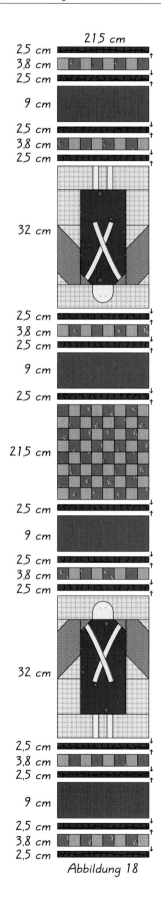

Abbildung 18

Quiltlagen montieren

Legen und heften Sie Rückseite, Vlies und Oberseite aufeinander (siehe »Quiltlagen montieren«, Seite 275). Schneiden Sie Rückseite und Vlies bis auf 0,6 cm an die Kante der Oberseite zurück.

Einfassen

Nähen Sie an 2 der 7 cm breiten und 107 cm langen Einfassstreifen je einen 66 cm langen Einfass-streifen: Es entstehen 2 Streifen von 173 cm Länge. Nähen Sie die beiden 7 × 35,5 cm großen Strei-fen an die Schmalseiten des Läu-fers und die 173 cm langen Strei-fen an die Längsseiten (siehe »Quilt einfassen«, Seite 275/276).

Letzte Stiche

① Quilten Sie von Hand oder mit Maschine in den Nahtlinien der Flügel, Kleider, Beine, Schachbrett-muster, Gitterstreifen und des äußeren Randes. Quilten Sie paral-lele Längslinien mit 2 cm Abstand auf die Kleider oder richten Sie sich frei nach dem Muster des Stoffes. Über den Hintergrund der Engels-blöcke quilten Sie ein diagonales 3-cm-Raster. Im äußeren Rand quilten Sie gerade Linien zwischen Gitterstreifen und Einfassstreifen (Abstand von Linie zu Linie: 5 cm). Quilten Sie in 1 mm Abstand um die Umrisse der Sterne.

② Nähen Sie von Hand die Spitze auf die Kleidersäume und Wolle als Haare um die Köpfe. Sticken Sie die Augen im Knötchenstich mit Sticktwist (siehe »Zierstiche«, Seite 272). Nähen Sie die Köpfe an, ver-knoten Sie die Enden der Arme und nähen Sie die Arme fest.

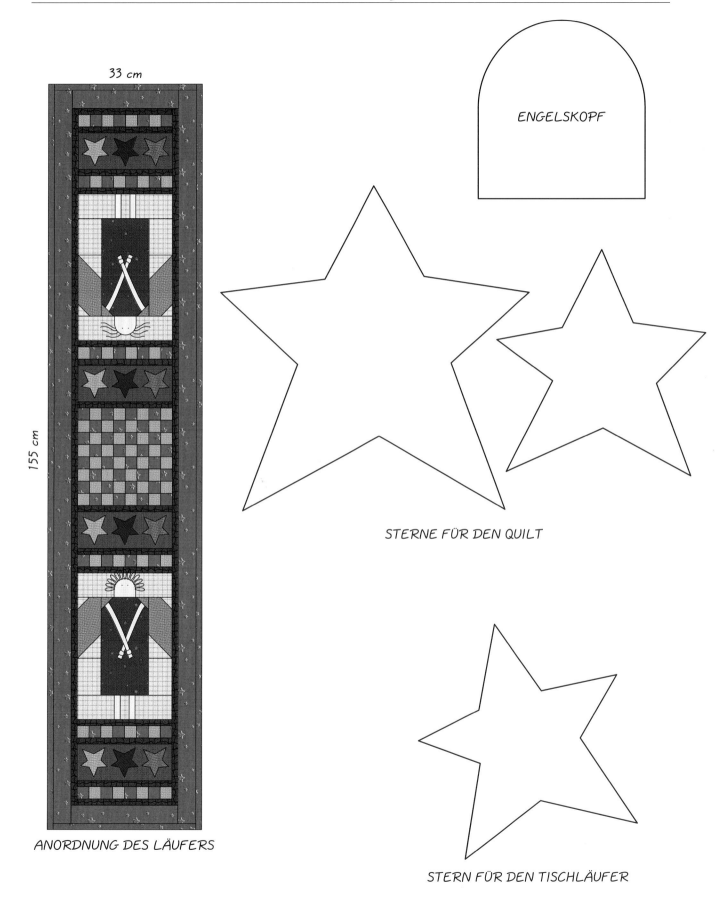

33 cm

155 cm

ENGELSKOPF

STERNE FÜR DEN QUILT

STERN FÜR DEN TISCHLÄUFER

ANORDNUNG DES LÄUFERS

HIMMLISCH GEDECKTER TISCH

LÄNDLICH DEKORIEREN — EINFACH UND SCHNELL

Sterne und Engel, so weit das Auge reicht – das könnte Ihr Motto für die Sternenservietten, die stern-förmigen Serviettenringe (Anleitung Seite 44) und das Tablett mit den Engeln (Seite 45) sein. Bemalte Ausstech-förmchen werden zu origi-nellen Serviettenringen, das Tablett bekommt mit Farbe und Découpage-Motiven neuen Pfiff: Die Engel sind aus Stoff, der auf das Tablett aufgebügelt wurde. (Eine kleinere Version sehen Sie auf den Fotos auf Seite 32 und der Grafik »Kleines Tablett« auf Seite 45).

SERVIETTEN

Fertige Größe: 38 × 38 cm

Material

für 4 Servietten

Patchworkstoffe, 110 cm breit:
je 0,15 m von zwei verschiedenen, beige gemusterten Stoffen für den Hintergrund
0,30 m uni schwarz für Kontrast-streifen und Einfassung

0,30 m rot kariert für den breiten Rand
0,30 m dunkelbeige gemustert für die Karostreifen
0,30 m schwarz gemustert für die Karostreifen
1 m Rückseitenstoff
Stoffe für die Sterne

Außerdem:

dünnes Klebevlies (*Vliesofix®*)
Sticktwist

Hintergrund zusammensetzen

① Nähen Sie die beiden unter-schiedlichen beige gemusterten Streifen von 11,5 × 107 cm an den Längskanten zu einem 21,5 × 107 cm großen Streifenset zusammen. Bügeln Sie. Schneiden Sie mit Rollschneider und Quiltlineal 8 Abschnitte à 11,5 × 21,5 cm ab (**Abb. 1**, Seite 43).

ZUSCHNITT

Waschen und bügeln Sie alle Stoffe. Schneiden Sie die Stoffe entsprechend der Tabelle zu. Verwenden Sie dabei Rollschneider, Quiltlineal und Schneidematte. Alle Maße beinhalten 0,6 cm Nahtzugabe.

STOFF	ERSTER SCHNITT		ZWEITER SCHNITT	
Farbe	Anzahl	Format	Anzahl	Format
beige gemustert	**Hintergrund** – aus jedem der 2 Stoffe zuschneiden:			
	1	Streifen: 11,5 × 107 cm	kein zweiter Schnitt	
uni schwarz	**Kontraststreifen und Einfassung**			
	10	Streifen: 2,5 × 107 cm	8	Streifen: 2,5 × 39,5 cm
			8	Streifen: 2,5 × 37 cm
			8	Streifen: 2,5 × 24 cm
			8	Streifen: 2,5 × 21,5 cm
rot kariert	**Breiter Rand**			
	5	Streifen: 5 × 107 cm	8	Streifen: 5 × 32 cm
			8	Streifen: 5 × 24 cm
dunkelbeige gemustert	**Karos**			
	6	Streifen: 3,8 × 81,5 cm	kein zweiter Schnitt	
schwarz gemustert	**Karos**			
	6	Streifen: 3,8 × 81,5 cm	kein zweiter Schnitt	
Rückseitenstoff	4	Quadrate: 39,5 × 39,5 cm	kein zweiter Schnitt	

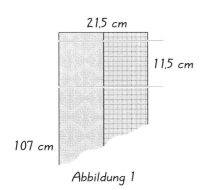

21,5 cm

11,5 cm

107 cm

Abbildung 1

② Nähen Sie je 2 der 11,5 × 21,5 cm großen Hintergrundteile paarweise zu 4 Hintergrundeinheiten zusammen **(Abb. 2)**. Bügeln Sie in Pfeilrichtung.

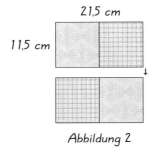

21,5 cm

11,5 cm

Abbildung 2

③ Nähen Sie die 2,5 cm breiten und 21,5 cm langen Kontraststreifen an Ober- und Unterkanten der 4 Hintergrundquadrate aus Schritt 2. Bügeln Sie die Nahtzugaben zum Kontraststreifen hin.

④ Nähen Sie die 2,5 cm breiten und 24 cm langen Kontraststreifen an die Seiten. Bügeln Sie.

⑤ Nähen Sie die 5 × 24 cm großen Randstreifen an die Ober- und Unterkanten und bügeln Sie die Nähte nach außen.

⑥ Nähen Sie die 5 × 32 cm großen Randstreifen an die Seiten. Bügeln Sie wieder.

Karostreifen nähen

① Nähen Sie die 12 Streifen à 3,8 × 81,5 cm in zwei Farben für die Karos zu einem 32 × 81,5 cm großen Streifenset zusammen. Wechseln Sie bei jeder Naht die Nährichtung und bügeln Sie die Nahtzugaben zu den dunklen Stoffen hin.

Mit Rollschneider und Quiltlineal schneiden Sie nun von diesem Streifenset 18 Abschnitte à 3,8 × 32 cm ab. Jeder Abschnitt besteht aus 12 Quadraten **(Abb. 3)**.

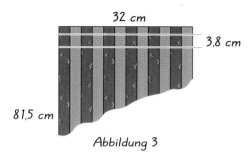

32 cm

3,8 cm

81,5 cm

Abbildung 3

② Vergleichen Sie die 8 Karostreifen à 3,8 × 32 cm mit Ober- und Unterkante der bisher genähten Servietten. Vielleicht müssen Sie ein paar Nähte enger oder weiter nachnähen (maximal 1 mm), damit die Streifen passen. Stecken und nähen Sie die Karostreifen an Ober- und Unterkante der Servietten. Bügeln Sie die Nahtzugaben zu den Randstreifen hin.

③ Mit Hilfe eines Nahttrenners teilen Sie 2 der 32 cm langen Karostreifen in 8 kleine Einheiten zu je 2 Quadraten. Nähen Sie je eine dieser Einheiten an die restlichen 8 Karostreifen. Sie haben nun 8 Streifen mit je 14 Quadraten. Bügeln Sie.

④ Stecken und nähen Sie diese 3,8 × 37 cm großen Karostreifen an die Seiten der Servietten. Bügeln Sie.

Applikation

Die Sterne werden mit Schlingstichen von Hand appliziert (siehe Seite 272). Sie können sie aber auch mit dem Plattstich oder einem anderen Applikationsstich der Nähmaschine aufnähen (siehe »Nähmaschinenapplikation«, Seite 271/272). Benutzen Sie bei diesen Techniken dünnes, aufbügelbares Klebevlies.

① Lesen Sie die Anleitung »Aufbügelapplikation« auf Seite 270/271. Pausen Sie 16 Sterne von der Vorlage auf Seite 46 ab.

② Platzieren Sie die Sterne auf die Servietten und bügeln Sie sie auf (siehe Grafik »Anordnung« unten).

③ Arbeiten Sie Schlingstiche mit zweifädigem Sticktwist um alle Kanten der Sterne.

Fertigstellen

① Nähen Sie die 2,5 cm breiten und 37 cm langen Einfassstreifen an Ober- und Unterkanten der Servietten. Bügeln Sie die Nahtzugaben nach außen.

② Nähen Sie die 2,5 cm breiten und 39,5 cm langen Einfassstreifen an die Seiten. Bügeln Sie.

③ Legen Sie jede Serviette rechts auf rechts auf den Rückseitenstoff und nähen Sie mit 0,6 cm Naht-

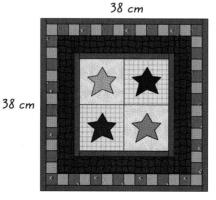

38 cm

38 cm

ANORDNUNG DER SERVIETTE

zugabe um alle Kanten. Lassen sie etwa 10 cm zum Wenden offen. Schneiden Sie die Nahtzugaben an den Ecken ab und wenden Sie die Servietten auf rechts. Schließen Sie die Wendeöffnung von Hand und bügeln Sie.

SERVIETTEN-RINGE
(Siehe Foto auf Seite 42)

Material
für 4 Serviettenringe

4 sternförmige Ausstechformen, etwa 7 cm groß
Grundierfarbe (Spray)
Acrylfarbe
Mattlack (Spray)
Patina

Anleitung

① Lesen Sie die Anleitung »Dekoratives Bemalen« (Seite 53). Besprühen Sie die Ausstechformen mit Grundierfarbe und lassen Sie sie trocknen.

② Dann tragen Sie Acrylfarbe auf und lassen sie trocknen. Wenn nötig, tragen Sie eine zweite Farbschicht auf.

③ Sprenkeln Sie die Formen nach Belieben mit Kontrastfarbe und lassen Sie diese trocknen.

④ Sprühen Sie Mattlack darüber und lassen Sie ihn trocknen.

⑤ Tragen Sie die Patina entsprechend der Gebrauchsanweisung auf. Lassen Sie die Flüssigkeit trocknen und besprühen Sie die Sterne mit einer zweiten Schicht Mattlack.

Servietten für alle Anlässe

Bügeln Sie andere Motive auf die Servietten: Herzen zum Valentinstag oder Eier zu Ostern. Auch die Früchtemotive für die Topflappen auf Seite 83 sehen hübsch aus. Als Serviettenringe bemalen Sie passende Ausstechförmchen in den entsprechenden Farben.

ENGELS-TABLETT
(Siehe Foto auf Seite 42)

Material

Holztablett, ca. 36 × 53 cm
Acrylfarbe in 2 Tönen
Reißlack
Reste von verschiedenen passenden Stoffen für die Motive
aufbügelbares Klebevlies (Vliesofix®)
feiner, wasserfester Filzstift
roter Buntstift
Borstenpinsel oder Schwammpinsel
Découpage-Lack
Mattlack (Spray)
Bügeltuch

53 cm

36 cm

Großes Tablett

Anleitung

① Lesen Sie die Anleitung »Dekoratives Bemalen« (Seite 53). Streichen Sie das Holztablett mit Acrylfarbe und lassen Sie diese gründlich trocknen.

② Tragen Sie den Reißlack und eine zweite Schicht Farbe entsprechend den Herstellerangaben auf. Lassen Sie alles gründlich trocknen. Malen Sie zusätzliche Ornamente wie Karos oder Kontraststreifen auf und lassen Sie die Farbe gut trocknen.

③ Lesen Sie die Anleitung »Aufbügelapplikation« (Seite 270/271). Pausen Sie von den Vorlagen (Seite 46) 3 Engel, 5 kleine und/oder große geflügelte Herzen und 3 kleine und/oder große Sterne ab. Legen Sie ein Bügeltuch über die Teile, wenn Sie sie mit Klebevlies auf das Tablett bügeln. Zeichnen Sie die Augen der Engel mit Filzstift auf und malen Sie die Wangen mit Buntstift leicht rot.

④ Streichen Sie mit dem Borstenpinsel oder dem Schwammpinsel den Découpage-Lack über das Tablett. Lassen Sie ihn gründlich trocknen und tragen Sie eine zweite Schicht auf. Ist die zweite Schicht trocken, sprühen Sie Mattlack darüber und lassen alles gründlich trocknen.

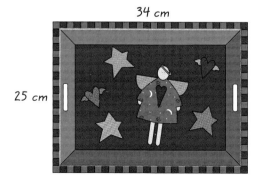

34 cm

25 cm

Kleines Tablett

Dekorieren Sie ein zweites, kleineres Tablett passend zum großen (siehe Foto auf Seite 32).

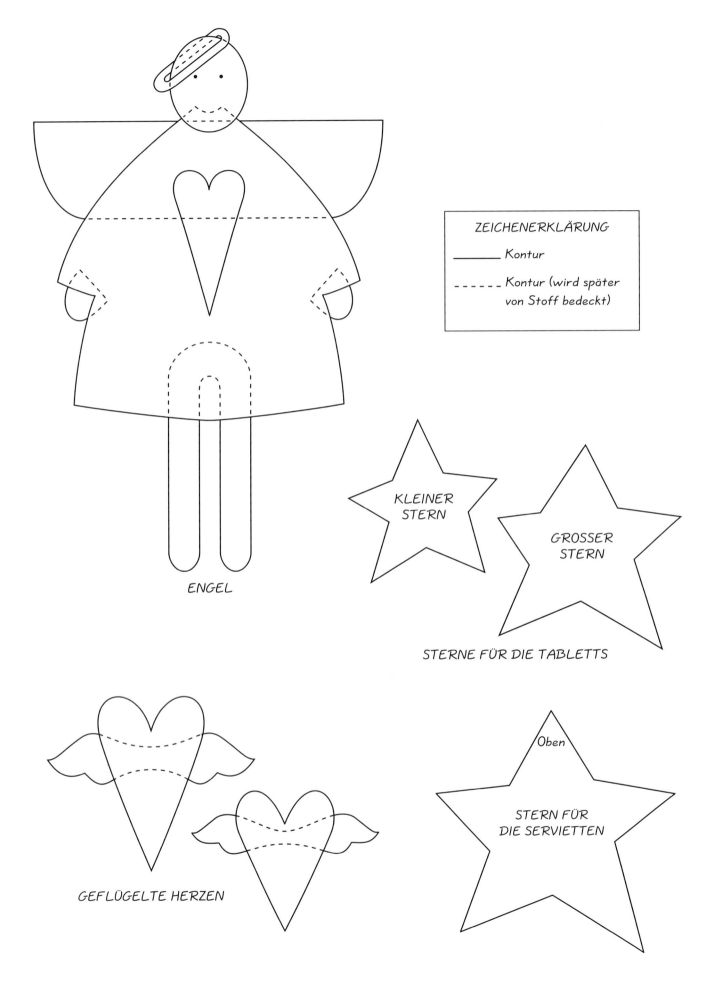

ZEICHENERKLÄRUNG

———— Kontur

- - - - Kontur (wird später von Stoff bedeckt)

ENGEL

KLEINER STERN

GROSSER STERN

STERNE FÜR DIE TABLETTS

GEFLÜGELTE HERZEN

Oben

STERN FÜR DIE SERVIETTEN

TISCHGESTECKE MIT ENGELN

LÄNDLICH DEKORIEREN   EINFACH UND SCHNELL

Diese hübschen Tischgestecke sind ganz leicht anzufertigen – und Spaß macht es auch noch. Sie ergänzen die weihnachtliche Dekoration in Ihrem Heim perfekt, denn sie passen zum Tischläufer mit den Engeln (Seite 38), wirken aber auch für sich allein, etwa auf einem Regal, dem Esstisch oder einer Truhe. Ich selbst habe meine Engelsgestecke im Schlafzimmer aufgestellt, wo ich mich das ganze Jahr über daran freuen kann.

Material

für alle drei Tischgestecke

3 Tontöpfe
Acrylfarbe
Patina
Reißlack
Mattlack (Spray)
Blumensteckmasse
2 Styroporkegel, 23 cm hoch
2 Styroporkugeln, 4 cm und
   10 cm Ø
3 dunkel gebeizte Holzdübelstäbe,
   0,7 cm Ø, 35 cm lang für das
   große Gesteck, 13 cm lang für das
   kleine Engelsgesteck,
   15 cm lang für das Kugelgesteck
Styroporkleber
Ziermoos

Reste von farblich passendem Stoff
   und Filz
aufbügelbares Klebevlies
   (Vliesofix®)
verschiedene Knöpfe
Raffiaband
drahtverstärktes Schleifenband
Draht, mittlere Stärke
feiner, wasserfester Filzstift
roter Buntstift
Heißklebepistole mit Klebesticks

Gestecke zusammenbauen

Die Arbeitsanleitung gilt für alle drei Gestecke. Die einzelnen Dekorationen werden im Anschluss an die Anleitung aufgelistet.

① Lesen Sie die Anleitung »Dekoratives Bemalen« (Seite 53). Grundieren Sie trockene, saubere Tontöpfe mit Acrylfarbe. Wenn die Farbe getrocknet ist, können Sie die Töpfe zusätzlich mit Mustern verzieren. Sprühen Sie Mattlack darüber und lassen Sie diesen trocknen.

② Füllen Sie die Töpfe mit Blumensteckmasse und schieben Sie die Holzstäbe hinein. Dann stecken Sie die Styroporformen auf die Dübel und kleben Sie mit Klebstoff fest.

③ Bedecken Sie die Styroporformen und die Oberseite der Blumensteckmasse mit Klebstoff und kleben Sie das Ziermoos fest.

④ Dekorieren Sie die Gestecke mit verstärkten Stoffmotiven, Knöpfen und geringelten Drahtsteckern. Benutzen Sie dazu die Heißklebepistole.

GROSSES ENGELSGESTECK
Höhe: 53 cm

① Lesen Sie die Anleitung »Gestecke zusammenbauen« (Seite 47). Die Form entsteht durch einen Styroporkegel, über dem eine Styroporkugel auf den Holzstab gesteckt wird. Malen Sie eine Karo-Bordüre in Kontrastfarben um den Rand des Blumentopfs und behandeln Sie den Topf mit Patina.

② Pausen Sie die Engelsflügel, das große geflügelte Herz und den kleinen Stern von den Vorlagen auf Seite 49 ab. Arbeiten Sie Schritt 1 bis 4, wie unter »Aufbügelapplikation« (Seiten 270/271) beschrieben.

Bei doppelseitigen Schmuckelementen müssen Sie Motiv und Rückseitenstoff mit Klebevlies links auf links aufeinander bügeln. Schneiden Sie die Formen aus. Kleben Sie die Engelsflügel und das geflügelte Herz mit der Heißklebepistole an das Gesteck.

③ Für die Drahtstecker wickeln Sie Draht mittlerer Stärke um einen Stab oder einen Bleistift und kleben einen Stern an das obere Ende. Dann stecken Sie den Draht oben in das Gesteck. Formen Sie einen »Heiligenschein« aus zwei Drähten und stecken Sie ihn ebenfalls in die Styroporkugel. Binden Sie eine Schleife aus Raffiaband um den Hals des Engels und kleben Sie Knöpfe auf.

KLEINES ENGELSGESTECK
Höhe: 47 cm

① Lesen Sie die Anleitung »Gestecke zusammenbauen« (Seite 47). Verzieren Sie den grundierten

Topf mit einer Karo-Bordüre und tragen Sie auf die geraden Flächen Reißlack auf. Wenn der Lack getrocknet ist, streichen Sie mit einer Kontrastfarbe darüber und lassen den Topf noch einmal gut trocknen.

② Pausen Sie die beiden Sterne von Seite 49 und einen großen Stern von Seite 46 (Vorlagen für das Tablett) ab. Arbeiten Sie Schritt 1 bis 4 der Anleitung »Aufbügelapplikation« (Seite 270/271). Bei doppelseitigen Applikationen müssen Sie Motiv und Rückseitenstoff mit Klebevlies links auf links aufeinander bügeln. Schneiden Sie die Sterne aus und kleben Sie Knöpfe darauf.

③ Für die Drahtstecker wickeln Sie Draht mittlerer Stärke um einen Stab oder einen Bleistift und kleben einen Stern an das obere Ende. Stecken Sie einen Stern oben in das Gesteck, die anderen in den Blumentopf.

④ Übertragen Sie die Konturen der Engels-Teile von Seite 46 auf die vorgesehenen Stoffe und schneiden Sie die Teile aus. Verbinden Sie die Einzelteile mit Klebevlies, wie aus der Vorlage ersichtlich (Backpapier zwischen Bügeleisen und Klebevlies!). Dann bügeln Sie den Filz mit Klebevlies auf die Rückseite. Schneiden Sie den Engel mit etwa 0,6 cm Zugabe aus. Malen Sie mit dem Filzstift Augen auf und röten Sie die Wangen mit Buntstift. Kleben Sie den Engel und einige Knöpfe auf das Tischgesteck.

KUGEL-
BÄUMCHEN

Höhe: 30 cm

① Lesen Sie die Anleitung »Gesteck zusammenbauen«
(Seite 47). Sprenkeln Sie den
Blumentopf mit einer Kontrastfarbe und behandeln Sie ihn nach
dem Trocknen mit Patina. Kleben
Sie Knöpfe mit Hilfe einer Klebepistole auf den Rand.

② Pausen Sie 12 bis 15 Herzen
von den untenstehenden Vorlagen
ab. Folgen Sie Schritt 1 bis 4 der
Anleitung »Aufbügelapplikation«
(Seite 270/271). Bei doppelseitigen Applikationen müssen Sie
Motiv und Rückseitenstoff links
auf links aufeinander bügeln.
Schneiden Sie die Herzen entlang
ihrer Umrisse aus. Bügeln Sie Flügel auf die Rückseite der Herzen
oder arbeiten Sie dreidimensionale Flügel, indem Sie etwa
2,5 × 6 cm große Stoffstreifen
reißen. Raffen Sie die Mitte
jedes Streifens zusammen und
kleben Sie je einen auf die
Rückseiten der Herzen.

③ Kleben Sie die Herzen
mit Heißkleber auf das
Gesteck und binden Sie
um den Stab eine Schleife
aus drahtverstärktem
Band.

ENGELSFLÜGEL

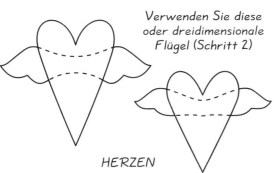

*Verwenden Sie diese
oder dreidimensionale
Flügel (Schritt 2)*

HERZEN

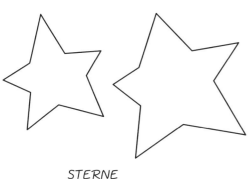

STERNE

ZEICHENERKLÄRUNG

————— Kontur

- - - - - Kontur (wird später
von Stoff bedeckt)

REGALDECKCHEN

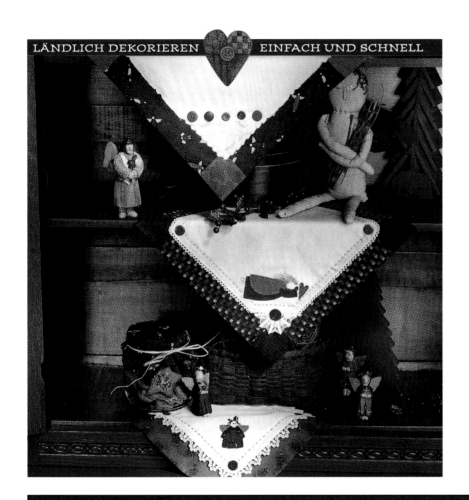

LÄNDLICH DEKORIEREN   EINFACH UND SCHNELL

Schmücken Sie Ihre Regale oder Möbel mit reizenden Deckchen, die aus fertigen Servietten oder Taschentüchern schnell gemacht sind. Auf diese Weise erwachen alte Tüchlein zu neuem Leben. Für die Deckchen mit den Engeln (unten und Mitte) und mit den Knöpfen (oben) habe ich Stoffe gewählt, die farblich mit dem Engelsquilt und dem Tischläufer (Foto auf Seite 32) harmonieren.

MATERIAL UND ZUSCHNITT *(Engelsdeckchen)*

Waschen und bügeln Sie alle Stoffe. Schneiden Sie die Stoffe entsprechend der Tabelle zu. Verwenden Sie dabei Rollschneider, Quiltlineal und Schneidematte. Alle Maße beinhalten 0,6 cm Nahtzugabe.

STOFF	MENGE	TEILE	MASS
heller Stoff für den Hintergrund	0,30 m	1	Quadrat: 21,5 × 21,5 cm
mehrfarbig gemustert für den Rand	0,10 m	4	Streifen: 7,5 × 21,5 cm
Eckquadrate	0,10 m	4	Quadrate: 7,5 × 7,5 cm
Rückseitenstoff	0,50 m	1	Quadrat: 34,5 × 34,5 cm
verschiedene passende Stoffe für die Applikationen	Reste oder 0,10 m-Stücke	–	–
Serviette oder Taschentuch, 24 × 24 cm; Klebevlies (*Vliesofix®*); Sticktwist; 4 verschiedene Knöpfe (2 – 2,5 cm ∅)			

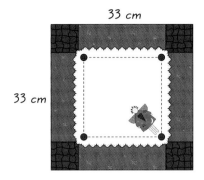

33 cm

33 cm

ENGELS-DECKCHEN

Fertige Größe: 33 × 33 cm

Deckchen zusammensetzen

Material und Zuschnitt siehe Tabelle Seite 50.

① Nähen Sie einen 7,5 × 21,5 cm großen Randstreifen an Ober- und Unterseite des hellen 21,5-cm-Hintergrundquadrates. Bügeln Sie die Nahtzugaben zum Randstreifen hin.

② Nähen Sie je ein 7,5-cm-Eckquadrat an die Enden der verbleibenden 2 Randstreifen. Bügeln Sie die Nahtzugaben zum Randstreifen hin. Stecken und nähen Sie die Streifen an die Seiten. Bügeln Sie.

③ Legen Sie Oberseite und Rückseite rechts auf rechts und nähen Sie mit 0,6 cm Nahtzugabe rundum. Lassen Sie etwa 10 cm zum Wenden offen. Dann schneiden Sie die Ecken der Nahtzugaben ab, wenden das Deckchen auf rechts, schließen die Wendeöffnung mit Handstichen und bügeln.

Applikation

Die Motive werden mit Schlingstichen auf eine 24-cm-Serviette genäht (siehe »Schlingstichapplikation«, Seite 272).

① Lesen Sie die Anleitung »Aufbügelapplikation« (Seite 270/271). Pausen Sie den Engel von der Vorlage auf Seite 46 ab und schneiden Sie die Teile aus Stoff zu.

② Bügeln Sie den Engel in eine Ecke der Serviette, wie links oben abgebildet.

③ Sticken Sie Schlingstiche mit zwei Fäden Sticktwist um die Kanten des Motivs. Arbeiten Sie mit zweifädigem Sticktwist 5 Knötchenstiche als Haare und lassen Sie die Fadenenden etwa 1 cm lang stehen. Arbeiten Sie die Augen mit 2 Knötchenstichen (siehe »Zierstiche«, Seite 272).

Fertigstellen

Stecken Sie die Serviette mit der Applikation in der Mitte des Hintergrundquadrates fest. Arbeiten Sie Vorstiche aus dreifädigem Sticktwist durch alle Lagen rund um die Serviette. Nähen Sie in jede Ecke der Serviette einen Knopf.

Verschiedene Größen

Die Serviette für das Engelsdeckchen misst 24 cm im Quadrat. Sie können die Deckchen aber jeder Serviettengröße anpassen. Schneiden Sie das Mittelquadrat des Hintergrundes 2,5 cm kleiner als die Serviette oder das Taschentuch zu. Danach passen Sie die Größe der Randstreifen und Eckquadrate an.

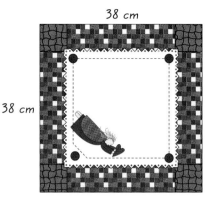

38 cm

38 cm

DECKCHEN MIT FLIEGENDEM ENGEL

Fertige Größe: 38 × 38 cm

(Siehe Foto auf Seite 50, mittleres Deckchen)

Deckchen zusammensetzen

Material und Zuschnitt siehe Tabelle Seite 52.

① Nähen Sie je einen 7,5 × 27 cm großen Randstreifen an Ober- und Unterkante des 27-cm-Hintergrundquadrates. Bügeln Sie die Nahtzugaben zu den Randstreifen hin.

② Nähen Sie an jedes Ende der beiden verbleibenden 7,5 × 27 cm großen Randstreifen ein 7,5-cm-Eckquadrat. Bügeln Sie die Nähte zum Randstreifen hin. Stecken und nähen Sie diese Randstreifen an die Seiten. Bügeln Sie.

③ Legen Sie Oberseite und Rückseitenstoff rechts auf rechts und nähen Sie mit 0,6 cm Nahtzugabe rundum. Lassen Sie 10 cm zum Wenden offen. Schneiden Sie die Ecken der Nahtzugaben ab und wenden Sie das Deckchen auf rechts. Schließen Sie die Wendeöffnung mit Handstichen und bügeln Sie.

MATERIAL UND ZUSCHNITT *(Deckchen mit fliegendem Engel)*

Waschen und bügeln Sie alle Stoffe. Schneiden Sie die Stoffe entsprechend der Tabelle zu. Verwenden Sie dabei Rollschneider, Quiltlineal und Schneidematte. Alle Maße beinhalten 0,6 cm Nahtzugabe.

STOFF	MENGE	TEILE	MASS
heller Stoff für den Hintergrund	0,30 m	1	Quadrat: 27 × 27 cm
mehrfarbig gemustert für den Rand	0,25 m	4	Streifen: 7,5 × 27 cm
Eckquadrate	0,10 m	4	Quadrate: 7,5 × 7,5 cm
Rückseitenstoff	0,50 m	1	Quadrat: 40 × 40 cm
verschiedene passende Stoffe für Applikation	Reste oder 0,10 m- Stücke	–	–

29 cm-Taschentuch oder Serviette; Klebevlies *(Vliesofix®)*; Sticktwist; 4 passende Knöpfe (2 – 2,5 cm ∅)

Applikation

Die Motive werden mit Schlingstichen auf eine 29-cm-Serviette genäht (siehe »Schlingstichapplikation«, Seite 272).

① Lesen Sie die Anleitung »Aufbügelapplikation« auf Seite 270/ 271. Pausen Sie den fliegenden Engel von der Vorlage auf Seite 53 ab und schneiden Sie die Teile aus Stoff aus.

② Legen und bügeln Sie die Teile des Motivs auf die Serviette, wie auf Seite 51 abgebildet.

③ Sticken Sie die Details mit zweifädigem Sticktwist: Arbeiten Sie Schlingstiche um alle Kanten des Engels, sticken Sie Haare mit Rückstichen und die Augen mit 2 Knötchenstichen (siehe »Zierstiche«, Seite 272).

Fertigstellen

Stecken Sie die Serviette mit der Applikation in der Mitte des Hin-

tergrundquadrates fest. Arbeiten Sie Vorstiche aus drei Fäden Sticktwist durch alle Lagen rund um die Serviette. Nähen Sie in jede Ecke der Serviette einen Knopf.

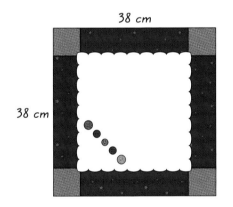

38 cm

38 cm

DECKCHEN MIT KNÖPFEN

Fertige Größe 38 × 38 cm

(Siehe Foto auf Seite 50, oberes Deckchen)

Deckchen zusammensetzen

Verfahren Sie nach Anleitung und Zuschnitt-Tabelle für das

Deckchen mit fliegendem Engel. Statt der Stoffe für die Applikation benötigen Sie jedoch 5 Knöpfe.

Fertigstellen

Stecken Sie die Serviette in der Mitte des Hintergrundquadrates fest. Nähen Sie die Bogenkante der Serviette von Hand auf. Befestigen Sie 5 Knöpfe quer über der Ecke, wie links abgebildet.

Knöpfe als Erinnerung

Schneiden Sie von zu klein gewordenen Kinderkleidern die Knöpfe ab und nähen Sie sie auf ein »Erinnerungsdeckchen«. Verwenden Sie allerlei Stoffreste für die Randstreifen.

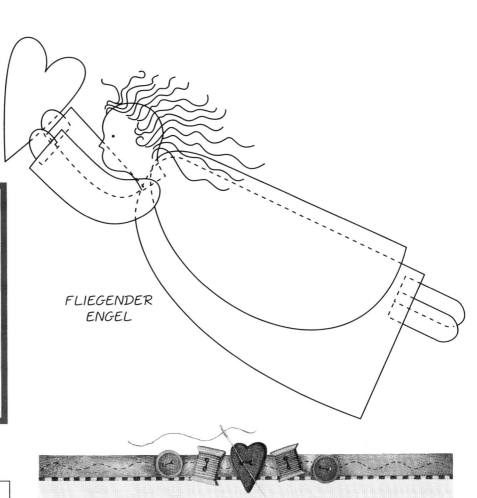

FLIEGENDER
ENGEL

Jagdfieber

Stöbern Sie auf Flohmärkten und beim Trödler nach Servietten und Taschentüchern. Wenn Sie für Ihre Deckchen keine alten Tücher finden, färben Sie neue mit Schwarztee ein: So wirken sie »echt antik«.

ZEICHENERKLÄRUNG

———— Kontur

- - - - - Kontur (wird später von Stoff bedeckt)

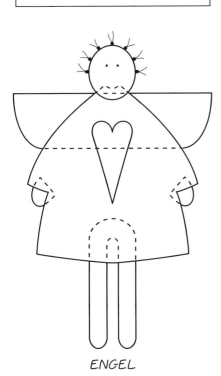

ENGEL

Dekoratives Bemalen

Fast jede Oberfläche lässt sich bemalen. Schmirgeln Sie mit feinem Sandpapier die Holzflächen ab, bevor Sie zu malen beginnen. Schmirgeln Sie auch zwischendurch, aber lassen Sie zuvor die einzelnen Schichten gründlich trocknen.

① Grundieren Sie mit Acrylfarbe. Viele Oberflächen benötigen zwei Anstriche. Gegenstände aus Papiermaché und Tontöpfe bemalen Sie am besten mit Schwammpinseln.

② Mit dem Schwamm zart aufgetupfte Farbe, Sprenkel oder Krakelierung ergeben interessante Oberflächen. Tauchen Sie die Oberfläche eines groben Schwamms in Farbe und tupfen Sie über die Fläche. Geben Sie Farbe auf eine alte Zahnbürste und streichen Sie mit dem Daumen über die Borsten, damit die Farbtröpfchen abspritzen. Verwenden Sie Reißlack nach der Anweisung auf der Packung.

③ Fügen Sie dekorative Details wie Karomuster, Blumen oder Herzen hinzu. Verwenden Sie für Karomuster eine gekaufte Schablone oder zeichnen Sie die Linien mit dem Lineal vor. Malen Sie die Quadrate abwechselnd hell und dunkel aus.

④ Sprühen oder streichen Sie Mattlack darüber.

⑤ Patinieren Sie Ihr Werkstück. Es gibt Patinierungsmittel auf Öl- oder Wasserbasis. Halten Sie sich an die Gebrauchsanweisung.

⑥ Überziehen Sie Ihr Werkstück abschließend mit schützendem Lack. Es gibt ihn glänzend, seidenmatt oder matt.

ERNTEZEIT IN DER KÜCHE

Es gibt nichts Gemütlicheres als eine Küche voll mit reifen Früchten und dem Duft des Gartens im Herbst. Die roten Äpfel, goldgelben Birnen und traditionellen Schachbrettmuster auf diesem Quilt verleihen dem Raum das ganze Jahr über diese warme, ländliche Stimmung. Selbst gesammeltes Beiwerk oder Dinge aus Ihrem Garten geben der Küche eine ganz persönliche Note.

APFEL-TISCHQUILT

Leuchtend rote Äpfel sind die richtige Dekoration zu einem liebevoll selbst

zubereiteten Essen oder einem Apfelkuchen nach Omas Rezept. Die grafi-

schen Akzente in den Eckblöcken machen den Quilt zu einem echten Blick-

fang – egal ob er nun auf dem Tisch liegt oder an der Wand hängt. Wenn Sie

beim Stoffkauf nach dem richtigen Rot suchen, denken Sie einfach an den

Anblick rotbackiger Äpfel.

Fertige Größe: 89 × 89 cm   **Fertiger Apfelblock: 10 × 15 cm**

MATERIAL

Patchworkstoffe, 110 cm breit:

0,50 m rot gemustert für die Äpfel

0,80 m hellbeige gemustert für Hintergrund, Viererblöcke und Randstreifen

0,10 m braun gemustert für die Stiele

0,25 m grün gemustert für Dreiecke, Eckquadrate und Mittelblock

0,25 m beige gemustert für die Dreiecke

0,70 m uni schwarz für Viererblöcke, Mittelblock, Gitterstreifen und Einfassung

0,10 m rot gemustert für die Patchworkblöcke und den Mittelblock

Reste von grün gemusterten Stoffen für die applizierten Blätter

1 m für die Rückseite

Außerdem:

1 m Baumwollvlies

dünnes, aufbügelbares Klebevlies (Vliesofix®)

Sticktwist

ZUSCHNITT

Waschen und bügeln Sie alle Stoffe. Schneiden Sie die Stoffe entsprechend der Tabelle zu. Verwenden Sie dabei Rollschneider, Quiltlineal und Schneidematte. Alle Maße beinhalten 0,6 cm Nahtzugabe.

STOFF	ERSTER SCHNITT		ZWEITER SCHNITT	
Farbe	Anzahl	Format	Anzahl	Format
rot gemustert	**Äpfel**			
	3	Streifen: 11,5 × 107 cm	20	Quadrate: 11,5 × 11,5 cm
hellbeige gemustert	**Hintergrund und Viererblöcke**			
	3	Streifen: 5,5 × 107 cm	40	Streifen: 5,7 × 6,5 cm (Hintergrund)
	4	Streifen: 3,8 × 107 cm	1	Streifen: 3,8 × 76 cm (Viererblock)
			80	Quadrate: 3,8 × 3,8 cm (Hintergrund)
	2	Streifen: 3,8 × 107 cm	kein zweiter Schnitt	
	Rand			
	4	Streifen: 6,5 × 77,5 cm	kein zweiter Schnitt	
braun gemustert	**Stiele**			
	2	Streifen: 2,5 × 107 cm	20	Rechtecke: 2,5 × 6,5 cm
grün gemustert	**Dreiecke, Eckquadrate und Mittelblock**			
	3	Streifen: 6,5 × 107 cm	32	Quadrate: 6,5 × 6,5 cm (Dreiecke)
			4	Quadrate: 6,5 × 6,5 cm (Eckquadrate)
			4	Rechtecke: 6,5 × 3,8 cm (Mittelblock)
beige gemustert	**Dreiecke**			
	2	Streifen: 6,5 × 107 cm	32	Quadrate: 6,5 × 6,5 cm
uni schwarz	**Viererblöcke und Mittelblock**		1 Streifen wie folgt teilen:	
	3	Streifen: 3,8 × 107 cm	1	3,8 × 76 cm (Viererblöcke)
		(2 für Viererblöcke)	4	3,8 × 3,8 cm (Mittelblock)
	Gitter			
	8	Streifen: 2,5 × 107 cm	2	Streifen: 2,5 × 76,5 cm
			4	Streifen: 2,5 × 75 cm
			2	Streifen: 2,5 × 42 cm
			4	Streifen: 2,5 × 16,5 cm
	Einfassung			
	4	Streifen: 7 × 107 cm	kein zweiter Schnitt	
rot gemustert	**Patchworkblöcke und Mittelblock**			
	1	Streifen: 6,5 × 107 cm	9	Quadrate: 6,5 × 6,5 cm

Blöcke nähen

Sie benötigen 20 Apfelblöcke, 8 Patchworkblöcke und 1 Mittelblock. Lesen Sie die Anleitungen »Eckdreiecke schnell genäht« (Seite 269) und »Rationelles Nähen« (Seite 268). Es ist praktischer, die gleichen Arbeitsschritte für alle Blöcke direkt nacheinander zu nähen, als jeden Block einzeln fertig zu stellen. Bügeln Sie nach jedem Arbeitsgang in die durch Pfeile angezeigte Richtung, sofern nichts anderes angegeben ist.

Apfelblöcke nähen

① Nähen Sie 4 hellbeige gemusterte 3,8-cm-Quadrate auf die Ecken der 20 rot gemusterten 11,5-cm-Quadrate (**Abb.1**). Bei 12 dieser Einheiten bügeln Sie die Nahtzugaben zum beigefarbenen Stoff (Apfelblöcke 1), bei den anderen 8 Einheiten zum roten Stoff hin (Apfelblöcke 2).

11,5 cm

11,5 cm

Abbildung 1

② Nähen Sie die 20 braun gemusterten 2,5 × 6,5 cm großen Rechtecke mit 0,6 cm Nahtzugabe zwischen die 40 beige gemusterten 5,7 × 6,5 cm Rechtecke (**Abb. 2**). Bügeln Sie.

5,7 cm   2,5 cm   5,7 cm

6,5 cm   6,5 cm

Abbildung 2

③ Nähen Sie die 20 Einheiten aus Schritt 2 an die 20 Einheiten mit den Eckdreiecken aus Schritt 1, wie **Abb. 3** zeigt. Bügeln Sie die Nahtzugaben der 12 Apfelblöcke 1 zu den Stielen hin und die der 8 Apfelblöcke 2 zum Apfelstoff hin. Jeder Apfelblock misst nun 11,5 × 16,5 cm.

Einheit aus Schritt 2

Einheit aus Schritt 1

Abbildung 3

Applikation

Die Blätter werden mit Schlingstichen an die Apfelstiele genäht (siehe »Schlingstichapplikation«, Seite 272). Schneiden Sie 40 Blätter nach der Vorlage auf Seite 62 zu.

① Lesen Sie die Anleitung »Aufbügelapplikation« auf Seite 270/271. Pausen Sie 40 Blätter von der Vorlage auf Seite 62 ab.

② Bügeln Sie die Blätter mit Klebevlies auf den Apfelblöcken fest, ohne dass die Motive in die 0,6 cm breite Nahtzugabe hineinragen.

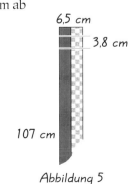

Nähen Sie die Blätter zuerst

Es ist ratsam, die Kanten der Blätter mit Schlingstichen einzufassen, bevor der Apfelquilt zusammengesetzt ist. Die Blöcke sind dann noch leichter zu handhaben.

③ Fassen Sie die Kanten der Blätter mit Schlingstichen aus zweifädigem Sticktwist ein.

Patchworkblöcke nähen

① Für die grünen und beigefarbenen Dreieck-Einheiten nähen Sie die 32 grün gemusterten 6,5-cm-Quadrate auf die 32 beige gemusterten 6,5 cm-Quadrate (**Abb. 4**). Bügeln Sie die Nahtzugabe zum grünen Stoff hin.

6,5 cm

6,5 cm

Abbildung 4

② Nähen Sie die Viererblöcke mit 0,6 cm Nahtzugabe. Nähen Sie 2 x je einen schwarzen und einen beige gemusterten 107 cm langen Streifen zu 2 Streifensets à 6,5 × 107 cm zusammen. Bügeln Sie die Nahtzugabe zum schwarzen Stoff hin. Schneiden von jedem der Streifensets 25 Abschnitte à 3,8 × 6,5 cm ab (**Abb. 5**).

6,5 cm

3,8 cm

107 cm

Abbildung 5

③ Nähen Sie den hellbeige gemusterten 3,8 cm breiten und 76 cm langen Streifen mit dem schwarzen Streifen der gleichen Größe zu einem 6,5 × 76 cm großen Streifenset zusammen. Bügeln Sie die Nähte zum schwarzen Stoff hin. Schneiden Sie 14 Abschnitte von je 3,8 × 6,5 cm Größe ab **(Abb. 6)**.

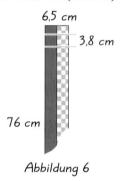

Abbildung 6

④ Nähen Sie die beige-schwarzen Abschnitte aus Schritt 2 und 3 paarweise zu 32 Viererblöcken **(Abb. 7)**. Bügeln Sie.

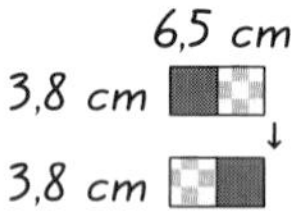

Abbildung 7

⑤ Nähen Sie 16 der Viererblöcke aus Schritt 4 zwischen die 32 Eckdreiecke aus Schritt 1 **(Abb. 8)**. Bügeln Sie.

6,5 cm   6,5 cm   6,5 cm
6,5 cm [ ] [ ] [ ] 6,5 cm

Abbildung 8

⑥ Nähen Sie 8 rot gemusterte 6,5-cm-Quadrate zwischen die verbleibenden 16 Viererblöcke aus Schritt 4 **(Abb. 9)**. Bügeln Sie.

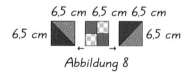

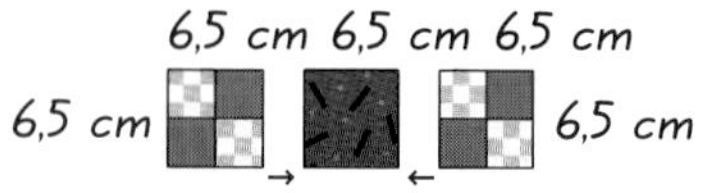

6,5 cm   6,5 cm   6,5 cm
6,5 cm [ ] [ ] [ ] 6,5 cm

Abbildung 9

⑦ Nähen Sie die 8 Einheiten aus Schritt 6 zwischen die 16 Einheiten aus Schritt 5 **(Abb. 10)**. Bügeln Sie. Jeder Patchworkblock misst nun 16,5 cm im Quadrat.

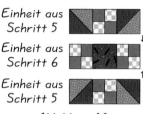

Einheit aus Schritt 5
Einheit aus Schritt 6
Einheit aus Schritt 5

Abbildung 10

Mittelblock nähen

① Nähen Sie 2 grün gemusterte Stücke à 6,5 × 3,8 cm zwischen die 4 uni schwarzen 3,8-cm-Quadrate **(Abb. 11)**. Bügeln Sie.

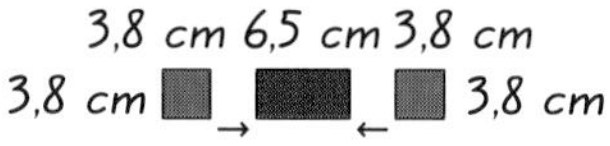

3,8 cm 6,5 cm 3,8 cm
3,8 cm [ ] [ ] [ ] 3,8 cm

Abbildung 11

② Nähen Sie das letzte rot gemusterte 6,5-cm-Quadrat zwischen die beiden verbleibenden grün gemusterten 3,8 × 6,5 cm großen Rechtecke **(Abb. 12)**. Bügeln Sie.

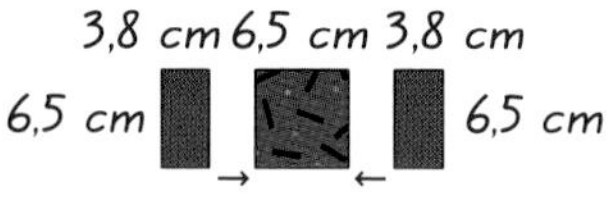

3,8 cm 6,5 cm 3,8 cm
6,5 cm [ ] [ ] [ ] 6,5 cm

Abbildung 12

③ Nähen Sie die Einheit aus Schritt 2 zwischen die beiden Einheiten aus Schritt 1 **(Abb. 13)**. Der Mittelblock misst nun 11,5 cm im Quadrat.

Einheit aus Schritt 1
Einheit aus Schritt 2
Einheit aus Schritt 1

Abbildung 13

Oberseite zusammensetzen

① Nähen Sie 2 Apfel-1-Blöcke zwischen 4 Patchworkblöcke **(Abb. 14)**. Bügeln Sie.

Apfel 1

→2 x nähen←

Abbildung 14

② Nähen Sie den Mittelblock zwischen 2 Apfel-1-Blöcke **(Abb. 15)**. Bügeln Sie.

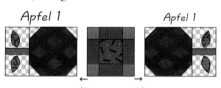

Apfel 1   *Apfel 1*

Abbildung 15

③ Nähen Sie die Einheit aus Schritt 2 zwischen die beiden Einheiten aus Schritt 1 **(Abb. 16, Seite 61)**. Bügeln Sie.

④ Wechseln Sie jeweils Apfel-1-Block und Apfel-2-Block ab und nähen Sie 4 Reihen zu je 4 Blöcken **(Abb. 17, Seite 61)**. Bügeln Sie.

⑤ Nähen Sie die 2,5 × 16,5 cm großen Gitterstreifen an beide Enden von 2 Apfelreihen aus Schritt 4. Bügeln Sie die Nahtzugaben zum Gitterstreifen hin.

⑥ Nähen Sie die 2 Einheiten aus Schritt 5 zwischen die 4 restlichen Patchworkblöcke **(Abb. 18, Seite 61)**. Bügeln Sie.

⑦ Nähen Sie die 42 cm langen Gitterstreifen an Oberkanten der Apfelreihen aus Schritt 4. Bügeln Sie.

⑧ Nähen Sie die Einheiten aus Schritt 3 zwischen die beiden Einheiten aus Schritt 7 **(Abb. 19)**. Bügeln Sie.

⑨ Nähen Sie die 2,5 cm breiten und 75 cm langen Gitterstreifen an Ober- und Unterkanten der beiden Einheiten aus Schritt 6. Bügeln Sie.

⑩ Nähen Sie die Einheit aus Schritt 8 zwischen die beiden Einheiten aus Schritt 9 **(Abb. 20**, Seite 62). Bügeln Sie.

⑪ Nähen Sie die 2,5 cm breiten und 76,5 cm langen Gitterstreifen an die Seiten. Bügeln Sie.

⑫ Nähen Sie je einen 6,5 cm breiten und 76,5 cm langen Randstreifen an Ober- und Unterkante. Bügeln Sie die Nahtzugaben zum Randstreifen hin.

⑬ Nähen Sie ein grünes 6,5-cm-Eckquadrat an die Enden der beiden verbleibenden 76,5 cm langen Randstreifen. Bügeln Sie die Nähte zum Randstreifen hin. Stecken und nähen Sie die Randstreifen an die Seiten. Bügeln Sie.

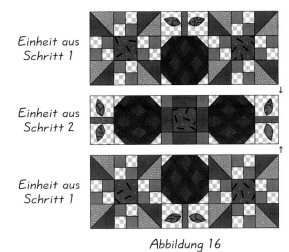

Einheit aus Schritt 1

Einheit aus Schritt 2

Einheit aus Schritt 1

Abbildung 16

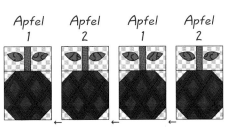

Apfel 1   Apfel 2   Apfel 1   Apfel 2

Abbildung 17

Einheit aus Schritt 5

Abbildung 18

Zu lange Stoffteile einhalten

Wenn eine Einheit ein wenig länger geraten ist als die andere, so legen Sie beim Nähen die längere Einheit nach unten. Der Stofftransport der Nähmaschine hilft Ihnen, den Stoff gleichmäßig in der Naht zu verteilen.

Einheit aus Schritt 7   Einheit aus Schritt 3   Einheit aus Schritt 7

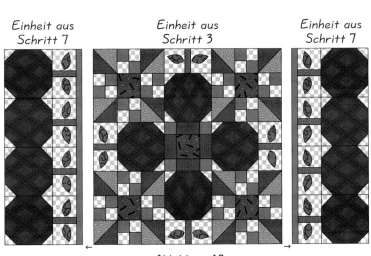

Abbildung 19

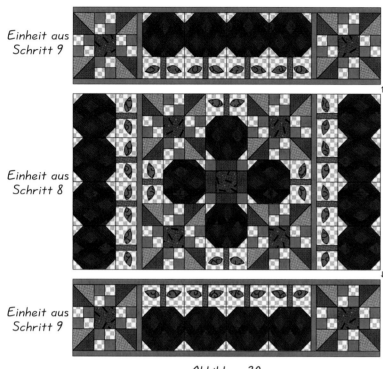

Einheit aus
Schritt 9

Einheit aus
Schritt 8

Einheit aus
Schritt 9

Abbildung 20

89 cm

89 cm

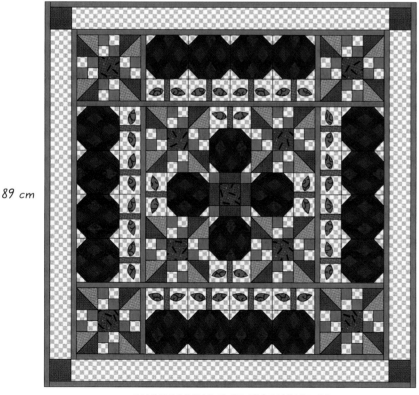

ANORDNUNG DES TISCHQUILTS

Quiltlagen montieren

Legen und heften Sie Rückseite, Vlies und Oberseite aufeinander (siehe »Quiltlagen montieren«, Seite 275). Schneiden Sie Rückseite und Vlies bis auf 0,6 cm an die Kante der Oberseite zurück.

Quilt einfassen

Verwenden Sie die 4 Einfassstreifen à 107 cm und arbeiten Sie, wie unter »Quilt einfassen« auf Seite 275/276 beschrieben.

Letzte Stiche

Quilten Sie von Hand oder mit Maschine in den Nahtlinien der Äpfel, Stiele, Patchworkblöcke, Mittelblock, Gitterstreifen und Eckquadrate. Umquilten Sie die Blätter in 1 mm Abstand. Quilten Sie 1 × in die Mittelquadrate der Patchworkblöcke und in jedes Eckquadrat, ein diagonales 2,5-cm-Gitter in jeden Apfel und ein 3-cm-Gitter auf den Rand.

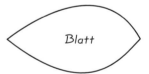

Blatt

Aus Debbies Notizbuch

Die Fotos der Küche entstanden in einem eisig kalten Trödlerladen. Normalerweise hätten wir den Ofen angeheizt, aber da alles mit Quilts behängt war, mussten wir uns mit Heizlüftern und Wintermänteln warm halten.

QUILT »VIER ÄPFEL«

Werfen Sie schon einmal einen Blick auf die nächste Seite: Dort sehen Sie

einen Quilt, der an Omas Küche erinnert. Wissen Sie noch, wie Sie geholfen

haben, die Äpfel für den Apfelkuchen zu schälen und wie Sie heimlich ein paar

Stücke stibitzten, wenn niemand hinsah? Für mich war es das Schönste, wenn

ich den restlichen Teig ausrollen durfte, ihn mit Zimt und Zucker bestreute und

10 Minuten im Ofen buk. Hmmmm! Dieser Quilt sieht in jeder Bauernküche

entzückend aus. Übrigens: Wenn »Granny Smith« ihre liebste Apfelsorte ist,

finden Sie auf Seite 66 einen passenden Farbvorschlag.

Fertige Größe: 56 × 56 cm   **Fertiger Apfelblock 10 × 15 cm**

MATERIAL

Patchworkstoffe, 110 cm breit:

0,15 m rot gemustert für die Äpfel

0,25 m hellbeige gemustert für den Hintergrund und die Viererblöcke

0,10 m (oder 1 Streifen von 2,5 × 30,5 cm) braun gemustert für die Stiele

0,15 m gelb gemustert für die Dreiecke und den Mittelblock

0,10 m grün gemustert für die Dreiecke

0,50 m uni schwarz für Viererblöcke, Mittelblock und Einfassung

0,15 m rot gemustert für Mittelblöcke und die Kontraststreifen

0,25 m grün kariert für den äußeren Rand

0,70 m Rückseitenstoff

Reste grün gemustert für die applizierten Blätter

Außerdem:

0,70 m dünnes Volumenvlies

dünnes, aufbügelbares Klebevlies (*Vliesofix®*)

Sticktwist

ZUSCHNITT

Waschen und bügeln Sie alle Stoffe. Schneiden Sie die Stoffe entsprechend der Tabelle zu. Verwenden Sie dabei Rollschneider, Quiltlineal und Schneidematte. Alle Maße beinhalten 0,6 cm Nahtzugabe.

STOFF	ERSTER SCHNITT		ZWEITER SCHNITT	
Farbe	Anzahl	Format	Anzahl	Format
rot gemustert	**Äpfel**			
	4	Quadrate: 11,5 × 11,5 cm	kein zweiter Schnitt	
hellbeige gemustert	**Hintergrund und Viererblöcke**			
	1	Streifen: 5,7 × 107 cm	8	Rechtecke: 5,7 × 6,5 cm (Hintergrund)
	2	Streifen: 3,8 × 107 cm	2	Streifen: 3,8 × 70 cm (Viererblöcke)
			16	Quadrate: 3,8 × 3,8 cm (Hintergrund)
braun gemustert	**Stiele**			
	4	Rechtecke: 32,5 × 6,5 cm	kein zweiter Schnitt	
gelb gemustert	**Dreiecke**			
	1	Streifen: 6,5 × 107 cm	16	Quadrate: 6,5 × 6,5 cm
	Mittelblock			
	1	Streifen: 3,8 × 107 cm	4	Rechtecke: 3,8 × 6,5 cm
grün gemustert	**Dreiecke**			
	1	Streifen: 6,5 × 107 cm	16	Quadrate: 6,5 × 6,5 cm
uni schwarz	**Viererblöcke und Mittelblock**			
	2	Streifen: 3,8 × 107 cm	2	Streifen: 3,8 × 70 cm (Viererblock)
			4	Quadrate: 3,8 × 3,8 cm (Mittelblock)
	Einfassung			
	4	Streifen: 7 × 107 cm	kein zweiter Schnitt	
rot gemustert	**Mittelblöcke**			
	5	Quadrate: 6,5 × 6,5 cm	kein zweiter Schnitt	
	Kontraststreifen			
	2	Streifen: 2,5 × 107 cm	2	Streifen: 2,5 × 44,5 cm
			2	Streifen: 2,5 × 42 cm
grün kariert	**Äußerer Rand**			
	2	Streifen: 6,5 × 107 cm	2	Streifen: 6,5 × 55 cm
			2	Streifen: 6,5 × 44,5 cm

Apfelblöcke nähen

Sie benötigen 4 Apfelblöcke. Wie Sie die Eckdreiecke für alle 4 Blöcke schnell und einfach anfertigen, lesen Sie auf Seite 268 und 269 (»Rationelles Nähen« und »Eckdreiecke schnell genäht«).

① Folgen Sie Schritt 1 bis 3 der Anleitung »Apfelblöcke nähen« beim Apfel-Tischquilt (Seite 59) und ar-beiten Sie 4 Apfelblöcke. Bügeln Sie die Nahtzugaben in Schritt 1 zum hellbeigefarbenen Stoff, in Schritt 3 zu den Äpfeln hin.

② Nähen Sie die Blätter nach der Anleitung »Applikation« (Seite 59) auf die Apfelblöcke.

Patchworkblöcke nähen

Arbeiten Sie 4 Patchworkblöcke nach der Anleitung »Patchworkblöcke nähen« (Seite 59). Verwenden Sie die 16 gelb gemusterten 6,5-cm-Quadrate und die 16 grün gemusterten 6,5-cm-Quadrate und nähen Sie 16 gelb-grüne Dreieck-Einheiten. Für die Viererblöcke nähen Sie 2 beigefarbene Streifen à 3,8 × 70 cm und 2 schwarze Streifen à 3,8 × 70 cm paarweise zu 2 Streifensets zusammen. Schneiden Sie diese Streifensets in 32 Abschnitte à 3,8 × 6,5 cm. Nähen Sie nach Schritt 5 bis 7 die 4 Patchworkblöcke fertig.

Mittelblöcke nähen

Nähen Sie den Mittelblock nach der Anleitung »Mittelblock nähen« (Seite 60). Verwenden Sie gelb gemusterte anstelle der grün gemusterten Stoffe.

Oberseite zusammensetzen

① Folgen Sie den Schritten 1 bis 3 der Anleitung »Oberseite zusammensetzen« (Seite 60).

② Nähen Sie die 2,5 cm breiten und 42 cm langen Kontraststreifen an Ober- und Unterkante. Bügeln Sie die Nähte zu den Streifen hin.

③ Nähen Sie die 2,5 cm breiten und 44,5 cm langen Kontraststreifen an die Seiten. Bügeln Sie.

④ Nähen Sie die 6,5 breiten und 44,5 cm langen Randstreifen an Ober- und Unterkante. Bügeln Sie die Nähte zu den Randstreifen hin.

⑤ Nähen Sie die 6,5 cm breiten und 55 cm langen Randstreifen an die Seiten. Bügeln Sie.

Quiltlagen montieren

Legen und heften Sie Rückseite, Vlies und Oberseite aufeinander, wie unter »Quiltlagen montieren« auf Seite 275 beschrieben. Schneiden Sie Rückseite und Vlies bis auf 0,6 cm an die Kante der Oberseite zurück.

Quilt einfassen

Verwenden Sie die 4 Einfassstreifen à 7 × 107 cm und folgen Sie der Anleitung »Quilt einfassen« (Seite 275/276).

Fertigstellen

Quilten Sie von Hand oder mit der Maschine in den Nahtlinien von Äpfeln, Stielen, Patchworkblöcken, Mittelblock und Kontraststreifen. Im Abstand von 1 mm quilten Sie um die Kanten der applizierten Blätter. In jeden Apfel quilten Sie ein diagonales 2,5-cm-Gitter. In den Randstreifen quilten Sie Linien senkrecht zur Außenkante (Abstand ca. 2,5 cm).

56 cm

56 cm

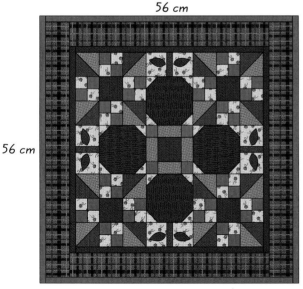

ANORDNUNG DES QUILTS

FARBVARIANTE

Hier sehen Sie die »Granny-Smith«-Variante des Quilts für alle, denen die Kombination von Blau, Grün und Gelb besonders gut gefällt.

FRÜCHTE DER SAISON

Der Sampler mit pflückfrischen Früchten und der Apfel-Volant am Fenster

auf dem Foto der nächsten Seite sehen aus, als kämen Sie geradewegs vom

Wochenmarkt. Der Früchte-Sampler ist mit Applikationen in Aufbügeltech-

nik einfach zu nähen, der Apfel-Volant (Anleitung Seite 71) geht so leicht wie

Apfelkuchen und kann an jede Fenstergröße angepasst werden.

Früchte-Sampler

Fertige Größe: 48 × 46 cm

MATERIAL UND ZUSCHNITT

Waschen und bügeln Sie alle Stoffe. Schneiden Sie die Stoffe entsprechend der Tabelle zu. Verwenden Sie dabei Rollschneider, Quiltlineal und Schneidematte. Alle Maße beinhalten 0,6 cm Nahtzugabe.

STOFF	MENGE	TEILE	MASS
beige, grün und rot gemusterte Stoffe für den Hintergrund (siehe Maße rechts)	je 0,10 – 0,25 cm von 7 Stoffen	1	Rechteck: 10,2 × 9 cm aus 2 beigen Stoffen für Kirschen
		1	Rechteck: 10,2 × 11,5 cm aus 2 grünen Stoffen für die Birnen
		1	Rechteck: 10,2 × 14 cm aus 2 roten Stoffen für die Ananas
		1	Rechteck: 14 × 19 cm beige gemustert für den Apfelkorb
beige (Schachbrettmuster)	0,10 m	1	Streifen: 3,8 × 60 cm
schwarz gemustert für das Schachbrettmuster	0,10 m	1	Streifen: 3,8 × 60 cm
uni schwarz für das Gitter	0,10 m (in 3 Streifen à 2,5 × 107 cm schneiden)	4	Streifen: 2,5 × 34,5 cm
		2	Streifen: 2,5 × 32 cm
		2	Streifen: 2,5 × 14 cm
goldgelb gemustert für die Eckquadrate	0,10 m oder je ein 6,5-cm-Quadrat von 4 Stoffen	je 1	Quadrat: 6,5 × 6,5 cm aus jedem der 4 Stoffe

Fortsetzung auf Seite 68

WOCHENENDE

STOFF	MENGE	TEILE	MASS
rot gemustert für die Randstreifen	je 0,10 m (oder einen Streifen von 6,5 × 38 cm) von 4 verschiedenen Stoffen	1	Streifen: 6,5 × 37 cm aus 2 verschiedenen Stoffen für die Seiten
		1	Streifen: 6,5 × 34,5 cm aus 2 verschiedenen Stoffen für Ober- und Unterkante
uni schwarz für die Einfassung	0,10 m (in zwei Streifen à 2,5 × 107 cm schneiden)	4	Streifen: 2,5 × 47 cm
Rückseitenstoff	0,60 m	–	–
leichtes Volumenvlies	0,60 m	–	–
mehrere passende Stoffe für die Applikationen	Reste oder 0,10-m-Abschnitte	–	–

MATERIAL UND ZUSCHNITT – FORTSETZUNG

dünnes, aufbügelbares Klebevlies (*Vliesofix®*)

Hintergrund zusammensetzen

Setzen Sie das Oberteil des Wandquilts zusammen, bevor Sie die Motive applizieren. Legen Sie die Hintergrundteile aus, wie es die Grafik »Anordnung« (Seite 71) zeigt. Halten Sie sich beim Zusammensetzen an die gewählte Reihenfolge. Nähen Sie mit 0,6 cm Nahtzugabe und bügeln Sie nach jedem Arbeitsschritt.

① Für Reihe 1 nähen Sie ein grünes Hintergrund-Rechteck (Birne) von 10,2 × 11,5 cm zwischen ein beigefarbenes Hintergrund-Rechteck (Kirsche) von 10,2 × 9 cm und ein rotes Hintergrund-Rechteck (Ananas) von 10,2 × 14 cm (**Abb.1**). Bügeln Sie die Nahtzugaben in Pfeilrichtung.

Reihe 1
10,2 cm
9 cm
11,5 cm
14 cm
Abbildung 1

② Für Reihe 2 nähen Sie die 2,5 cm breiten und 14 cm langen Gitterstreifen an Ober- und Unterkante des beigefarbenen Apfelkorb-Hintergrundteils von 14 × 19 cm (**Abb. 2**). Bügeln Sie.

Reihe 2
14 cm
2,5 cm
19 cm
2,5 cm
Abbildung 2

③ Nähen Sie die beiden 3,8 cm breiten und 60 cm langen Streifen für das Schachbrettmuster zu einem 6,5 × 60 cm großen Streifenset zusammen. Bügeln Sie die Nähte zum dunklen Stoff hin. Schneiden Sie dieses Streifenset in 3 Teile zu je ca. 20 cm (**Abb. 3**).

6,5 cm
20 cm
60 cm
20 cm
20 cm
Abbildung 3

④ Nähen Sie diese 3 Stücke zu einem Streifenset von 16,5 × 20 cm zusammen. Mit Rollschneider und Quiltlineal schneiden Sie davon 4 Abschnitte à 3,8 × 16,5 cm ab. Jeder Streifen besteht aus 6 Quadraten (**Abb. 4**). Mit einem Nahttrenner entfernen Sie von zweien der Streifen je ein schwarzes Quadrat. Sie haben nun 2 Streifen à 3,8 × 14 cm mit je einem beigefarbenen Quadrat an beiden Enden. Entfernen Sie von den beiden verbliebenen Streifen je ein beigefarbenes Quadrat; so erhalten Sie 2 Streifen 3,8 × 14 cm mit schwarzen Quadraten an den Enden.

16,5 cm
3,8 cm
20 cm
Abbildung 4

⑤ Vergleichen Sie die Schachbrettstreifen aus Schritt 4 mit Ober- und

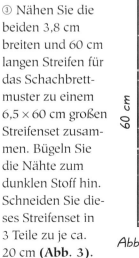
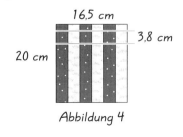

Unterkante der Einheit aus Schritt 2. Vielleicht müssen Sie ein paar Nähte enger oder weiter nachnähen (maximal 1 mm), bis die Längen übereinstimmen. Korrigieren Sie die Längen, bevor Sie die Schachbrettstreifen zu Paaren nähen. Führen Sie Korrekturen bei beiden Streifen an denselben Nähten aus, damit die Nahtkreuzungen aufeinandertreffen (siehe »Zusammengesetzte Randbordüren anpassen«, Seite 274). Dann nähen Sie die Schachbrettstreifen paarweise zusammen und bügeln sie.

⑥ Legen Sie die hellen und dunklen Quadrate der Schachbrettbordüren wie in **Abb. 5** aus. Stecken und nähen Sie die Schachbrettstreifen an die Einheit aus Schritt 2. Bügeln Sie.

⑦ Für Reihe 3 nähen Sie den verbleibenden roten Ananas-Hintergrund von 10,2 × 14 cm zwischen den grünen Birnen-Hintergrund von 10,2 × 11,5 cm und den beigefarbenen Kirschen-Hintergrund von 10,2 × 9 cm **(Abb. 6)**. Bügeln Sie.

⑧ Nähen Sie je einen 2,5 cm breiten und 32 cm langen Gitterstreifen an beide Seiten von Reihe 2. Bügeln Sie die Nahtzugaben zum Gitterstreifen hin.

⑨ Nähen Sie Reihe 2 zwischen die Reihen 1 und 3. Bügeln Sie die Nahtzugaben zum Gitterstreifen.

⑩ Nähen Sie je einen Gitterstreifen von 2,5 × 34,5 cm an Ober- und Unterkante. Bügeln Sie die Nahtzugaben zum Gitterstreifen.

⑪ Nähen Sie die verbleibenden Gitterstreifen von 2,5 × 34,5 cm an die Seiten. Bügeln Sie.

Reihe 2

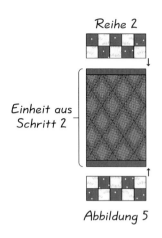

Einheit aus Schritt 2

Abbildung 5

Reihe 3

10,2 cm

11,5 cm

14 cm

9 cm

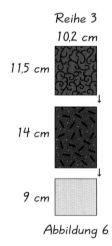

Abbildung 6

Rand und Einfassung

① Arrangieren Sie die Randstreifen und Eckquadrate, wie es Ihnen gefällt. Halten Sie sich beim Zusammennähen an die gefundene Anordnung. Nähen Sie die 6,5 cm breiten und 34,5 cm langen Randstreifen an Ober- und Unterkante. Bügeln Sie die Nähte zum Randstreifen hin.

② Nähen Sie je ein 6,5-cm-Eckquadrat an die Enden der 6,5 cm breiten und 32 cm langen Randstreifen. Bügeln Sie die Nähte zum Randstreifen hin. Stecken und nähen Sie die Randstreifen an die Seite. Bügeln Sie.

Tipps zum Schachbrettmuster

Schachbrettmuster wirken durch starken Kontrast. Wählen Sie also sehr helle und sehr dunkle Stoffe. Ein Vorschlag: Nähen Sie ein Schachbrett aus Resten. Damit sieht der Früchtesampler ganz anders aus.

③ Nähen Sie je einen 2,5 cm breiten und 47 cm langen Einfassstreifen an Ober- und Unterkante. Bügeln Sie die Nähte zu den Einfassstreifen hin.

④ Nähen Sie die beiden verbleibenden Einfassstreifen an die Seiten. Bügeln Sie.

Applikation

① Lesen Sie die Anleitung »Aufbügelapplikation« (Seite 270/271). Pausen Sie 2 Büschel Kirschen, 2 Birnen, 2 Ananas und 1 Apfelkorb von den Vorlagen auf den Seiten 74 und 75 ab.

② Bügeln Sie jedes der Applikationsmotive mit Klebevlies auf die Mitte des dafür vorgesehenen Hintergrunds. Bügeln Sie immer nur ein Motiv auf. Richten Sie sich bei der Anordnung nach dem Foto von Seite 68.

Letzte Stiche

① Legen Sie Oberseite und Rückseite rechts auf rechts. Legen Sie beides auf das Vlies, die Rückseite liegt auf dem Vlies. Stecken

Sie alle drei Lagen aufeinander fest. Nähen Sie mit 0,6 cm Nahtzugabe um alle Kanten und lassen Sie eine Wendeöffnung von etwa 10 cm offen. Schneiden Sie Vlies und Rückseite gleich groß wie die Oberseite. Dann schneiden Sie die Ecken der Nahtzugaben ab, wenden den Quilt auf rechts, schließen Sie Wendeöffnung mit Handstichen und bügeln den Quilt.

② Quilten Sie von Hand oder mit der Maschine in den Nahtlinien der Gitterstreifen, Schachbrettquadrate, Eckquadrate und der Einfassung. Umquilten Sie die Umrisse der Applikationen. Quilten Sie ein diagonales 3-cm-Gitter auf den Rand.

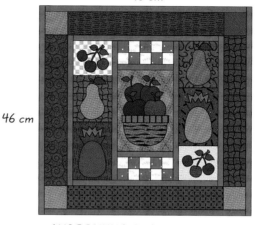

48 cm

46 cm

ANORDNUNG DES WANDQUILTS

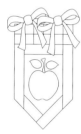

Apfel-Volant

Fertige Größe: 15 × 22,5 cm

(Siehe Foto auf Seite 68)

MATERIAL

Messen Sie Ihre Fensterbreite und errechnen Sie, wie viele der 15 cm breiten Volant-Elemente Sie benötigen. Ich habe 4 Elemente für jedes der beiden auf Seite 54/55 abgebildeten Fenster genäht. Die folgende Materialliste gibt den Stoffbedarf sowohl für ein einzelnes Element als auch für die Gruppe von 8 Volants an. Studieren Sie die Zuschnittangaben auf Seite 72, damit Sie Ihren Bedarf errechnen können, bevor Sie zum Stoffkaufen gehen.

Für 1 Apfel-Volant-Element

Patchworkstoffe, 110 cm breit:

☐ 0,25 m (oder 15 × 20 cm) hellbeige gemustert für den Hintergrund

■ 0,10 m (oder Streifen 3,8 × 107 cm) grün gemustert für den Rand

▦ 0,10 m (oder Streifen 3,8 × 46 cm) beige gemustert für das Schachbrettmuster

■ 0,15 m (oder Streifen 3,8 × 46 cm) rot gemustert für das Schachbrettmuster

▦ 0,15 m grün kariert für die Schleifen

0,25 cm oder 20 × 30 cm für die Rückseite

Reste oder 0,10-m-Stücke von verschiedenen passenden Stoffen für die Applikationen

Außerdem:
dünnes, aufbügelbares Klebevlies (Vliesofix®)

Für 8 Apfel-Volant Elemente

Patchworkstoffe, 110 cm breit:

☐ 0,35 m hellbeige gemustert für den Hintergrund

■ 0,30 m grün gemustert für den Rand

▦ 0,15 m beige gemustert für das Schachbrett

■ 0,15 m rot gemustert für das Schachbrett

▦ 1 m grün kariert für die Schleifen

0,7 m für die Rückseiten

passende Stoffreste für die Applikationen

Außerdem:
dünnes, aufbügelbares Klebevlies (Vliesofix®)

ZUSCHNITT

Waschen und bügeln Sie alle Stoffe. Schneiden Sie die Stoffe entsprechend der Tabelle zu. Verwenden Sie dabei Rollschneider, Quiltlineal und Schneidematte. Alle Maße beinhalten 0,6 cm Nahtzugabe.

STOFF	ERSTER SCHNITT		ZWEITER SCHNITT	
Farbe	Anzahl	Format	Anzahl	Format
hellbeige gemustert	**Hintergrund**			
	1	Fertigen Sie nach der Vorlage von Seite 75 eine Schablone an.	kein zweiter Schnitt	
grün gemustert	**Rand**			
	1	Streifen: 3,8 × 107 cm	2	Streifen: 3,8 × 20 cm
			2	Streifen: 3,8 × 15 cm
			1	Streifen: 3,8 × 11,5 cm
beige gemustert	**Schachbrett**			
	3	Streifen: 3,8 × 13 cm	kein zweiter Schnitt	
rot gemustert	**Schachbrett**			
	3	Streifen: 3,8 × 13 cm	kein zweiter Schnitt	
grün kariert	**Schleifenbänder**			
	2	Streifen: 5 × 75 cm	kein zweiter Schnitt	

Volant zusammensetzen

① Nähen Sie den 3,8 cm breiten und 11,5 cm langen Randstreifen an die Oberkante eines hellbeige-farbenen Hintergrundteils (**Abb. 7**). Bügeln Sie.

② Nähen Sie einen 3,8 cm breiten und 15 cm langen Randstreifen an die untere linke Kante des Hintergrundteils. Bügeln Sie die Nähte nach außen. Schneiden Sie die überstehende Länge an der Kante ab (**Abb. 8**).

③ Nähen Sie den verbleibenden 15 cm langen Randstreifen an die untere rechte Kante des Hintergrundteils. Bügeln Sie. Schneiden Sie die überstehende Länge ab (**Abb. 9**).

④ Nähen Sie die 3,8 cm breiten und 20 cm langen Randstreifen an die Seiten. Bügeln und kürzen Sie die Streifen (**Abb 10**).

⑤ Nähen Sie die 6 Schachbrett-streifen à 3,8 × 13 cm farblich ab-

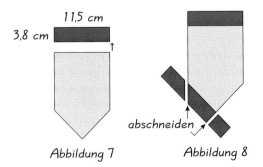

11,5 cm

3,8 cm

abschneiden

Abbildung 7

Abbildung 8

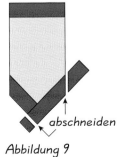

abschneiden

Abbildung 9

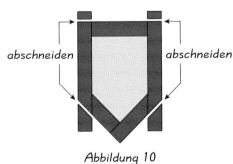

abschneiden   abschneiden

Abbildung 10

wechselnd zu einem 16,5 × 13 cm großen Streifenset. Bügeln Sie die Nähte zu den dunklen Stoffen hin. Mit Rollschneider und Quiltlineal schneiden Sie von diesem Streifenset 2 Abschnitte à 3,8 × 16,5 cm ab **(Abb. 11)**.

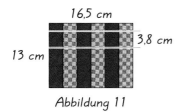

Abbildung 11

⑥ Vergleichen Sie die 3,8 × 16,5 cm großen Abschnitte mit der Oberkante der genähten Einheit aus Schritt 4. Vielleicht müssen Sie ein paar Nähte enger oder weiter nachnähen (maximal 1 mm), damit die Längen übereinstimmen. Korrigieren Sie dies, bevor Sie die beiden Abschnitte zum Schachbrett zusammensetzen. Führen Sie notwendige Korrekturen bei beiden Abschnitten an denselben Nähten aus, damit sie beim Zusammensetzen passen (siehe auch »Zusammengesetzte Ränder anpassen«, Seite 274). Nähen Sie die Schachbrettstreifen zusammen und bügeln Sie.

⑦ Beachten Sie die Lage der hellen und dunklen Stoffe (siehe Grafik »Anordnung des Volants«) und stecken und nähen Sie das Schachbrett-Element an die Einheit aus Schritt 4. Bügeln Sie zum grünen Rand hin.

Applikation

① Lesen Sie die Anleitung »Aufbügelapplikation« auf den Seiten 270/271. Pausen Sie einen Apfel von der Vorlage auf Seite 74 ab und schneiden Sie ihn aus.

② Bügeln Sie den Apfel mit Klebevlies in der Mitte des Hintergrundteiles auf. Orientieren Sie sich dabei am Foto auf Seite 68.

Fertigstellen

① Für die Schleifen falten Sie jedes der grün karierten 5 cm breiten und 75 cm langen Schleifenbänder rechts auf rechts der Länge nach zur Hälfte. Nähen Sie mit 0,6 cm breiter Nahtzugabe entlang der langen, offenen Kante. Wenden Sie das Band und bügeln Sie es.

② Dann falten Sie die Bänder zur Hälfte und stecken sie fest. Der Falz der Bänder liegt auf der Oberkante des Volants. Die Außenkante sollte mit der Naht des ersten Schachbrettquadrats zusammentreffen. Heften Sie die Bänder fest. Sie werden im letzten Arbeitsgang mit festgenäht **(Abb. 12)**.

Abbildung 12

Andere Früchte

Wenn Sie möchten, können Sie anstelle der Äpfel auch Birnen oder Kirschen auf Ihren Volant applizieren. Verwenden Sie die Vorlagen für den Früchte-Sampler auf Seite 74/75. Sie können auch für einen Volant verschiedene Früchte verwenden.

③ Legen und stecken Sie Oberseite und Rückseite rechts auf rechts. Achten Sie darauf, dass die Schleifen ins Innere des Volants geschoben sind, sodass sie nicht in der Naht erfasst werden. Nähen Sie mit 0,6 cm Nahtzugabe um alle Kanten und lassen Sie eine Wendeöffnung von 8 cm frei. Schneiden Sie die Rückseite auf die gleiche Größe zu wie die Schauseite. Schneiden Sie die Ecken der Nahtzugaben ab und wenden Sie den Volant auf rechts. Nähen Sie die Wendeöffnung von Hand zu und bügeln Sie den Volant.

25,5 cm

15 cm

ANORDNUNG DES VOLANTS

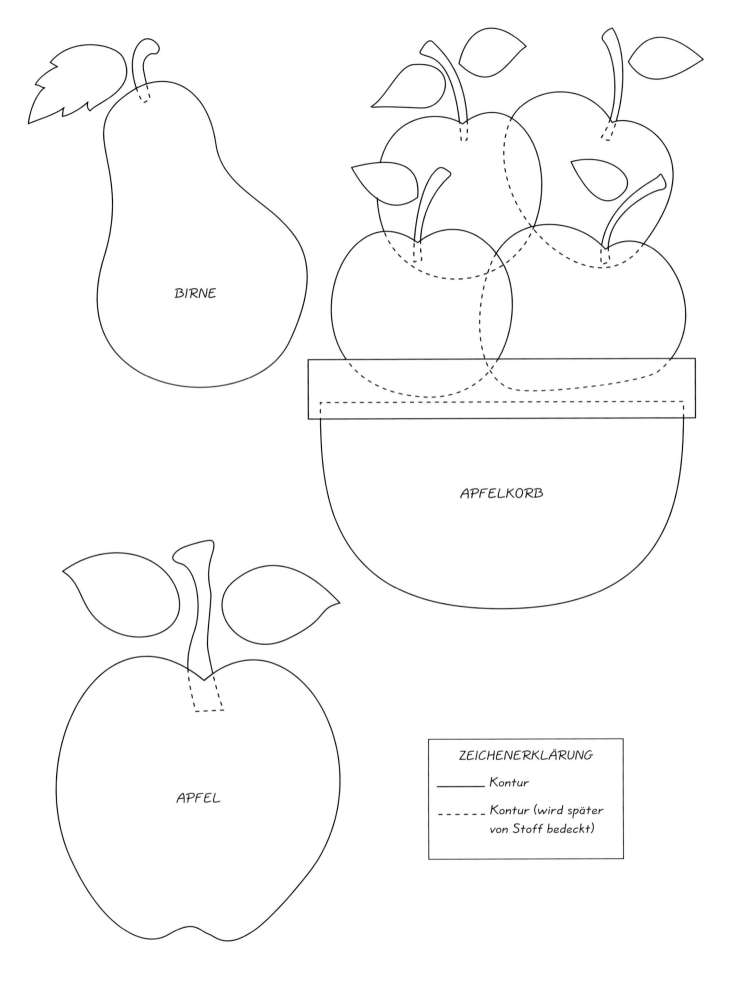

BIRNE

APFELKORB

APFEL

ZEICHENERKLÄRUNG

——— Kontur

- - - - Kontur (wird später
von Stoff bedeckt)

HINTERGRUND

KIRSCHEN

ANANAS

OBSTGARTEN-TRIO

Äpfel, Birnen und Karos – was will man mehr! Dieser Quilt und die

beiden karierten Handtücher bilden das perfekte Trio. Nähen Sie den

fruchtigen Handtuchhalter und die passenden Küchenhandtücher

(Anleitung auf Seite 81) in Null-Komma-Nichts! Sie brauchen nicht

erst in den Garten zu gehen und Obst zu pflücken – tun Sie es im

Nähzimmer. Nehmen Sie Streifenkaros, mischen Sie ein paar

Schachbrettmuster darunter und geben Sie frische Äpfel und Birnen dazu.

Fruchtiger Handtuchhalter

Fertige Größe: 48 × 28 cm   **Fertiger Block: 10 × 15 cm**

MATERIAL

(Muster mit deutlich erkennbarer Richtung eignen sich nicht.)

Patchworkstoffe, 110 cm breit:

je 0,15 m (oder 11,5-cm-Quadrate) von 2 rot gemusterten Stoffen für die Äpfel

0,25 m hellbeige gemustert für Hintergrund, Hängeschlaufen und Schachbrettmuster

je 0,10 m (oder 2,5 × 6,5 cm-Stücke) von 2 braun gemusterten Stoffen für die Apfelstiele

0,15 m (oder Stücke von 11,5 × 16,5 cm) gelb gemustert für die Birnen

0,10 m (oder 2,5 × 3,8 cm) braun gemustert für den Birnenstiel

0,10 m grün gemustert für die Gitterstreifen

0,10 m schwarz gemustert für das Schachbrettmuster

0,10 m uni schwarz für die Einfassung

0,35 m für die Rückseite

Reste von grün gemusterten Stoffen für die applizierten Blätter

Außerdem:

0,35 m dünnes Volumenvlies dünnes, aufbügelbares Klebevlies *(Vliesofix®)*

grüner Sticktwist

Holzdübelstab, 1,5 cm ∅, 48 cm lang

ZUSCHNITT

Waschen und bügeln Sie alle Stoffe. Schneiden Sie die Stoffe entsprechend der Tabelle zu. Verwenden Sie dabei Rollschneider, Quiltlineal und Schneidematte. Alle Maße beinhalten 0,6 cm Nahtzugabe.

STOFF	ERSTER SCHNITT		ZWEITER SCHNITT	
Farbe	Anzahl	Format	Anzahl	Format
rot gemustert	**Äpfel – aus jedem der 2 Stoffe zuschneiden:**			
	1	Quadrat: 11,5 × 11,5 cm	kein zweiter Schnitt	
hellbeige gemustert	**Hintergrund, Hängeschlaufen und Schachbrettmuster**			
	1	Streifen: 6,5 × 107 cm	1	Streifen: 6,5 × 30 cm (Schlaufen)
			4	Rechtecke: 6,5 × 5,7 cm (Apfel-Hintergrund)
	2	Streifen: 3,8 × 107 cm	1	Streifen: 3,8 × 75 cm (Schachbrett)
			2	Rechtecke: 3,8 × 6,5 cm (Birnen-Hintergrund)
			2	Rechtecke: 3,8 × 5,7 cm (Birne)
			8	Quadrate: 3,8 × 3,8 cm (Apfel)
			4	Quadrate: 3,8 × 3,8 cm (Birne)
			2	Quadrate: 2,5 × 2,5 cm (Birne)
	1	Streifen: 3,8 × 107 cm (Schachbrett)	kein zweiter Schnitt	
braun gemustert	**Apfelstiele – aus jedem der 2 Stoffe zuschneiden**			
	1	Rechteck: 2,5 × 6,5 cm	kein zweiter Schnitt	
gelb gemustert	**Birne**			
	1	Rechteck: 11,5 × 9 cm	kein zweiter Schnitt	
	1	Quadrat: 6,5 × 6,5 cm	kein zweiter Schnitt	
braun gemustert	**Birnenstiel**			
	1	Rechteck: 2,5 × 3,8 cm	kein zweiter Schnitt	
grün gemustert	**Gitterstreifen**			
	2	Streifen: 3,8 × 107 cm	2	Streifen: 3,8 × 37 cm
			2	Streifen: 3,8 × 21,5 cm
			2	Streifen: 3,8 × 16,5 cm
schwarz gemustert	**Schachbrett**			
	1	Streifen: 3,8 × 107 cm	kein zweiter Schnitt	
	1	Streifen: 3,8 × 75 cm	kein zweiter Schnitt	
uni schwarz	**Einfassung**			
	2	Streifen: 2,5 × 107 cm	2	Streifen: 2,5 × 47 cm
			2	Streifen: 2,5 × 29 cm

Blöcke nähen

Sie benötigen 2 Apfelblöcke mit unterschiedlichen Stoffen für Äpfel und Stiele. Sortieren Sie die Stoffe für die beiden Kombinationen, bevor Sie zu nähen beginnen und behalten Sie die gefundene Auswahl bei. Nähen Sie einen einzelnen Birnenblock.

Lesen Sie die Anleitung »Eckdreiecke schnell genäht« (Seite 269). Bei den Apfel- und Birnenblöcken werden die Eckdreiecke zuerst angenäht und dann erst der Block zusammengesetzt. Achten Sie auf die Lage der Eckdreiecke in den Abbildungen. Bügeln Sie die Nahtzugaben zu den angesetzten Dreiecken hin.

① Nähen Sie 2 Apfelblöcke nach der Anleitung »Apfelblöcke nähen« (Seite 65). Bügeln Sie die Nähte in Schritt 1 und 3 in Richtung der Äpfel.

② Applizieren Sie die Blätter nach der Anleitung »Applikation« (Seite 59) auf die Apfelblöcke.

③ Für den Birnenblock nähen Sie die vier hellbeige gemusterten 3,8-cm-Quadrate an das gelb gemusterte Rechteck von 11,5 × 9 cm (**Abb. 1**). Bügeln Sie.

11,5 cm

9 cm

Abbildung 1

④ Nähen Sie die beiden hellbeige gemusterten 2,5-cm-Quadrate an das gelb gemusterte 6,5-cm-Quadrat (**Abb. 2**). Bügeln Sie.

6,5 cm

6,5 cm

Abbildung 2

⑤ Nähen Sie die Einheit mit den Eckdreiecken aus Schritt 4 mit 0,6 cm Nahtzugabe zwischen die beiden hellbeige gemusterten 3,8 × 6,5 cm großen Rechtecke (**Abb. 3**). Bügeln Sie die Nähte in Pfeilrichtung.

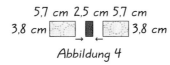

Einheit aus Schritt 4

3,8 cm 6,5 cm 3,8 cm

6,5 cm   6,5 cm

Abbildung 3

⑥ Nähen Sie das braun gemusterte Rechteck von 2,5 × 3,8 cm zwischen die beiden hellbeige gemusterten Teile von 5,7 × 3,8 cm (**Abb. 4**).

5,7 cm 2,5 cm 5,7 cm

3,8 cm   3,8 cm

Abbildung 4

⑦ Nähen Sie die Einheit aus Schritt 5 zwischen die Einheiten aus Schritt 6 und 3 (**Abb. 5**). Bügeln Sie. Der Birnenblock misst nun 11,5 × 16,5 cm.

Einheit aus Schritt 3

Einheit aus Schritt 5

Einheit aus Schritt 6

Abbildung 5

Gitterstreifen annähen

① Nähen Sie den Birnenblock zwischen zwei 3,8 cm breite und 16,5 cm lange Gitterstreifen. Bügeln Sie die Nahtzugaben zu den Gitterstreifen hin.

② Nähen Sie die Einheit aus Schritt 1 zwischen die beiden Apfelblöcke. Bügeln Sie.

③ Nähen Sie die 3,8 cm breiten und 37 cm langen Gitterstreifen an Ober- und Unterkante. Bügeln Sie.

④ Nähen Sie die 3,8 cm breiten und 21,5 cm langen Gitterstreifen an die Seiten. Bügeln Sie.

Schachbrett nähen

① Für Ober- und Unterkante nähen Sie die beiden 3,8 cm breiten und 107 cm langen Schachbrettstreifen zu einem 6,5 × 107 cm großen Streifenset aneinander. Bügeln Sie die Naht zum dunklen Stoff hin. Halbieren Sie dieses Streifenset in 2 etwa 53 cm lange Stücke (**Abb. 6**).

6,5 cm

53 cm

107 cm

53 cm

Abbildung 6

② Nähen Sie die Hälften zu einem 11,5 × 53 cm großen Streifenset zusammen. Schneiden Sie dieses in Viertelstücke von je ca. 13 cm Länge (**Abb. 7**).

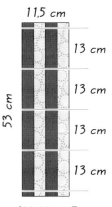

11,5 cm

13 cm

13 cm

53 cm

13 cm

13 cm

Abbildung 7

③ Nähen Sie die Viertel zu einem 42 × 13 cm großen Streifenset zusammen. Mit Rollschneider und Quiltlineal schneiden Sie von diesem Set 2 Abschnitte à 3,8 × 42 cm ab. Jeder Streifen umfasst 16 Quadrate **(Abb. 8)**.

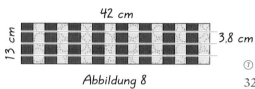

Abbildung 8

④ Vergleichen Sie die 3,8 cm breiten und 42 cm langen Abschnitte mit Ober- und Unterkante der Apfel-Birnen-Einheit. Sie müssen vielleicht ein paar Nähte enger oder weiter nachnähen (maximal 1 mm), bis die Länge genau stimmt. Stecken und nähen Sie die Schachbrettstreifen an Ober- und Unterkante, wie die Grafik »Anordnung des Handtuchhalters« zeigt. Bügeln Sie die Nahtzugaben zum Gitterstreifen hin.

⑤ Für die Seiten nähen Sie 2 je 3,8 cm breite und 75 cm lange Schachbrettstreifen zu einem 6,5 × 75 cm großen Streifenset. Bügeln Sie die Naht zum dunklen Stoff hin. Halbieren Sie dieses Streifenset in Stücke von knapp 38 cm **(Abb. 9)**.

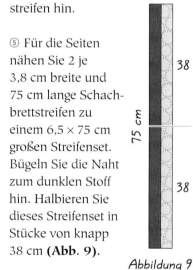

Abbildung 9

⑥ Nähen Sie beide Hälften zu einem 11,5 × 38 cm großen Streifenset zusammen. Schneiden Sie dieses Set in Drittel von etwa 13 cm Länge **(Abb. 10)**.

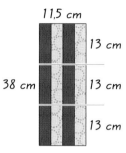

Abbildung 10

⑦ Nähen sie die Drittel zu einem 32 × 13 cm großen Streifenset zusammen und schneiden Sie davon mit Rollschneider und Quiltlineal 2 Abschnitte à 3,8 × 32 cm ab **(Abb. 11)**. Trennen Sie mit einem Nahttrenner von jedem dieser Streifen zwei Quadrate ab. Sie haben nun 2 Streifen mit je 10 Quadraten.

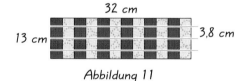

Abbildung 11

⑧ Stecken und nähen Sie die Schachbrettstreifen an die Seiten und bügeln Sie.

Einfassung

① Nähen Sie die 2,5 breiten und 47 cm langen Einfassstreifen an Ober- und Unterkante. Bügeln Sie die Nahtzugaben zur Einfassung.

② Nähen Sie die 2,5 cm breiten und 29 cm langen Einfassstreifen an die Seiten und bügeln Sie.

Letzte Stiche

① Für die Schlaufen falten Sie den hellbeigen 30-cm-Streifen rechts auf rechts der Länge nach zur Hälfte. Nähen Sie mit 0,6 cm Nahtzugabe entlang der langen Kante.

Wenden Sie das Band, bügeln Sie es und schneiden Sie es in 3 Stücke à 10 cm.

② Verteilen Sie die 3 Schlaufen gleichmäßig auf der rechten Seite der Quiltunterkante. Stecken Sie die Schlaufen fest, die offenen Kanten zeigen zur Kante des Quilts.

③ Legen Sie Oberseite und Rückseite rechts auf rechts. Legen Sie beide Lagen auf das Vlies, die Rückseite liegt auf dem Vlies. Stecken Sie alle Lagen aufeinander. Nähen Sie mit 0,6 cm Nahtzugabe rundum, doch lassen Sie 10 cm zum Wenden offen. Schneiden Sie die Rückseite und das Vlies gleich groß wie die Oberseite zu. Schneiden Sie die Ecken ab, wenden Sie den Handtuchhalter, schließen Sie die Öffnung mit Handstichen und bügeln Sie.

④ Quilten Sie mit Maschine oder von Hand in den Nahtlinien von Äpfeln, Birne, Gitterstreifen, Schachbrettquadraten und Einfassung. Umquilten Sie die applizierten Blätter in 1 mm Abstand. Schieben Sie den Dübelstab durch die Schlaufen.

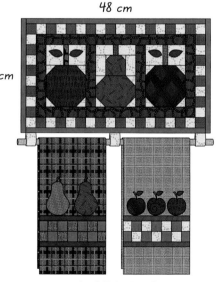

ANORDNUNG

Küchenhandtücher mit Früchten

(Siehe Foto auf Seite 76)

Diese Anleitung gilt für ein Küchenhandtuch von 46 × 70 cm Größe. Sie müssen vielleicht die Länge der Schachbrett- und Kontraststreifen auf das Maß Ihres eigenen Küchenhandtuches anpassen.

Küchenhandtuch, fertig gekauft

Patchworkstoffe, 110 cm breit:

0,10 m gelb oder beige gemustert für das Schachbrett

0,10 m schwarz gemustert für das Schachbrett

0,10 m rot oder grün gemustert für die Kontraststreifen

0,10 m für die Rückseite des Schachbrettmusters

Stoffe für die Applikationen

Außerdem:

dünnes, aufbügelbares Klebevlies *(Vliesofix®)*

Sticktwist

ZUSCHNITT

Waschen und bügeln Sie alle Stoffe. Schneiden Sie die Stoffe entsprechend der Tabelle zu. Verwenden Sie dabei Rollschneider, Quiltlineal und Schneidematte. Alle Maße beinhalten 0,6 cm Nahtzugabe.

STOFF	ERSTER SCHNITT		ZWEITER SCHNITT	
Farbe	Anzahl	Format	Anzahl	Format
gelb oder beige gemustert	**Schachbrett**			
	2	Streifen: 3,8 × 107 cm	3	Streifen: 3,8 × 38 cm
schwarz gemustert	**Schachbrett**			
	2	Streifen: 3,8 × 107 cm	3	Streifen: 3,8 × 38 cm
rot oder grün gemustert	**Kontraststreifen**			
	2	Streifen: 2,5 × 47 cm	kein zweiter Schnitt	
Rückseitenstoff	**Rückseite des Schachbrettmusters**			
	1	Streifen: 9 × 47 cm	kein zweiter Schnitt	

Schachbrett zusammensetzen

① Nähen Sie die 6 Schachbrettstreifen à 3,8 × 38 cm mit wechselnden Farben zu einem 16,5 × 38 cm großen Streifenset zusammen. Bügeln Sie die Nähte zu den dunklen Stoffen hin. Schneiden Sie das Streifenset in 3 Stücke von etwa 13 cm Länge **(Abb. 12)**.

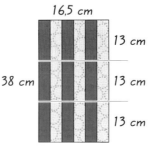

Abbildung 12

② Nähen Sie die 3 Teile zu einem 47 × 13 cm großen Streifenset zusammen. Mit Rollschneider und Quiltlineal schneiden Sie davon 2 Abschnitte à 3,8 × 47 cm ab. Jeder Streifen besteht aus 18 Quadraten (Abb. 13, Seite 82).

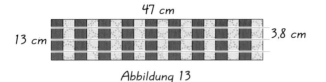

47 cm

13 cm

3,8 cm

Abbildung 13

③ Vergleichen Sie die Schachbrettstreifen mit der Breite des Küchenhandtuchs. Die Seiten des Schachbretts sollten 0,6 cm über die Seitenkanten des Handtuchs hinausragen. Vielleicht müssen Sie ein paar Nähte enger oder weiter nähen (maximal 1 mm), damit die Länge stimmt. Korrigieren Sie die Nähte, bevor Sie das Schachbrett zusammennähen (siehe auch »Zusammengesetzte Ränder anpassen«, Seite 274). Nähen Sie die Schachbrettstreifen zusammen und bügeln Sie.

④ Nähen Sie das Schachbrett aus Schritt 3 zwischen die beiden 47 cm langen Kontraststreifen. Bügeln Sie die Nahtzugaben zu den Kontraststreifen hin.

⑤ Legen Sie die Einheit aus Schritt 4 und den 9 cm breiten und 47 cm langen Rückseitenstreifen rechts auf rechts. Stecken Sie beides aufeinander. (Passen Sie auch die Größe des Rückseitenstreifens an, falls Schachbrett und Kontraststreifen eine andere Größe haben.) Nähen Sie mit 0,6 cm Nahtzugabe um alle Kanten, lassen Sie 10 cm der Naht zum Wenden offen. Schneiden Sie die Ecken der Nahtzugaben ab, wenden Sie das Schachbrett auf rechts, schließen Sie die Wendeöffnung mit Handstichen und bügeln Sie.

⑥ Legen Sie das Schachbrett etwa 7 cm oberhalb der Unterkante auf das Handtuch. Stecken Sie es fest und steppen Sie es an allen Seiten knappkantig auf.

Applikation

Die Applikationen werden mit Schlingstichen auf den Handtüchern befestigt (siehe »Schlingstichapplikation«, Seite 272). Benutzen Sie dazu dünnes, aufbügelbares Klebevlies.

Nähen Sie Ihre eigenen Handtücher

Schneiden Sie ein rechteckiges Stoffstück 2,5 cm größer zu als die gewünschte Endgröße des Küchenhandtuches und nähen Sie an allen Kanten einen schmalen Saum.

① Lesen Sie die Anleitung »Aufbügelapplikation« (Seite 270/271). Pausen Sie 3 Äpfel oder 2 Birnen von den unten abgebildeten Vorlagen ab.

② Bügeln Sie die Äpfel oder Birnen auf das Küchenhandtuch (Anordnung siehe Foto auf Seite 76).

③ Fassen Sie die Kanten der Äpfel oder Birnen mit Schlingstichen aus zweifädigem Sticktwist ein.

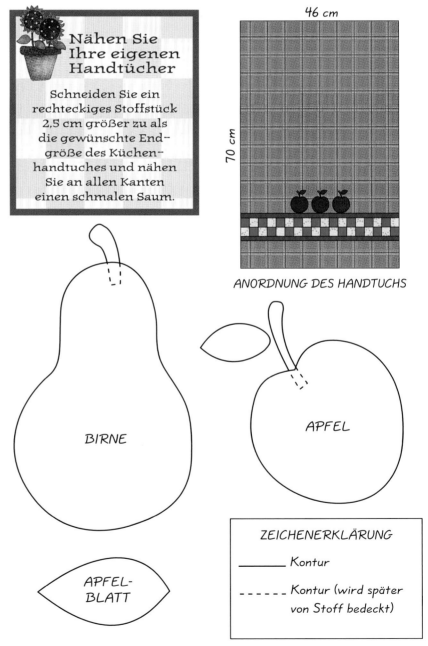

46 cm

70 cm

ANORDNUNG DES HANDTUCHS

BIRNE

APFEL

APFEL-BLATT

ZEICHENERKLÄRUNG

_____ Kontur

- - - - - Kontur (wird später von Stoff bedeckt)

FRÜCHTE-TOPFLAPPEN

LÄNDLICH DEKORIEREN — EINFACH UND SCHNELL

Nähen Sie Ihre Lieblingsfrüchte auch auf Topflappen. Topflappen sind nicht nur praktisch, sondern schmücken auch Ihre Küche. Nähen Sie gleich mehrere davon, damit Sie immer einen zur Hand haben, wenn Sie ein Mitbringsel für die nächste Gartenparty oder ein Picknick benötigen. Und servieren Sie bei einem sommerlichen Geburtstagsfest heißen Kirschkuchen mit den passenden Kirschen-Topflappen!

Hintergrund zusammensetzen

Halten Sie sich an die Tabelle »Material und Zuschnitt« auf Seite 84. Setzen Sie die Oberseite des Topflappens zusammen, bevor Sie die Applikation aufnähen. Arbeiten Sie mit 0,6 cm Nahtzugabe und bügeln Sie nach jedem Arbeitsgang.

① Nähen Sie die beiden 3,8 cm breiten und 60 cm langen Schachbrettstreifen zu einem 6,5 × 60 cm großen Streifenset zusammen. Bügeln Sie die Nahtzugabe zum dunklen Stoff hin. Schneiden Sie dieses Set in 3 Teile à 20 cm (Abb. 1).

② Nähen Sie diese Stücke zu einem 16,5 × 20 cm großen Streifenset zusammen. Mit Rollschneider und Quiltlineal schneiden Sie

davon 4 Streifen à 3,8 × 16,5 cm ab. Jeder Streifen besteht aus 6 Quadraten (Abb. 2).

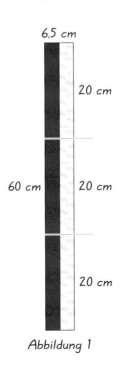

6,5 cm

60 cm

20 cm

20 cm

20 cm

Abbildung 1

Fertige Größe: 18 × 18 cm

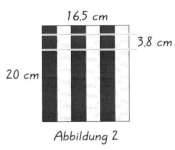

16,5 cm

3,8 cm

20 cm

Abbildung 2

③ Trennen Sie von zweien der Schachbrettstreifen mit Hilfe eines Nahttrenners 2 Quadrate ab. Vergleichen Sie die Streifen mit Ober- und Unterkante des 11,5-cm-Hintergrundquadrats. Vielleicht müssen Sie ein paar Nähte enger oder weiter nähen (maximal 1 mm), bis die Länge stimmt.

MATERIAL UND ZUSCHNITT

Waschen und bügeln Sie alle Stoffe. Schneiden Sie die Stoffe entsprechend der Tabelle zu. Verwenden Sie dabei Rollschneider, Quiltlineal und Schneidematte. Alle Maße beinhalten 0,6 cm Nahtzugabe. Für 1 Topflappen.

STOFF	MENGE	TEILE	MASS
Hintergrundquadrat	0,15 m	1	Quadrat: 11,5 × 11,5 cm
hellbeige gemustert für das Schachbrett	0,10 m	1	Streifen: 3,8 × 60 cm
rot gemustert für das Schachbrett	0,10 m	1	Streifen: 3,8 × 60 cm
uni schwarz für Einfassung und Aufhänger	0,10 m	2 2 1	Streifen: 2,5 × 19 cm (Einfassung) Streifen: 2,5 × 16,5 cm (Einfassung) Streifen: 2,5 × 12 cm (Aufhänger)
Rückseitenstoff	0,25 m	1	Quadrat: 20 × 20 cm
Baumwollvlies (siehe unten)	0,25 m	1	Quadrat: 20 × 20 cm
verschiedene passende Stoffe für die Applikationen	Reste oder Stücke von 0,10 m	–	–

dünnes, aufbügelbares Klebevlies (*Vliesofix*®)
Bemerkung: Wenn Sie Ihre Topflappen benutzen möchten, so sollten Sie das Baumwollvlies doppelt legen und die Kanten der Applikationen mit Maschinen- oder Handstichen befestigen.

④ Stecken und nähen Sie die 3,8 cm breiten und 11,5 cm langen Schachbrettstreifen an das Hintergrundquadrat **(Abb. 3)**. Bügeln Sie die Nähte zur Mitte hin.

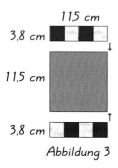

Abbildung 3

⑤ Stecken und nähen Sie die restlichen 3,8 cm breiten und 16,5 cm langen Schachbrettstreifen an die Seiten **(Abb. 4)**. Bügeln Sie.

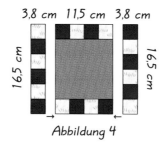

3,8 cm   11,5 cm   3,8 cm

Abbildung 4

⑥ Nähen Sie die 2,5 cm breiten und 16,5 cm langen Einfassstreifen an Ober- und Unterkante. Bügeln Sie die Nähte zur Einfassung hin.

⑦ Nähen Sie die 2,5 cm breiten und 19 cm langen Einfassstreifen an die Seiten und bügeln Sie.

Wasserkessel-Recycling

Ich fand einen alten Wasserkessel im Trödelladen und bemalte ihn mit Acrylfarbe. Dann patinierte ich ihn und überzog ihn zum Schluss mit Mattlack. Achtung, nur zur Dekoration!

Applikation

① Lesen Sie die Anleitung »Aufbügelapplikation« (Seite 270/271). Übertragen Sie einen Apfel oder ein Büschel Kirschen von den Vorlagen unten oder eine Birne von den Vorlagen für den Früchte-Sampler (Seite 74) auf Stoff und schneiden Sie die Teile aus.

② Bügeln Sie die Applikationsmotive in der Mitte des Hintergrundquadrates auf. Wenn Sie Ihre Topflappen benutzen möchten, so müssen Sie die Kanten der Applikation mit der Nähmaschine (Seite 271) oder mit Schlingstichen (Seite 272) von Hand einfassen.

18 cm
18 cm

ANORDNUNG DES
TOPFLAPPENS

Letzte Stiche

① Für den Aufhänger falten Sie den schwarzen 2,5 cm breiten und 12 cm langen Streifen links auf links der Länge nach zusammen. Bügeln Sie. Öffnen Sie den Streifen, legen Sie die langen Kanten in den Mittelfalz und falten Sie den Streifen wieder zusammen. Bügeln Sie noch einmal. Steppen Sie an der offenen Kante knappkantig entlang. Falten Sie den Aufhänger zur Hälfte und heften Sie ihn an die obere Ecke des Topflappens **(Abb. 5)**.

Heft-
stiche

Abbildung 5

② Legen Sie Oberseite und Rückseite rechts auf rechts. Legen Sie beide auf das Vlies, die Rückseite liegt auf dem Vlies. Stecken Sie alle drei Lagen aufeinander fest. Nähen Sie mit 0,6 cm Nahtzugabe rundum und lassen Sie ein 8 cm breites Stück Naht zum Wenden offen. Schneiden Sie Rückseite und Vlies bis an die Kante der Oberseite ab. Schneiden Sie die Ecken der Nahtzugabe ab und wenden Sie den Topflappen auf rechts. Schließen Sie die Wendeöffnung von Hand und bügeln Sie.

③ Quilten Sie mit Maschine oder von Hand in den Nahtlinien von Mittelquadrat, Schachbrett und Einfassung. Umquilten Sie die Applikation 1 mm vom Umriss entfernt. Wenn Sie den Topflappen benutzen möchten, dürfen Sie keinesfalls mit Nylongarn quilten, denn es würde schmelzen.

KIRSCHEN

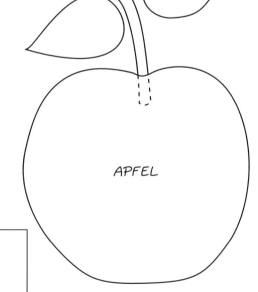

APFEL

ZEICHENERKLÄRUNG

―――― Kontur

------ Kontur (wird später
von Stoff bedeckt)

DAS VOGELBAD

Willkommen im Vogelbad! Hier haben
alle Sachen aus dem Garten ein gemütliches
Plätzchen gefunden. Ich habe das Gästebad
in meinem Haus mit Vögeln, Vogelhäusern,
Blumen und Blumentöpfen dekoriert,
sogar mit Gießkanne und Lattenzaun.
Verwandeln Sie Ihr Bad in einen
sommerlichen Garten –
das ganze Jahr hindurch!

DUSCHVORHANG FÜRS VOGELBAD

Wer hinter diesem Vorhang duscht, hört die Vögel singen, denn der ist über

und über mit Vögeln und Vogelhäusern bedeckt (siehe Foto auf Seite 86/87).

Ich mag diese großen, dekorativen Vogelhausformen. Sie sind ganz einfach

zuzuschneiden und aufzubügeln. Zusammen mit den Schachbrettbordüren

bringen sie wunderbar frischen Wind in Ihr Bad.

Fertige Größe: 193 × 183 cm

MATERIAL FÜR DIE GROSSEN APPLIKATIONSMOTIVE

Die Nummerierung der Vogelhäuser und der Vorhangbahnen finden Sie auf Seite 92.

Patchworkstoffe, 110 cm breit:

0,30 m rot gemustert für Haus 1

0,30 m schwarz gemustert für Haus 2

0,25 m gelb gemustert für Dach 2

0,25 m rot gemustert für Haus 3

0,25 m gelb gemustert für Haus 4

0,30 m grün gemustert für Haus 5

0,30 m schwarz-beige gewürfelt für Haus 6

0,25 m rot gemustert für Dach 6

0,50 m grün gemustert für die Gießkanne

MATERIAL UND ZUSCHNITT

Waschen und bügeln Sie alle Stoffe. Schneiden Sie die Stoffe entsprechend der Tabelle zu. Verwenden Sie dabei Rollschneider, Quiltlineal und Schneidematte. Alle Maße beinhalten 0,6 cm Nahtzugabe. (Stoffe mit deutlich erkennbarer Richtung eignen sich nicht.)

STOFF	MENGE	TEILE	MASS
hellbeige gemustert für Hintergrund und äußeren Rand	5 m		Als erstes schneiden Sie davon ab:
		2	Streifen: 9 × 203 cm (Rand)
		1	Rechteck: 68 × 144 cm (Vorhangbahn 2)
		2	Rechtecke: 65 × 144 cm (Vorhangbahnen 1 und 3)

STOFF	MENGE	TEILE	MASS
■ schwarz gemustert für die Kontraststreifen	0,30 m	8	Streifen: 2,5 × 107 cm
▪ gelb gemustert für das Schachbrett	0,60 m	7	Streifen: 6,5 × 107 cm
■ grün gemustert für das Schachbrett	0,60 m	7	Streifen: 6,5 × 107 cm
grün gemustert für die Schlaufen	0,70 m	12	Streifen: 5 × 95 cm
Futterstoff	4,20 m	–	–
verschiedene passende Stoffe für die Jo-Jos und die kleinen Applikationsteile	je 0,10 m oder Reste	–	–

17 m dünnes, aufbügelbares Klebevlies (*Vliesofix®*); Nähfaden, farblich zu den Applikationen passend; 17 m ausreißbares Stickvlies; Sticktwist.

Applikation

① Lesen Sie die Anleitung »Aufbügelapplikation« (Seite 270/271). Verwenden Sie dünnes, aufbügelbares Klebevlies. Pausen Sie die Formen der Applikationsvorlagen (Seite 93 – 100) auf die Papierseite des Klebevlieses ab.

② Für die übrigen Applikationsmotive zeichnen Sie folgende Rechtecke direkt auf die Papierseite des Klebevlieses und lassen mindestens 1,5 cm Platz zwischen den Teilen. Beschriften Sie jedes Rechteck sofort.

Vogelhaus 1

Haus	Rechteck, 23 × 28 cm
Dach	2 Rechtecke, 2,5 × 21,5 cm
Sitzstange	Rechteck, 1,5 × 9 cm
Brett	Rechteck, 2,5 × 28 cm
Pfahl	Rechteck, 2,5 × 33 cm

Vogelhaus 2

Haus	Rechteck, 29 × 23 cm

Dach	Rechteck, 33 × 15 cm
Fenster	2 Rechtecke, 2,5 × 7,5 cm
Türrahmen	4 Rechtecke, 2 × 13 cm
Türe	Rechteck, 7,5 × 13 cm
Brett	Rechteck, 2,5 × 33 cm
Pfahl	Rechteck, 5 × 60 cm, und 2 Rechtecke, 4 × 15 cm

Vogelhaus 3

Haus	Rechteck, 18 × 46 cm
Dach	2 Rechtecke, 2,5 × 16,5 cm
Brett	Rechteck, 2,5 × 23 cm
Pfahl	Rechteck, 5 × 50 cm

Vogelhaus 4

Haus	Rechteck, 20 × 25 cm
Dach	2 Rechtecke, 4 × 20 cm
Pfahl	Rechteck, 2,5 × 33 cm

Vogelhaus 5

Haus	Rechteck, 20 × 48 cm

Dach	2 Rechtecke, 4 × 20 cm
Brett	Rechteck, 4 × 25 cm
Pfahl	Rechteck, 5 × 65 cm 2 Rechtecke, 4 × 13 cm

Vogelhaus 6

Haus	Rechteck, 38 × 28 cm
Dach	Rechteck, 43 × 13 cm
Kamine	2 Rechtecke, 2,5 × 13 cm
Lattenzaun	Rechteck, 4 × 38 cm
Brett	Rechteck, 2,5 × 43 cm
Pfahl	Rechteck, 8 × 60 cm

③ Bügeln Sie die Formen der Vorlagen und aufgezeichneten Rechtecke auf die linke Seite der von Ihnen ausgewählten Stoffe. Schneiden Sie jede Form entlang der aufgezeichneten Linie aus. Ordnen Sie die Teile bereits beim Ausschneiden den einzelnen Vogelhäusern zu. Ziehen Sie das Papier von der Rückseite – es bleibt eine dünne Klebeschicht auf dem Stoff zurück.

④ Schneiden Sie 5 der Rechtecke zu spitzen Giebeln zu **(Abb. 1 – 5)**.

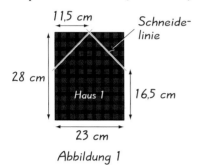

Abbildung 1

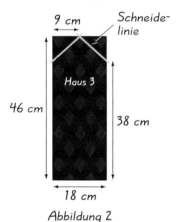

Abbildung 2

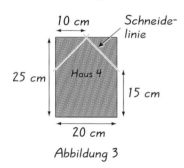

Abbildung 3

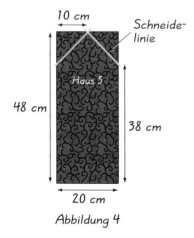

Abbildung 4

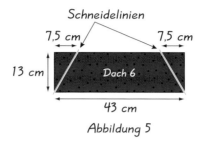

Abbildung 5

⑤ Bügeln Sie die Applikationsteile auf die hellbeigefarbenen Hintergrundbahnen auf (siehe Grafik »Anordnung des Duschvorhangs«, Seite 92). Lassen Sie 0,6 cm Nahtzugaben an den Seiten frei. Die Dächer auf den Häusern 1, 3, 4 und 5 entstehen, indem man das Ende des zweiten Rechtecks über den Anfang des ersten Rechtecks bügelt **(Abb. 6)**.

Abbildung 6

⑥ Nähen Sie die Applikationen entsprechend der Anleitung »Maschinenapplikation« (Seite 271/272) mit der Nähmaschine auf. Legen Sie das ausreißbare Stickvlies unter den Stoff, denn das erleichtert das gleichmäßige Nähen. Entfernen Sie das Stickvlies, wenn Sie fertig sind.

Ränder anfügen

① Nähen Sie die Hintergrundbahnen 1, 2 und 3 entsprechend der Grafik »Anordnung des Duschvorhangs« (Seite 92) mit 0,6 cm Nahtzugabe zusammen. Bügeln Sie die Nahtzugaben auseinander.

② Nähen Sie immer 2 der 8 Kontraststreifen von 2,5 cm Breite und 107 cm Länge zu 4 Streifen von je 2,5 × 212 cm aneinander. Bügeln Sie. Nähen Sie je einen dieser Streifen an Ober- und Unterkante des Duschvorhangs. Schneiden Sie die überstehenden Enden ab und bügeln Sie die Nahtzugaben zum Kontraststreifen hin.

③ Nähen Sie die 14 Streifen für das Schachbrett à 6,5 × 107 cm in abwechselnden Farben zu einem 72,5 × 107 cm großen Streifenset zusammen. Wechseln Sie bei jeder Naht die Nährichtung und bügeln Sie die Nahtzugaben zu den dunklen Stoffen hin. Mit Rollschneider und Quiltlineal schneiden Sie von diesem Set 12 Abschnitte à 6,5 × 72,5 cm ab. Jeder Streifen besteht aus 14 Quadraten **(Abb. 7)**.

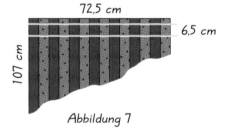

Abbildung 7

Rustikales Flair im Badezimmer
Ich habe oberhalb der Stange meines Duschvorhangs einen langen Ast angebracht und daran den Vogelhaus-Vorhang mit Schleifenbändern angebunden. Auf der normalen Stange dahinter hängt der eigentliche Duschvorhang aus Plastik.

④ Nähen Sie immer 2 der 8 Schachbrettstreifen à 6,5 × 72,5 cm zu 4 je 144 cm langen Schachbrettstreifen zusammen.

⑤ Setzen Sie die 4 restlichen Schachbrettstreifen an die 4 Schachbrettstreifen aus Schritt 4 an. Sie haben nun 4 Schachbrettstreifen à 6,5 × 215 cm.

⑥ Mit dem Nahttrenner entfernen Sie jeweils 4 Quadrate von jedem Schachbrettstreifen. Diese sind nun 6,5 × 195 cm lang und enthalten je 38 Quadrate.

⑦ Vergleichen Sie die Länge der Streifen mit Ober- und Unterkante des Duschvorhangs. Sie müssen vielleicht ein paar Nähte enger oder weiter nähen (maximal 1 mm), bis sie passen. Führen Sie diese Korrekturen aus, bevor Sie die Schachbrettstreifen zusammennähen, damit die Nähte aufeinandertreffen (siehe auch »Zusammengesetzte Randstreifen anpassen«, Seite 274). Dann nähen Sie die Streifen zu Paaren aneinander und bügeln sie.

⑧ Stecken und nähen Sie die Schachbrettbordüren an Ober- und Unterkante des Duschvorhangs. Bügeln Sie die Nahtzugaben zum Kontraststreifen hin.

⑨ Nähen Sie die beiden verbleibenden 2,5 cm breiten und 212 cm langen Kontraststreifen an Ober- und Unterkante des Duschvorhangs. Schneiden Sie überstehende Enden ab und bügeln Sie die Nahtzugaben zum Kontraststreifen hin.

⑩ Nähen Sie die 9 cm breite und 203 cm langen Außenränder an

Ober- und Unterkante des Duschvorhangs. Schneiden Sie überstehende Enden ab und bügeln Sie die Nahtzugaben zu den Kontraststreifen hin.

Zusammensetzen

① Arbeiten Sie entsprechend der Anleitung »Jo-Jos nähen« (Seite 272/273) zwei Jo-Jo-Blumen nach den Vorlagen von Seite 93. Nähen Sie die Jo-Jos oberhalb des Vogels auf, der auf dem Blumentopf von Bahn 1 steht (siehe Grafik »Anordnung des Duschvorhangs«, Seite 92). Sticken Sie die Beine des Vogels und die Blumenstängel mit Stielstichen aus ungeteiltem Sticktwist. Die Augen des Vogels sind Knötchenstiche (siehe »Zierstiche«, Seite 272).

② Schneiden Sie die 4,20 m Futterstoff in 2 Teile à 2,10 m. Schneiden Sie alle Webkanten ab. Nähen Sie die Stoffe rechts auf rechts zu einem etwa 205 × 210 cm großen Stück zusammen. Bügeln Sie die Nahtzugaben auseinander.

③ Legen und stecken Sie Duschvorhang und Futter rechts auf rechts. Nähen Sie mit 0,6 cm Nahtzugabe um alle Kanten und lassen Sie eine 20 bis 25 cm große Wendeöffnung frei. Schneiden Sie das Futter auf die gleiche Größe wie die Oberseite. Dann schneiden Sie die Ecken der Nahtzugaben ab, wenden den Duschvorhang auf rechts, schließen die Wendeöffnung mit Handstichen und bügeln den Vorhang.

Debbies Dekorations-Tagebuch

Das Vogelbad auf dem Foto der Seiten 86/87 war ein ganz normales, langweiliges Gästebad, neben meinem Arbeitszimmer gelegen. Da der Raum ziemlich klein ist, wurde das Waschbecken durch ein eingebautes, flach ovales Messingbecken ersetzt. Die Schieferplatten der Ablage vermitteln das richtige »Gartengefühl«. Am Spiegel sind Fensterläden, ein Blumenkasten, ein Spitzgiebel und Wandlaternen angebracht.
Den Fußboden legten wir mit grünem Teppichboden aus und schablonierten braune und terrakottafarbene Steinplatten darauf. So sieht das Zimmer wie ein kleiner Patio aus, in dem das Moos zwischen den Steinritzen hervorwächst. Der kleine Teppich ist eine vorbehandelte Matte, die ich bemalte, auf »antik« trimmte und dann versiegelte. Die Wände und Decken sind wie ein Himmel mit Wolken gestaltet, und ein Lattenzaun führt um alle Wände. Die Regale rechts neben der Dusche sehen wie Gärtnerschränke aus, ihre Hakenverschlüsse erinnern an altmodische Türen, auf denen grün angesprühte Kükengitter einen zusätzlichen Beitrag zum Landhausstil leisten. Was Sie auf dem Foto nicht sehen können, ist unser Gartenhäuschen in der Ecke, komplett mit Dach, Wandregalen und einem geschnitzten Mond.

④ Markieren Sie 1,5 cm unterhalb der Oberkante die Lage von 12 je 2,5 cm breiten Knopflöchern. Das erste Knopfloch liegt jeweils 2,5 cm von den Seiten entfernt, der Abstand zwischen den restlichen zehn Knopflöchern beträgt etwa 16,5 cm.

⑤ Für die Schlaufen falten Sie die 12 Streifen à 5 × 95 cm rechts auf rechts der Länge nach zur Hälfte. Nähen Sie bei jedem Streifen mit 0,6 cm Nahtzugabe entlang einer

Schmalseite und der offenen Längsseite. Nun schneiden Sie die Ecken der Nahtzugabe ab, wenden die Schlaufe auf rechts und bügeln sie. Falten Sie das letzte offene Ende nach innen und nähen Sie die Öffnung zu. Steppen Sie knappkantig an allen Rändern entlang.

⑥ Ziehen Sie die Schlaufen durch die Knopflöcher und binden Sie Schleifen, die den Vorhang an der Vorhangstange festhalten.

Zeitsparer

Das Wenden der langen, engen Stoffschläuche für die Schlaufen des Duschvorhangs wird durch einen Schlauchwender (aus dem Handarbeitsfachhandel) sehr erleichtert.

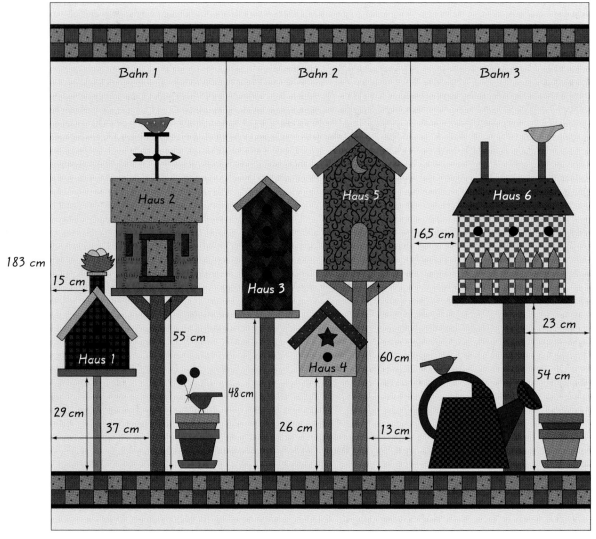

ANORDNUNG DES DUSCHVORHANGS

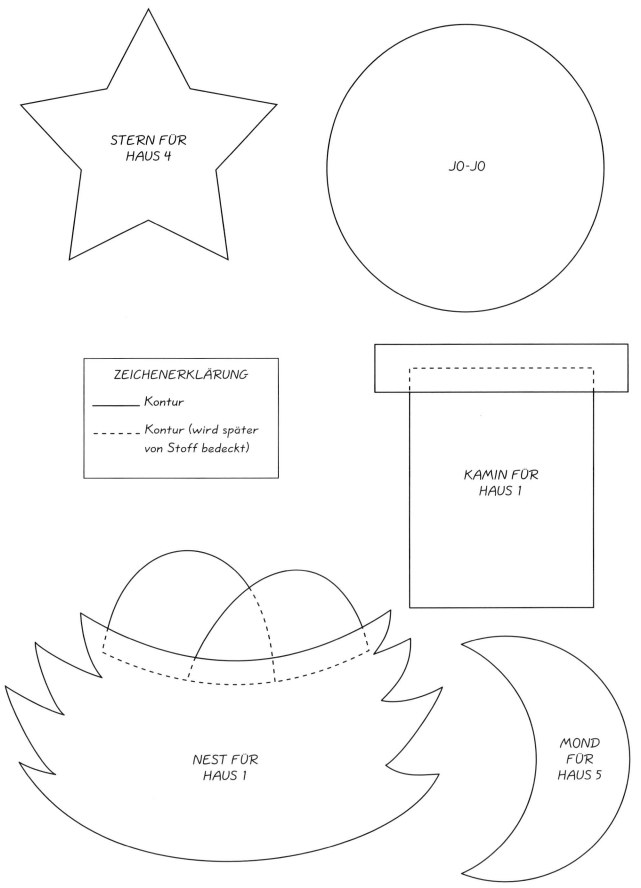

STERN FÜR
HAUS 4

JO-JO

ZEICHENERKLÄRUNG

—————— Kontur

— — — — — Kontur (wird später
von Stoff bedeckt)

KAMIN FÜR
HAUS 1

NEST FÜR
HAUS 1

MOND
FÜR
HAUS 5

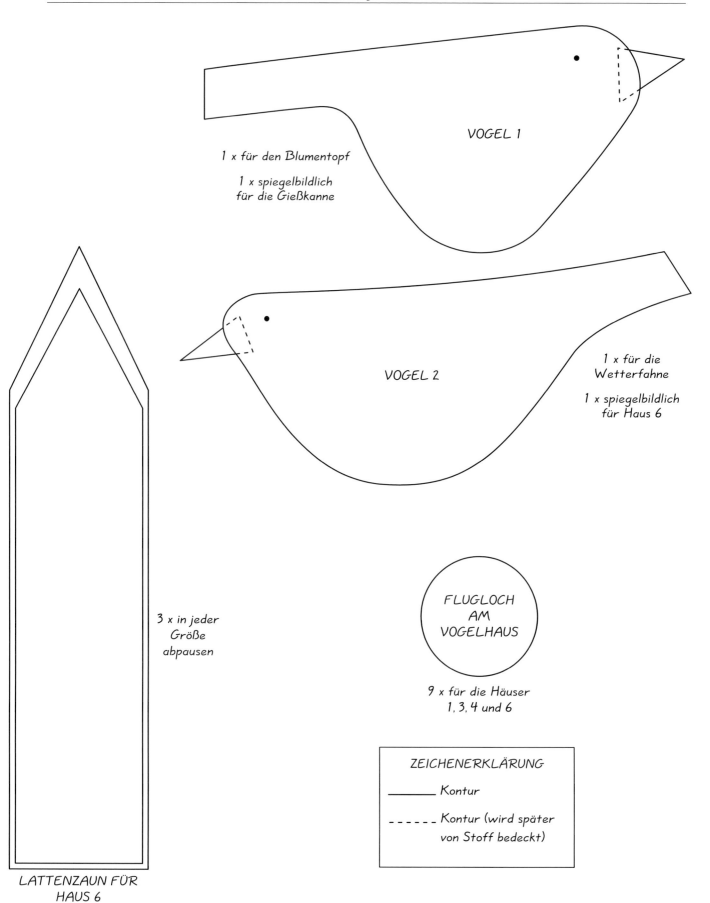

VOGEL 1

1 x für den Blumentopf

1 x spiegelbildlich
für die Gießkanne

VOGEL 2

1 x für die
Wetterfahne

1 x spiegelbildlich
für Haus 6

FLUGLOCH
AM
VOGELHAUS

9 x für die Häuser
1, 3, 4 und 6

3 x in jeder
Größe
abpausen

ZEICHENERKLÄRUNG

———— Kontur

------ Kontur (wird später
von Stoff bedeckt)

LATTENZAUN FÜR
HAUS 6

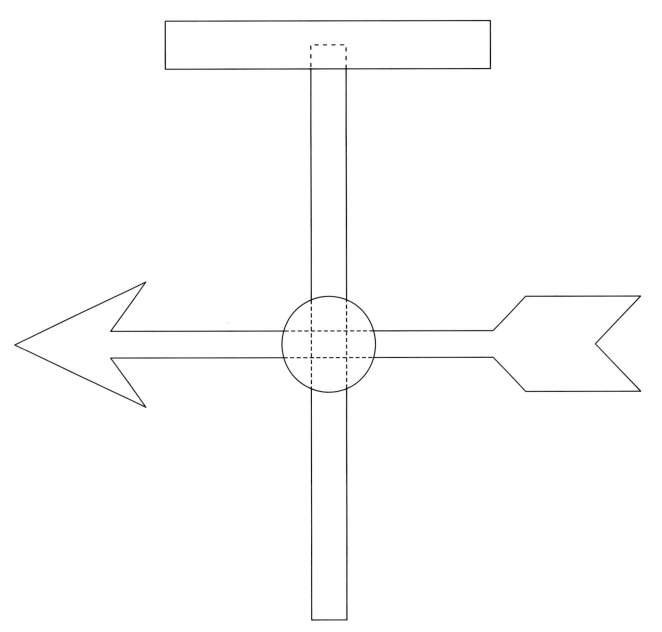

WETTERFAHNE FÜR HAUS 2

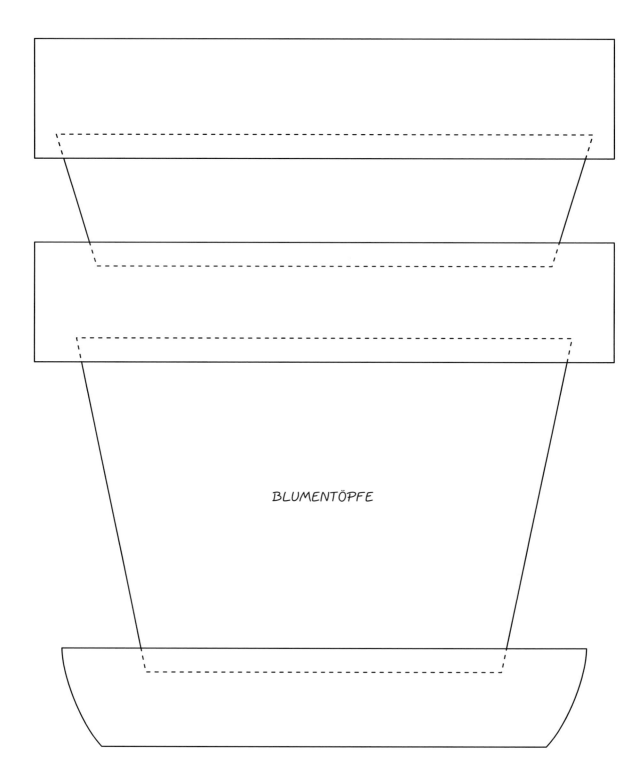

BLUMENTÖPFE

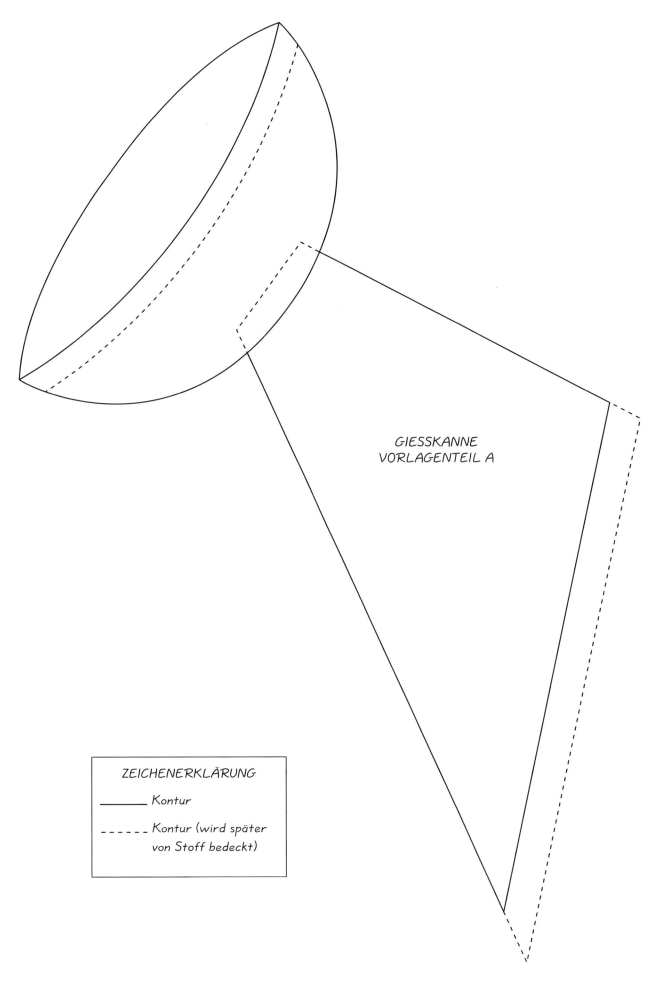

GIESSKANNE
VORLAGENTEIL A

ZEICHENERKLÄRUNG

——— Kontur

- - - - - Kontur (wird später
von Stoff bedeckt)

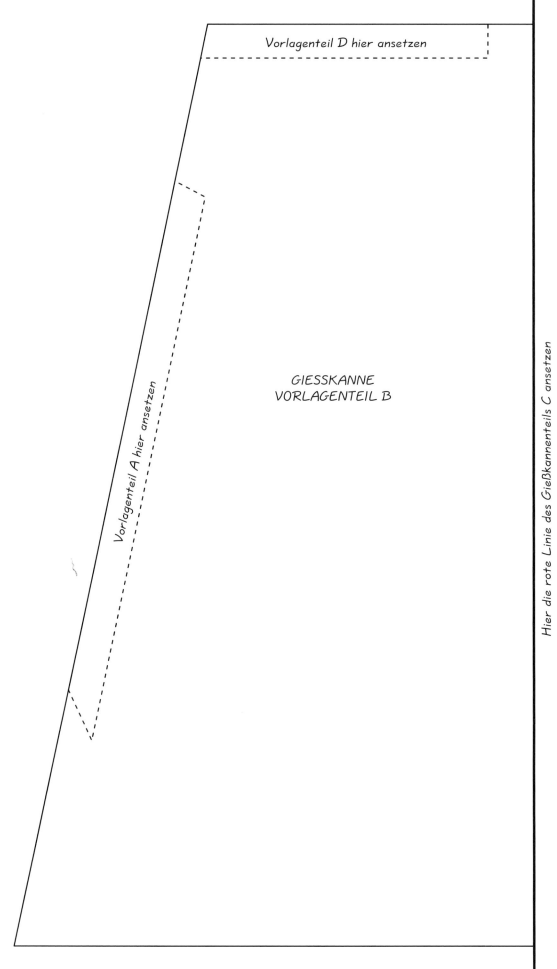

Vorlagenteil D hier ansetzen

Vorlagenteil A hier ansetzen

GIESSKANNE
VORLAGENTEIL B

Hier die rote Linie des Gießkannenteils C ansetzen

GIESSKANNE
VORLAGENTEIL C

Hier die rote Linie des Gießkannenteils B ansetzen

HAUS 5
VOGELHAUSTÜRE

Vorlagenteil
E hier
ansetzen

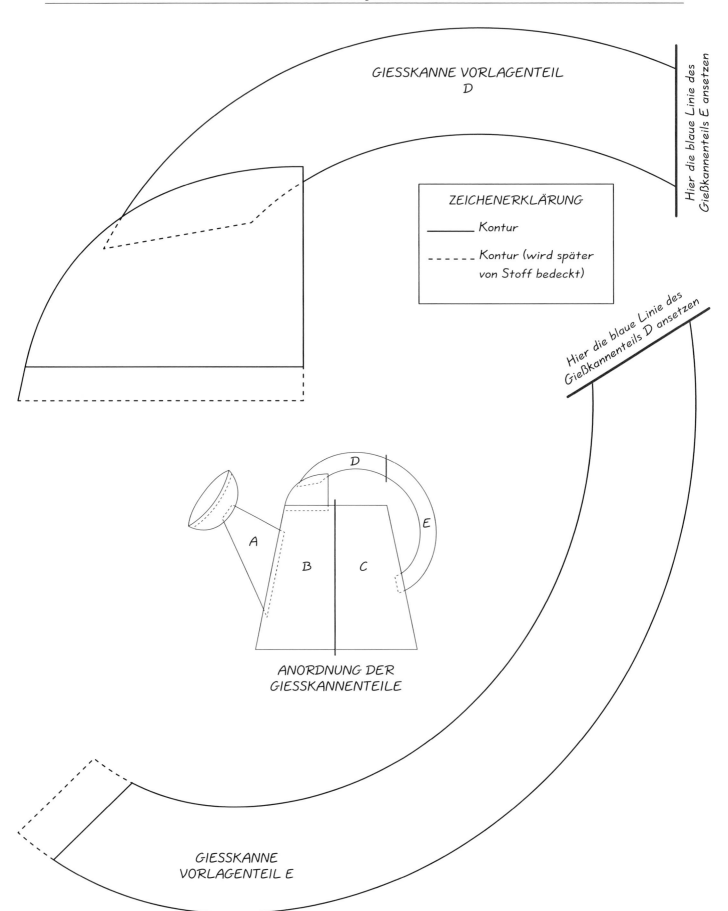

GIESSKANNE VORLAGENTEIL
D

Hier die blaue Linie des
Gießkannenteils E ansetzen

ZEICHENERKLÄRUNG

Kontur

Kontur (wird später
von Stoff bedeckt)

Hier die blaue Linie des
Gießkannenteils D ansetzen

D

E

A

B   C

ANORDNUNG DER
GIESSKANNENTEILE

GIESSKANNE
VORLAGENTEIL E

WANDQUILT MIT GIESSKANNE

Gießkannen können ausgesprochen pittoresk und dekorativ sein! Ich mag ihre

Form und habe schon eine ganze Sammlung von Gießkannen in allen

Größen, alte und neue. Der Wandquilt auf der nächsten Seite gefällt allen

Gartenliebhabern und passt in jeden Raum, in eine Nische oder den Flur.

Eine sommerliche Farbvariante finden Sie auf Seite 104.

Fertige Größe: 48 × 53 cm

MATERIAL UND ZUSCHNITT

Waschen und bügeln Sie alle Stoffe. Schneiden Sie die Stoffe entsprechend der Tabelle zu. Verwenden Sie dabei Rollschneider, Quiltlineal und Schneidematte. Alle Maße beinhalten 0,6 cm Nahtzugabe.

STOFF	MENGE	TEILE	MASS
beige kariert für den Hintergrund	0,50 m	1	Rechteck: 39 × 47 cm
schwarz gemustert für Kontraststreifen und Einfassung	0,30 m (in 3 Streifen à 2,5 × 107 cm schneiden)	2	Streifen: 2,5 × 47 cm (Kontraststreifen)
		2	Streifen: 2,5 × 54,5 cm (Einfassung)
		2	Streifen: 2,5 × 47 cm (Einfassung)
gelb gemustert für Schachbrett	0,25 m	3	Streifen: 3,8 × 60 cm
grün gemustert für Schachbrett	0,25 m	3	Streifen: 3,8 × 60 cm
Rückseitenstoff	0,60 m	–	–
dünnes Volumenvlies	0,60 m	–	–

Fortsetzung auf Seite 103

WOCHENENDE

MATERIAL UND ZUSCHNITT – FORTSETZUNG

STOFF	MENGE	TEILE	MASS
grün gemustert für die applizierte Gießkanne	Rechteck: 30 × 40 cm	–	–
verschiedene passende Stoffe für die übrigen Applikationsteile und die plastischen Blätter	Reste oder jeweils 0,10 – 0,25 m	–	–
dünnes, aufbügelbares Klebevlies (*Vliesofix®*), Sticktwist, 11 verschiedene Knöpfe			

Hintergrund zusammensetzen

Setzen Sie die Oberfläche des Quilts zusammen, bevor Sie die Applikationen aufnähen. Arbeiten Sie mit 0,6 cm Nahtzugabe.

① Nähen Sie die 2,5 cm breiten und 47 cm langen Kontraststreifen an Ober- und Unterkante des beige karierten Hintergrundteiles von 47 × 39,5 cm. Bügeln Sie die Nahtzugaben zum Kontraststreifen.

② Nähen Sie die 6 Schachbrettstreifen à 3,8 × 60 cm mit wechselnden Farben zu einem 16,5 × 60 cm großen Streifenset. Wechseln Sie bei jeder Naht die Nährichtung und bügeln Sie die Nahtzugaben zu den dunklen Stoffen hin. Schneiden Sie dieses Streifenset in 3 Teile von etwa 20 cm Länge (**Abb. 1**).

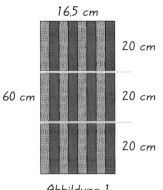

16,5 cm

60 cm

20 cm

20 cm

20 cm

Abbildung 1

③ Nähen Sie diese Drittel zu einem 47 × 20 cm großen Streifenset zusammen. Mit Rollschneider und Quiltlineal schneiden Sie davon 4 Abschnitte à 3,8 × 47 cm ab. Jeder Streifen umfasst 18 Quadrate (**Abb. 2**).

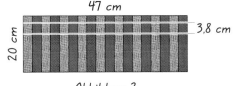

47 cm

20 cm

3,8 cm

Abbildung 2

④ Vergleichen Sie die Länge der Streifen mit Ober- und Unterkante des Quilts. Sie müssen vielleicht einige Nähte enger oder weiter nachnähen (maximal 1 mm), bis die Länge stimmt. Korrigieren Sie, bevor Sie die Schachbrettstreifen paarweise nähen. Ändern Sie in den gleichen Nähten, damit sie beim Zusammensetzen aufeinander passen (siehe dazu »Zusammengesetzte Ränder anpassen«, Seite 274). Nähen Sie die Schachbrettstreifen paarweise zusammen und bügeln Sie.

⑤ Stecken und nähen Sie die Schachbrettbordüren an Ober- und Unterkante des Wandbehangs. Bügeln Sie die Nähte zum Kontraststreifen hin.

⑥ Nähen Sie die 2,5 cm breiten und 47 cm langen Einfassstreifen an Ober- und Unterkante des Hauptteils. Bügeln Sie die Nähte zur Einfassung hin.

⑦ Nähen Sie die 2,5 cm breiten und 55 cm langen Einfassstreifen an die Seiten. Bügeln Sie.

Applikation

Die Applikationen werden in der »Schlingstichtechnik« (Seite 272) auf den Hintergrund aufgenäht. Sie können mit der Nähmaschine wahlweise mit Plattstich oder einem Applikationsstich arbeiten (siehe dazu »Maschinenapplikation«, Seite 271/272). Verwenden Sie dünnes, aufbügelbares Klebevlies für diese Applikationstechniken.

① Lesen Sie die Anleitung »Aufbügelapplikation« auf Seite 270/271. Pausen Sie die Vorlagen der Gießkanne auf den Seiten 97 bis 100 ab und übertragen Sie 11 Blumen von der Vorlage auf Seite 104.

② Legen und bügeln Sie die Applikationsteile auf den Hintergrund (siehe Grafik »Anordnung des Wandquilts«, Seite 104).

③ Fassen Sie die Kanten der Applikationsmotive mit Schlingstichen in zweifädigem Sticktwist ein. Arbeiten Sie die Stängel der Blumen mit ungeteiltem Sticktwist im Kettenstich (siehe »Zierstiche«, Seite 272).

Letzte Stiche

① Legen Sie Oberseite und Rückseite rechts auf rechts. Breiten Sie beide Lagen über das Vlies, die Rückseite liegt auf dem Vlies. Stecken Sie alle 3 Lagen aufeinander fest. Nähen Sie mit 0,6 cm Nahtzugabe um alle Kanten und lassen Sie eine etwa 10 cm Stelle zum Wenden offen. Schneiden Sie Rückseite und Vlies auf die gleiche Größe wie das Oberteil. Dann schneiden Sie die Ecken der Nahtzugaben ab, wenden das Teil auf rechts, schließen die Wendeöffnung mit Handstichen und bügeln den Quilt.

② Quilten Sie von Hand oder mit Maschine in den Nahtlinien von Kontraststreifen, Schachbrettquadraten und der Einfassung. Umquilten Sie die Applikationsmotive 1 mm vom Umriss entfernt. Quilten Sie ein 4-cm-Gitter in den Hintergrund.

③ Schneiden Sie mehrere 2,5 cm breite und 7,5 cm lange Streifen für die Blätter zu. Verknoten Sie jeden Streifen in der Mitte. Nähen Sie die Blätter an die Blumenstiele und einen Knopf in die Mitte jeder Blüte.

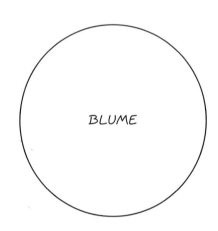

Wer Jo-Jos liebt …

Wenn Sie die Blumen auf dem Wandquilt aus Jo-Jos arbeiten möchten, so schneiden Sie Stoffkreise zu, die mindestens den doppelten Durchmesser der Vorlage für die Blume (rechts) haben. Die Anleitung finden Sie unter »Jo-Jos nähen« (Seite 272/273. Nähen Sie die Jo-Jos mit Schlingstichen auf dem Hintergrund fest.

BLUME

48 cm

53 cm

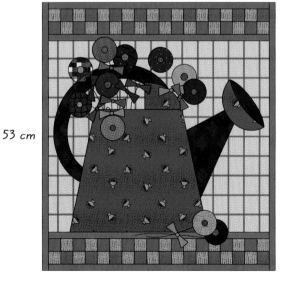

ANORDNUNG DES WANDQUILTS

FARBVARIANTE

Ländliche Blautöne mit einigen Akzenten in Rot, Pink und Gelb verleihen dem Wandquilt einen Hauch von Sommer.

WANDQUILT
»KRÄHENTURM«

Krah, krah, krah! Die drolligen und liebenswerten Krähen auf der nächsten

Seite bringen selbst leidenschaftlichen Gärtnern das Herz zum Schmelzen,

bei denen doch die echten Krähenvögel einen eher schlechten Leumund

haben. Herzen, eine Schachbrettbordüre, ein Stern und ein Lattenzaun

fangen die ländliche Atmosphäre ein. Dieser Quilt ist ein passender

Wandschmuck für jedes Haus.

Fertige Größe: 33 × 48 cm

MATERIAL UND ZUSCHNITT

Waschen und bügeln Sie alle Stoffe. Schneiden Sie die Stoffe entsprechend der Tabelle zu. Verwenden Sie dabei Rollschneider, Quiltlineal und Schneidematte. Alle Maße beinhalten 0,6 cm Nahtzugabe.

STOFF	MENGE	TEILE	MASS
beige gewürfelt für den Hintergrund	0,30 m	1	Rechtecke: 24 × 39,5 cm
dunkelgrün gemustert für die Kontraststreifen	0,10 m (in 2 Streifen à 2,5 × 107 cm schneiden)	2 / 2	Streifen: 2,5 × 42 cm / Streifen: 2,5 × 24 cm
dunkelrot gemustert für das Schachbrett	0,25 m	3	Streifen: 3,8 × 60 cm
beige gemustert für das Schachbrett	0,25 m	3	Streifen: 3,8 × 60 cm
dunkelgrün gemustert für die Einfassung	0,10 m (in 2 Streifen à 2,5 × 107 cm schneiden)	2 / 2	Streifen: 2,5 × 50 cm / Streifen: 2,5 × 32 cm
Rückseitenstoff	0,50 m	–	–
dünnes Volumenvlies	0,50 m	–	–
verschiedene passende Stoffe für die Applikationen	Reste oder Stücke von 0,10 – 0,25 m	–	–

dünnes, aufbügelbares Klebevlies (*Vliesofix®*), Sticktwist

Hintergrund zusammensetzen

Setzen Sie den Hintergrund zusammen, bevor Sie die Applikationen aufnähen. Arbeiten Sie mit 0,6 cm Nahtzugabe und bügeln Sie nach jedem Arbeitsschritt.

① Nähen Sie die 2,5 cm breiten und 24 cm langen Kontraststreifen an Ober- und Unterkante des beige karierten Hintergrundteiles von 24 × 39,5 cm. Bügeln Sie die Nähte zum Kontraststreifen hin.

② Nähen Sie die 2,5 cm breiten und 42 cm langen Kontraststreifen an die Seiten. Bügeln Sie.

③ Nähen Sie die 6 Schachbrettstreifen à 3,8 × 60 cm farblich wechselnd zu einem 16,5 × 60 cm großen Streifenset zusammen. Wechseln Sie bei jeder Naht die Nährichtung und bügeln Sie die Nähte zu den dunklen Stoffen hin. Schneiden sie dieses Streifenset in 3 Teile von jeweils etwa 20 cm Länge **(Abb. 1)**.

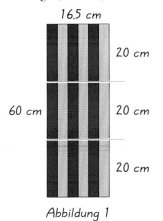

Abbildung 1

④ Nähen Sie diese 3 Teile zu einem 47 × 20 cm großen Streifenset zusammen. Schneiden Sie davon 4 Abschnitte à 3,8 × 47 cm ab. Jeder Streifen besteht aus 18 Quadraten **(Abb. 2)**.

⑤ Für die Streifen an Ober- und Unterseite entfernen Sie mit dem Nahttrenner 8 Quadrate von zweien der Schachbrettstreifen, die nun noch 10 Quadrate umfassen. Vergleichen Sie die 3,8 breiten und 27 cm langen Streifen mit der Länge von Ober- und Unterkante des Wandquilts. Sie müssen vielleicht ein paar Nähte enger oder weiter nähen (maximal 1 mm) damit die Maße stimmen. Achten Sie bei der Grafik »Anordnung des Wandquilts« (Seite 108) auf die Lage der dunklen Quadrate und stecken und nähen Sie die Schachbrettstreifen von 3,8 × 27 cm an Ober- und Unterkante. Bügeln Sie die Nahtzugaben zum Kontraststreifen hin.

⑥ Stecken und nähen Sie die 47 cm langen Schachbrettstreifen an die Seiten. Bügeln Sie.

⑦ Nähen Sie die 2,5 cm breiten und 32 cm langen Einfassstreifen an Ober- und Unterkante. Bügeln Sie die Nahtzugaben zu den Einfassstreifen hin.

⑧ Nähen Sie die 2,5 breiten und 49,5 cm langen Einfassstreifen an die Seiten. Bügeln Sie.

Applikation

Die Motive werden mit Schlingstichen (siehe »Schlingstichapplikation«, Seite 272) appliziert. Verwenden Sie dazu Klebevlies.

① Lesen Sie die Anleitung »Aufbügelapplikation« (Seite 270/271). Pausen Sie Vogelhaus, Stern, Zaun, Vögel und Herzen von Seite 108/109 ab.

② Legen und bügeln Sie die Applikationsteile auf den Hintergrund (»Anordnung des Wandquilts«, Seite 108).

③ Sticken Sie mit zweifädigem Sticktwist Schlingstiche um die Kanten der Applikation. Die Beine der Vögel arbeiten Sie mit dreifädigem Sticktwist in Stielstichen, die Augen als Knötchenstiche (»Zierstiche«, Seite 272).

Letzte Stiche

① Legen Sie Oberseite und Rückseite rechts auf rechts. Breiten Sie beides auf das Vlies, die Rückseite liegt auf dem Vlies. Stecken Sie alle Lagen aufeinander fest. Nähen Sie den Wandbehang verstürzt zusammen, wie auf Seite 104 unter »Letzte Stiche« beschrieben.

② Quilten Sie von Hand oder mit Maschine in den Nahtlinien von Kontraststreifen, Schachbrettquadraten und Einfassung. Umranden Sie in 1 mm Abstand die Umrisse der Applikationen mit Quiltstichen. Quilten Sie ein diagonales 2,5-cm-Gitter auf den Hintergrund.

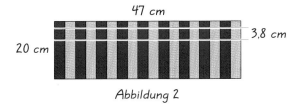

Abbildung 2

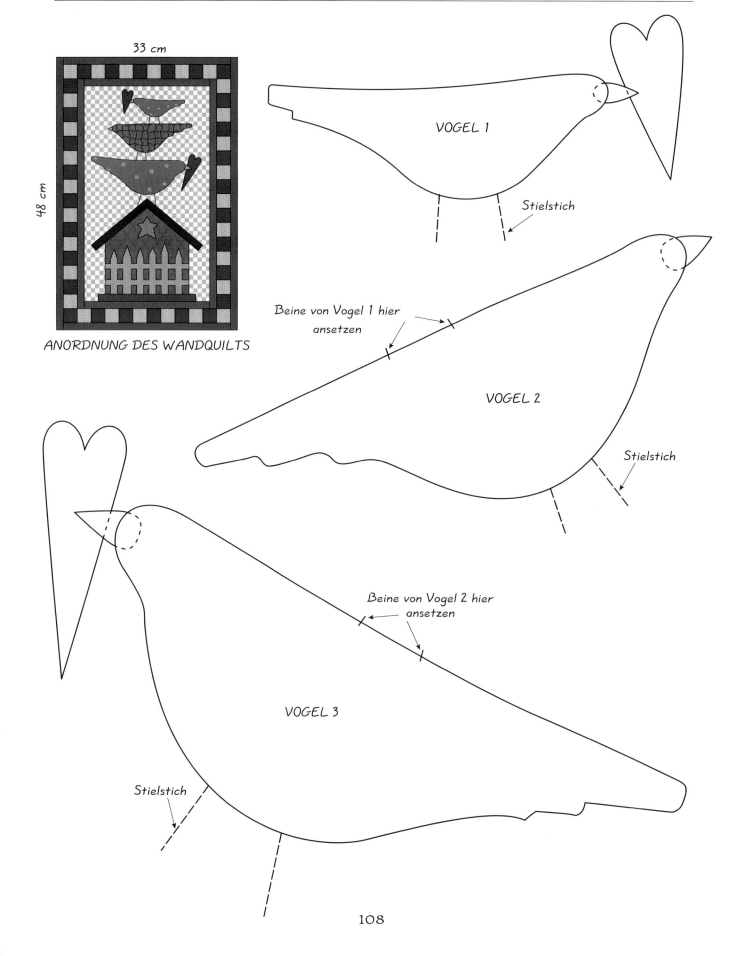

33 cm

48 cm

ANORDNUNG DES WANDQUILTS

VOGEL 1

Stielstich

Beine von Vogel 1 hier
ansetzen

VOGEL 2

Stielstich

Beine von Vogel 2 hier
ansetzen

VOGEL 3

Stielstich

ZEICHENERKLÄRUNG

——— Kontur

- - - Kontur (wird später
von Stoff bedeckt)

ANORDNUNG DER
VÖGEL

(Die Vorlagenteile sind
spiegelbildlich abgedruckt,
um das Durchpausen
zu erleichtern.)

Beine von Vogel 3
hier ansetzen

VOGELHAUS

HANDTÜCHER FÜR GARTENFREUNDE

Vervollständigen Sie das Thema »Vögel im Garten« mit diesen reizenden Handtüchern. Die Modelle »Gärtners Freude« rechts und »Vogelhaus« (Anleitung auf Seite 112) passen in jedes Badezimmer. Und wenn Sie ein Handtuchset für sich selbst nähen, dann fertigen Sie doch gleich noch ein zweites an – als Geschenk für jemanden, der den Garten ebenso liebt wie Sie.

Handtuchgröße (aufgefaltet):
51 x 86 cm

HANDTUCH »GÄRTNERS FREUDE«

Die Anleitungen gelten für ein Handtuch von etwa 51 × 86 cm Größe. Gegebenenfalls müssen Sie die Länge der Schachbrettbordüre an Ihr eigenes Handtuch anpassen.

Schachbrettbordüre zusammensetzen

Siehe »Material und Zuschnitt«, Seite 111.

① Nähen Sie die beiden 107 cm langen Schachbrettstreifen zu

einem 6,5 × 107 cm großen Streifenset zusammen. Bügeln Sie die Nahtzugabe zum dunklen Stoff hin. Mit Rollschneider und Quiltlineal schneiden Sie davon 20 Abschnitte à 3,8 ×6,5 cm ab **(Abb. 1)**.

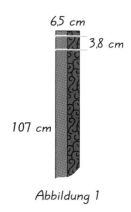

6,5 cm

3,8 cm

107 cm

Abbildung 1

MATERIAL UND ZUSCHNITT

Waschen und bügeln Sie alle Stoffe. Schneiden Sie die Stoffe entsprechend der Tabelle zu. Verwenden Sie dabei Rollschneider, Quiltlineal und Schneidematte. Alle Maße beinhalten 0,6 cm Nahtzugabe.

STOFF	MENGE	TEILE	MASS
gelb gemustert für das Schachbrett	0,10 m	1	Streifen: 3,8 × 107 cm
grün gemustert für das Schachbrett	0,10 m	1	Streifen: 3,8 × 107 cm
Rückseitenstoff für das Schachbrett	0,10 m	1	Streifen: 6,5 × 52 cm
verschiedene passende Stoffe für die Applikationsteile	Reste oder Stücke von 0,10 m	–	–

gekauftes Handtuch; dünnes, aufbügelbares Klebevlies *(Vliesofix®)*; Faden, farblich passend zu den Applikationen; ausreißbares Stickvlies; Sticktwist

Größe anpassen

Es ist nicht schwer, das Maß auf kleinere Handtücher umzurechnen. Sie brauchen nur die Breite des Handtuchs in Zentimetern durch 2,5 zu teilen. Das Ergebnis ist die Anzahl der Schachbrettsegmente, die Sie benötigen. Für ein 50-cm-Handtuch benötigen Sie also 20 Segmente oder für ein 40-cm-Handtuch 16 Segmente.

② Wechseln Sie die Lage der hellen und dunklen Quadrate und nähen Sie die 20 Schachbrettsegmente zusammen (Abb. 2). Bügeln Sie alle Nahtzugaben in eine Richtung, wie die Pfeile der Abbildung angeben.

③ Vergleichen Sie die Länge der Schachbrettbordüre mit der Handtuchbreite. Die Seiten der Schachbrettbordüre sollten 0,6 cm über den Rand hinausreichen. Vielleicht müssen Sie ein paar Nähte enger oder weiter nähen (maximal 1 mm), damit die Bordüre perfekt passt.

④ Legen Sie die Schachbrettbordüre und den 6,5 cm breiten und 52 cm langen Rückseitenstreifen rechts auf rechts. Stecken Sie die Teile so aufeinander, dass die Kanten übereinstimmen. Denken Sie daran, auch das Maß des Rückseitenstoffes zu ändern, wenn Sie eine andere Handtuchgröße bearbeiten. Nähen Sie mit 0,6 cm Nahtzugabe um alle Kanten und

lassen Sie etwa 10 cm Wendeöffnung frei. Dann schneiden Sie die Ecken der Nahtzugabe ab, wenden auf rechts, schließen die Wendeöffnung mit Handstichen und bügeln das Ganze.

⑤ Stecken Sie den Schachbrettstreifen etwa 7 cm oberhalb der Unterkante des Handtuches auf. Steppen Sie den Streifen knappkantig auf das Tuch.

Applikation

Die Applikationen werden in der Technik »Maschinenapplikation« aufgenäht (siehe Seite 271/272). Verwenden Sie dünnes, aufbügelbares Klebevlies.

① Lesen Sie die Anleitung »Aufbügelapplikation« (Seite 270). Pausen Sie Blumentopf, Vogel und Biene von den Vorlagen auf Seite 115 auf die Papierseite des Klebevlieses ab.

3,8 cm

6,5 cm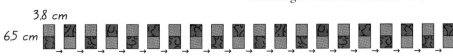

Abbildung 2

② Legen und bügeln Sie die Applikationsteile in die Mitte des Handtuches, oberhalb der Schachbrettbordüre (siehe Seite 110, Abb. links unten).

③ Nähen Sie mit dem Applikationsstich Ihrer Nähmaschine um alle Kanten der Applikationsmotive. Legen Sie ausreißbares Stickvlies unter das Handtuch, das erleichtert das gleichmäßige Nähen. Zupfen Sie das Stickvlies nach dem Nähen wieder heraus.

Fertigstellen

① Arbeiten Sie nach der Anleitung »Jo-Jos nähen« (Seite 272/273) 3 Jo-Jo-Blumen (Vorlage Seite 113). Nähen Sie die Jo-Jos oberhalb des Blumentopfes auf das Handtuch.

② Umstechen Sie die untere Kante des Handtuchs mit Schlingstichen aus ungeteiltem Sticktwist. Sticken Sie auch die Beine der Vögel und die Blumenstiele mit ungeteiltem Sticktwist in Stielstichen und arbeiten Sie für die Augen Knötchenstiche aus zweifädigem Sticktwist (siehe »Zierstiche«, Seite 272). Sticken Sie die wellenförmige Flugbahn der Biene mit Vorstichen aus ungeteiltem Sticktwist.

③ Schneiden Sie 3 Streifen à 2,5 × 7,5 cm für die Blätter. Verknoten Sie jeden Streifen in der Mitte und nähen Sie an jeden Stängel ein solches Blatt.

HANDTUCH »VOGELHAUS«
(Siehe Foto auf Seite 110, links.)

Halten Sie sich an die Tabelle »Material und Zuschnitt« auf Seite 113. Diese Angaben gelten für ein etwa 50 × 86 cm großes Handtuch. Gegebenenfalls müssen Sie die Länge der Bordüre an die Breite Ihres persönlichen Handtuchs anpassen.

Bordüre zusammensetzen

① Nähen Sie den 5 cm breiten und 52 cm langen Randstreifen zwischen die beiden 2,5 cm breiten und 52 cm langen Streifen. Bügeln Sie die Nähte zu den schmalen Streifen hin.

② Legen Sie die Bordüre und den 7,5 cm breiten und 52 cm langen Rückseitenstreifen rechts auf rechts. Stecken Sie beide Teile genau aufeinander. Nähen Sie mit 0,6 cm Nahtzugabe um alle Kanten und lassen Sie 10 cm zum

Wenden offen. Dann schneiden Sie die Ecken der Nahtzugaben ab, wenden die gefütterte Bordüre auf rechts, schließen die Wendeöffnung mit Handstichen und bügeln das Ganze.

③ Nun stecken Sie die Bordüre etwa 7 cm oberhalb der Unterkante des Handtuches fest und steppen sie rundum knappkantig auf.

Applikation

Die Applikationen werden in der Technik »Maschinenapplikation« aufgenäht (siehe Seite 271/272). Verwenden Sie dünnes, aufbügelbares Klebevlies.

① Lesen Sie die Anleitung »Aufbügelapplikation« (Seite 270). Übertragen Sie die Vogelhäuser, Pfähle und Vögel von den Vorlagen auf Seite 114 auf Stoff und schneiden Sie die Teile aus.

② Legen und bügeln Sie die Applikationsmotive in die Mitte des Handtuchs, oberhalb der Bordüre, wie auf der Abbildung des Vogelhaus-Handtuchs zu sehen.

③ Nähen Sie mit dem Applikationsstich Ihrer Nähmaschine um alle Kanten der Applikationsmotive. Legen Sie ausreißbares Stickvlies unter das Handtuch, das erleichtert das gleichmäßige Nähen. Zupfen Sie das Stickvlies nach dem Nähen wieder heraus.

MATERIAL UND ZUSCHNITT

Waschen und bügeln Sie alle Stoffe. Schneiden Sie die Stoffe entsprechend der Tabelle zu. Verwenden Sie dabei Rollschneider, Quiltlineal und Schneidematte. Alle Maße beinhalten 0,6 cm Nahtzugabe.

STOFF	MENGE	TEILE	MASS
gelb gemustert für den breiten Streifen	0,10 m	1	Streifen: 5 × 52 cm
grün gemustert für die schmalen Streifen	0,10 m	2	Streifen: 2,5 × 52 cm
Rückseite für die Bordüre	0,10 m	1	Streifen: 7,5 × 52 cm
verschiedene passende Stoffe für Applikationen	Reste oder 0,10-m-Stücke	–	–

gekauftes Handtuch; dünnes aufbügelbares Klebevlies *(Vliesofix®)*; Faden, farblich passend zu den Applikationen; ausreißbares Stickvlies; Sticktwist; verschiedene Knöpfe (schön sind auch Keramikknöpfe)

Fertigstellen

Umstechen Sie die Unterkante des Handtuchs mit Schlingstichen aus ungeteiltem Sticktwist. Sticken Sie die Vogelbeine und eine Ranke in der Mitte des breiten Bordürenstreifens mit Stielstichen aus ungeteiltem Sticktwist. (Die Ranke kann auch mit dem Plattstich der Nähmaschine genäht werden.) Arbeiten Sie für die Augen Knötchenstiche aus zweifädigem Sticktwist (siehe »Zierstiche«, Seite 272). Nähen Sie verschiedene Knöpfe auf den breiten Streifen der Bordüre und auf die Applikation.

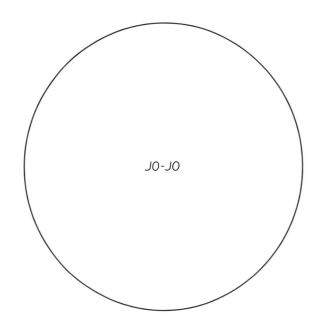

JO-JO

ZEICHENERKLÄRUNG

——— Kontur

- - - - Kontur (wird später
         von Stoff bedeckt)

Handtuch
„Vogelhaus"

Knopf

Knopf

Stielstich oder Plattstich (Maschine)

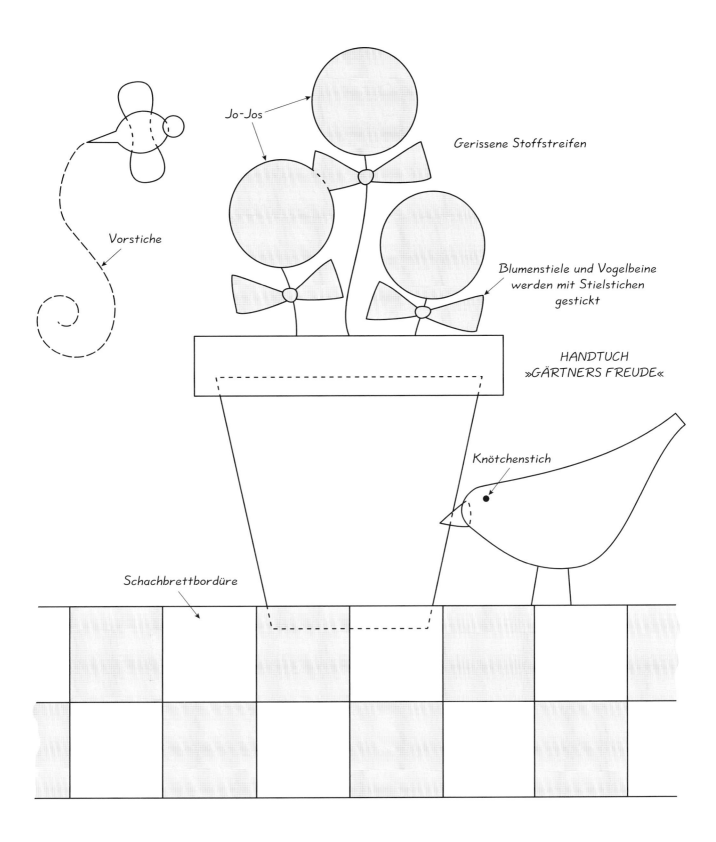

Jo-Jos

Gerissene Stoffstreifen

Vorstiche

Blumenstiele und Vogelbeine werden mit Stielstichen gestickt

HANDTUCH »GÄRTNERS FREUDE«

Knötchenstich

Schachbrettbordüre

115

WOHNEN WIE IN DER BLOCKHÜTTE

So liebevoll ausgestattet, wird ihr Wohnzimmer
zu einem privaten und erholsamen Refugium –
egal ob Sie nun mitten in der Stadt oder am
Waldrand wohnen. Verwenden Sie Stoffe in satten,
leuchtenden Farben, die eine warme, freundliche
und einladende Atmosphäre schaffen.
Ziehen Sie sich hierher zurück, entzünden
Sie das Kaminfeuer und freuen Sie sich!

EIN KLEINER WALD FÜR DIE WAND

Dieser kleine Quilt als Wandschmuck bringt Ihnen den Duft des

Waldes ins Haus. Sehen Sie, wie an einem stillen Nachmittag die

Sonnenstrahlen durch die Zweige schimmern? Nähen Sie passende kleine

Deckchen dazu, mit denen Sie Regalbretter, Tische oder Schränke

dekorieren können (Anleitung auf Seite 128). Eine moderne

Farbvariante für den Quilt finden Sie auf Seite 127.

Tannenbaumquilt

Fertige Größe: 118 × 68 cm　　　　　　　**Fertiger Block: 18 × 18 cm**

MATERIAL

(Muster mit deutlich erkennbarer Richtung eignen sich nicht.)

Patchworkstoffe, 110 cm breit:

0,10 m schwarz gemustert für die Mittelquadrate

0,10 m braun gemustert für die Blöcke

0,10 m rot gemustert für die Eckquadrate

0,50 m dunkelbraun gemustert für die Blöcke, die seitlichen Dreiecke und die Eckdreiecke

0,10 m bunt gemustert für die Eckquadrate

0,10 m grün gemustert für die Eckquadrate

0,50 m beige gemustert für die Blöcke, die seitlichen Dreiecke und die Eckdreiecke

0,30 m hellbraun gemustert für die Blöcke

0,60 m uni schwarz für die Kontraststreifen und die Einfassung

je 0,10 m oder 7,5 × 100 cm-Streifen von je 7 verschiedenen Farben für die Reste-Randbordüre

1,30 m Rückseitenstoff

1,30 m dünnes Volumenvlies

Außerdem:

Reste oder 0,10-m-Stücke von verschiedenen grün gemusterten Stoffen für die applizierten Bäume

dünnes, aufbügelbares Klebevlies (Vliesofix®)

Sticktwist

ZUSCHNITT

Waschen und bügeln Sie alle Stoffe. Schneiden Sie die Stoffe entsprechend der Tabelle zu. Verwenden Sie dabei Rollschneider, Quiltlineal und Schneidematte. Alle Maße beinhalten 0,6 cm Nahtzugabe.

STOFF	ERSTER SCHNITT		ZWEITER SCHNITT	
Farbe	Anzahl	Format	Anzahl	Format
schwarz gemustert	**Mittelquadrate**			
	1	Streifen: 9 × 107 cm	11	Quadrate: 9 × 9 cm
braun gemustert	**Blöcke**			
	1	Streifen: 9 × 107 cm	1	Streifen: 9 × 30 cm
			6	Streifen: 9 × 3,8 cm
rot gemustert	**Eckquadrate**			
	2	Streifen: 3,8 × 107 cm	2	Streifen: 3,8 × 70 cm
			2	Streifen: 3,8 × 30 cm
dunkelbraun gemustert	**Blöcke**			
	1	Streifen: 14 × 107 cm	1	Streifen: 14 × 30 cm
			6	Streifen: 14 × 3,8 cm
	seitliche Dreieck-Einheiten			
	1	Streifen: 17,5 × 107 cm	1	Streifen: 17,5 × 28 cm
			10	Streifen: 17,5 × 3,8 cm
	Eckdreieck-Einheiten			
	1	Streifen: 3,8 × 107 cm	4	Streifen: 3,8 × 20 cm
bunt gemustert	**Eckquadrate**			
	2	Streifen: 9 × 107 cm	1	Streifen: 3,8 × 70 cm
			1	Streifen: 3,8 × 30 cm
			1	Streifen: 3,8 × 28 cm
grün gemustert	**Eckquadrate**			
	2	Streifen: 3,8 × 107 cm	1	Streifen: 3,9 × 70 cm
			1	Streifen: 3,8 × 30 cm
			2	Quadrate: 3,8 × 3.8 cm
beige gemustert	**Blöcke**			
	1	Streifen: 9 × 107 cm	1	Streifen: 9 × 70 cm
			6	Streifen: 9 × 3,8 cm
	1	Streifen: 3,8 × 107 cm	10	Streifen: 3,8 × 9 cm
	Seitendreiecke und Eckdreiecke			
	1	Streifen: 25 × 107 cm	2	Quadrate: 25 × 25 cm (seitliche Dreiecke)
			2	Quadrate: 14 × 14 cm (Eckdreiecke)

STOFF	ERSTER SCHNITT		ZWEITER SCHNITT	
Farbe	Anzahl	Format	Anzahl	Format
hellbraun gemustert	**Blöcke**			
	1	Streifen: 14 × 107 cm	1	Streifen: 14 × 70 cm
			7	Streifen: 14 × 3,8 cm
	2	Streifen: 3,8 × 107 cm	9	Streifen: 3,8 × 14 cm
uni schwarz	**Kontraststreifen**			
	4	Streifen: 2,5 × 107 cm	kein zweiter Schnitt	
	Einfassung		1 Streifen folgendermaßen schneiden:	
	5	Streifen: 7 × 107 cm	2	Streifen: 7 × 53 cm
verschiedene Stoffe	**Restebordüre**			
	7	Streifen: 100 cm lange Streifen in verschiedenen Breiten von 5 bis 7,5 cm	kein zweiter Schnitt	

Blöcke zusammensetzen

Sie benötigen 11 Blöcke: 3 × Block 1 und 8 × Block 2. Für Block 1 verwenden Sie braun und dunkelbraun gemusterte Streifen. Für Block 2 verwenden Sie beigefarbene und hellbraun gemusterte Streifen. Wie Sie die Blöcke rasch fertig stellen können, lesen Sie auf Seite 268 (»Rationelles Nähen«). Nähen Sie mit 0,6 cm Nahtzugabe und bügeln Sie nach jedem Arbeitsgang die Nahtzugaben in Pfeilrichtung (siehe Abbildungen).

Block 1 nähen

① Nähen Sie 3 schwarz gemusterte 9-cm-Mittelquadrate zwischen die 6 braun gemusterten Streifen à 3,8 × 9 cm **(Abb. 1)**. Bügeln Sie.

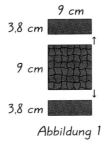

9 cm

3,8 cm

9 cm

3,8 cm

Abbildung 1

② Nähen Sie den braun gemusterten 9 cm breiten und 30 cm langen Streifen zwischen die beiden rot gemusterten 3,8 cm breiten und 30 cm langen Streifen zu einem Streifenset von 14 × 30 cm **(Abb. 2)**. Bügeln Sie.

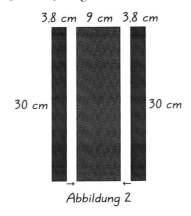

3,8 cm   9 cm   3,8 cm

30 cm   30 cm

Abbildung 2

③ Schneiden Sie 6 Streifen à 3,8 × 14 cm von dem Streifenset aus Schritt 1 ab **(Abb. 3)**.

④ Nähen Sie die 3 Einheiten aus Schritt 1 zwischen die 6 Einheiten aus Schritt 3 **(Abb. 4)**. Bügeln Sie.

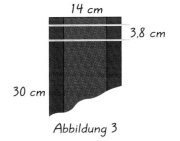

14 cm

3,8 cm

30 cm

Abbildung 3

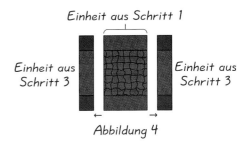

Einheit aus Schritt 1

Einheit aus Schritt 3

Einheit aus Schritt 3

Abbildung 4

⑤ Nähen Sie die 3 Einheiten aus Schritt 4 zwischen die 6 dunkelbraun gemusterten 14-cm-Streifen **(Abb. 5** Seite 122). Bügeln Sie.

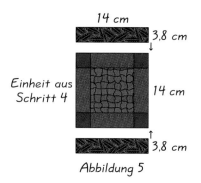

14 cm

3,8 cm

Einheit aus
Schritt 4

14 cm

3,8 cm

Abbildung 5

⑥ Nähen Sie den dunkelbraun gemusterten 14 cm breiten und 30 cm langen Streifen zwischen den bunt gemusterten 3,8 cm breiten und 30 cm langen Streifen und den grün gemusterten Streifen mit denselben Maßen zu einem 90 × 30 cm großen Streifenset **(Abb. 6)**. Bügeln Sie.

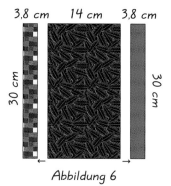

3,8 cm   14 cm   3,8 cm

30 cm

30 cm

Abbildung 6

⑦ Mit Rollschneider und Quiltlineal schneiden Sie nun 6 Abschnitte à 3,8 × 19 cm von dem Streifenset aus Schritt 6 ab **(Abb. 7)**.

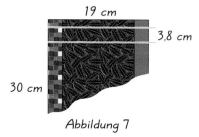

19 cm

3,8 cm

30 cm

Abbildung 7

⑧ Nähen Sie 3 Einheiten aus Schritt 5 zwischen die 6 Einheiten aus Schritt 7. **Abb. 8** zeigt die Anordnung der Eckquadrate.

Jeder Block 1 misst nun 19 cm im Quadrat.

Block 1
Einheit aus Schritt 5

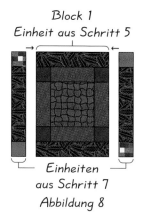

Einheiten
aus Schritt 7
Abbildung 8

Block 2 nähen

① Nähen Sie die verbleibenden 8 schwarz gemusterten 9-cm-Mittelquadrate zwischen die 16 beige gemusterten 3,8 cm breiten und 9 cm langen Streifen **(Abb. 9)**. Bügeln Sie.

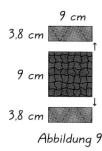

9 cm

3,8 cm

9 cm

3,8 cm

Abbildung 9

② Nähen Sie die beige gemusterten 9 cm breiten und 70 cm langen Streifen zwischen die 16 rot gemusterten Streifen à 3,8 × 70 cm zu einem 14 × 70 cm großen Streifenset. **(Abb. 10)**. Bügeln Sie.

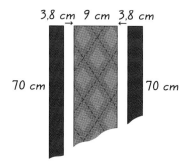

3,8 cm 9 cm 3,8 cm

70 cm

70 cm

Abbildung 10

③ Mit Rollschneider und Quiltlineal schneiden Sie nun 16 Abschnitte à 3,8 × 14 cm vom Streifenset aus Schritt 2 ab **(Abb. 11)**.

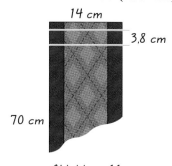

14 cm

3,8 cm

70 cm

Abbildung 11

④ Nähen Sie die 8 Einheiten aus Schritt 1 zwischen die 16 Einheiten aus Schritt 3 **(Abb. 12)**. Bügeln Sie.

Einheit aus
Schritt 1

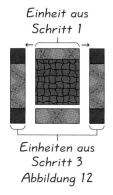

Einheiten aus
Schritt 3
Abbildung 12

⑤ Nähen Sie die 8 Einheiten aus Schritt 4 zwischen die 16 hellbraun gemusterten Streifen à 3,8 × 14 cm **(Abb. 13)**. Bügeln Sie.

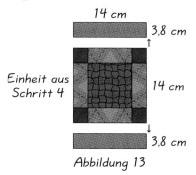

14 cm

3,8 cm

Einheit aus
Schritt 4

14 cm

3,8 cm

Abbildung 13

⑥ Nähen Sie den hellbraun gemusterten 14 cm breiten und 70 cm langen Streifen zwischen den bunt gemusterten und den grün gemusterten Streifen von 3,8 × 70 cm zu einem 19 × 70 cm großen Streifenset zusammen **(Abb. 14)**. Bügeln Sie.

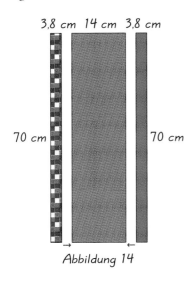

3,8 cm 14 cm 3,8 cm

70 cm   70 cm

Abbildung 14

⑦ Mit Rollschneider und Quiltlineal schneiden Sie 16 Abschnitte à 3,8 × 19 cm von dem Streifenset aus Schritt 6 ab **(Abb. 15)**.

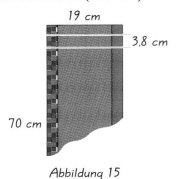

19 cm

3,8 cm

70 cm

Abbildung 15

⑧ Nähen Sie die 8 Einheiten aus Schritt 5 zwischen die 16 Einheiten aus Schritt 7. **Abb. 16** zeigt die Anordnung der Eckquadrate. Jeder Block 2 misst nun 19 cm im Quadrat.

Block 2
Einheit aus
Schritt 5

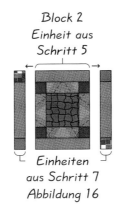

Einheiten
aus Schritt 7
Abbildung 16

Seitendreiecke nähen

① Teilen Sie die beiden beige gemusterten 25-cm-Quadrate zweimal diagonal: So erhalten Sie 8 Dreiecke **(Abb. 17)**.

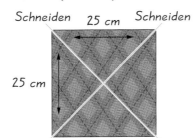

Schneiden   25 cm   Schneiden

25 cm

Die Pfeile geben den Fadenlauf an
Abbildung 17

Schmuckzweige

So holen Sie sich die Natur in Ihr Heim: Stellen Sie schön geformte Äste und Zweige aus Garten oder Wald in Körbe oder Keramikgefäße. Binden Sie Zweige mit Raffiaband oder Stoffstreifen zusammen und stellen Sie solche Bündel neben den Kamin oder in den Hausflur.

② Nähen Sie einen dunkelbraun gemusterten 3,8 cm breiten und 17,5 cm langen Streifen an jedes der 8 beige gemusterten Dreiecke aus Schritt 1 **(Abb. 18)**. Bügeln Sie. Nach dem Bügeln ragt der dunkelbraune Streifen über das Dreieck hinaus. Er wird später zurechtgeschnitten.

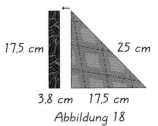

17,5 cm   25 cm

3,8 cm   17,5 cm
Abbildung 18

③ Nähen Sie den bunt gemusterten 3,8 cm breiten und 28 cm langen Streifen an den dunkelbraunen 17,5 cm breiten und 28 cm langen Streifen zu einem 20 × 28 cm großen Streifenset **(Abb. 19)**. Bügeln Sie.

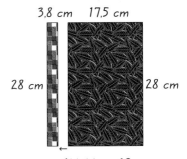

3,8 cm   17,5 cm

28 cm   28 cm

Abbildung 19

④ Mit Rollschneider und Quiltlineal schneiden Sie 6 Abschnitte à 3,8 × 20 cm von dem Streifenset aus Schritt 3 ab **(Abb. 20)**.

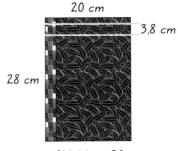

20 cm

3,8 cm

28 cm

Abbildung 20

⑤ Nähen Sie 6 Einheiten aus Schritt 2 an die 6 Einheiten aus Schritt 4 **(Abb. 21)**. Bügeln Sie. Diese Seitendreiecke mit den bunten Eckquadraten werden für Ober- und Unterkante des Quilts verwendet.

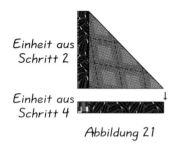

Einheit aus
Schritt 2

Einheit aus
Schritt 4

Abbildung 21

⑥ Nähen Sie die beiden grün gemusterten 3,8-cm-Quadrate an die beiden verbleibenden dunkelbraun gemusterten 3,8 cm breiten und 17,5 cm langen Streifen **(Abb. 22)**. Bügeln Sie.

3,8 cm   17,5 cm
3,8 cm   3,8 cm
Abbildung 22

⑦ Nähen Sie die Einheiten aus Schritt 6 an die beiden verbleibenden Einheiten aus Schritt 2 **(Abb. 23)**. Diese Dreiecke mit den grünen Eckquadraten werden für die Seitenkanten des Quilts verwendet.

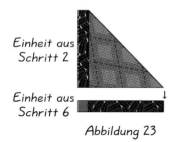

Einheit aus
Schritt 2

Einheit aus
Schritt 6

Abbildung 23

Eckdreiecke nähen

① Teilen Sie die beiden beigefarbenen 14-cm-Quadrate einmal diagonal zu 4 Dreiecken **(Abb. 24)**.

Nicht ziehen!

Damit die im diagonalen Fadenlauf geschnittenen Kanten nicht verzogen werden, legen Sie sie beim Nähen nach unten.

Schneiden

14 cm

14 cm
Der Pfeil gibt den Fadenlauf an
Abbildung 24

② Nähen Sie die 4 dunkelbraun gemusterten 3,8 cm breiten und 20 cm langen Streifen an die 4 Dreiecke aus Schritt 1 **(Abb. 25)**. Bügeln Sie.

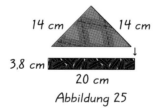

14 cm   14 cm

3,8 cm
20 cm
Abbildung 25

Oberseite zusammensetzen

Die Blöcke werden zuerst zu Reihen genäht, dann werden die Reihen zusammengesetzt. Achten Sie darauf, dass die grünen und die bunten Eckquadrate richtig zu liegen kommen, wie in den Abbildungen gezeigt. Wenn Sie die Seitendreiecke an die Blöcke nähen, müssen die Nähte der Eckquadrate aufeinandertreffen. Die Seitendreiecke sind länger als die Blöcke; sie werden erst zurechtge-

schnitten, wenn die Oberseite fertig zusammengesetzt ist. Arbeiten Sie mit 0,6 cm Nahtzugabe.

① Für die Reihen 1 und 5 nähen Sie ein Eckdreieck an einen Block 2. Die Blöcke sind etwas kleiner als die Eckdreiecke und müssen deshalb in der Mitte der Stoffkante ausgerichtet werden **(Abb. 26)**. Bügeln Sie.

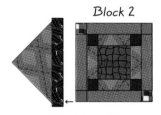

Block 2

Abbildung 26

② Nähen Sie jede der beiden Einheiten aus Schritt 1 zwischen ein Seitendreieck mit grünem Eckquadrat und ein Seitendreieck mit buntem Eckquadrat **(Abb. 27)**. Bügeln Sie.

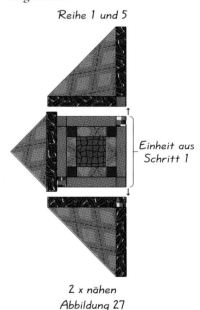

Reihe 1 und 5

Einheit aus
Schritt 1

2 x nähen
Abbildung 27

③ Für die Reihen 2 und 4 nähen Sie ein Eckdreieck, 2 Blöcke 2, einen Block 1 und ein Seitendrei-

eck mit buntem Eck-
quadrat zusammen
(**Abb. 28**). Bügeln Sie.

④ Für Reihe 3 nähen
Sie 2 Seitendreiecke
mit buntem Eckqua-
drat, 2 Blöcke 2 und
einen Block 1 zusam-
men, wie in **Abb. 29**
gezeigt. Bügeln Sie.

⑤ Nähen Sie die Rei-
hen aneinander (siehe
Abb. 30). Bügeln Sie
alle Nahtzugaben in
eine Richtung.

⑥ Die Außenkanten
des Quilts sind jetzt
nicht gerade. Nehmen
Sie Rollschneider und
Quiltlineal und schnei-
den Sie die Kanten
sorgfältig bis auf 0,6 cm
an die Eckpunkte der
Blöcke hin zurück
(siehe **Abb. 31**, Seite
126).

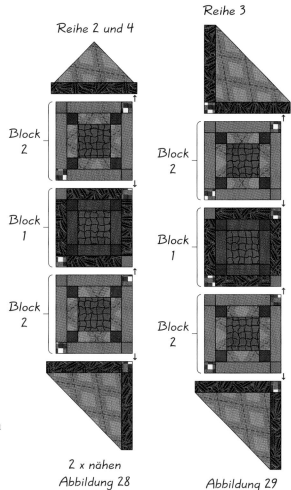

Reihe 2 und 4

Block 2

Block 1

Block 2

2 x nähen
Abbildung 28

Reihe 3

Block 2

Block 1

Block 2

Abbildung 29

Wenig Zeit?

Nähen Sie einen Baum-
block, fügen Sie Eckdrei-
ecke an und rahmen Sie
das Ganze: ein schnelles
Geschenk, das doch von
Herzen kommt.

Applikation

Die Bäume werden mit Schlingstichen aufgenäht (siehe »Schlingstichapplikation«, Seite 272). Sie
können auch mit der Nähmaschine wahlweise mit Plattstich
oder Applikationsstich applizieren
(siehe »Maschinenapplikation«,
Seite 271/272). Verwenden Sie
dünnes, aufbügelbares Klebvlies.

① Verfahren Sie nach der Anleitung »Aufbügelapplikation« auf
Seite 270/271. Pausen Sie 11
Bäume von der Vorlage auf Seite
127 auf die Papierseite des Klebevlieses ab.

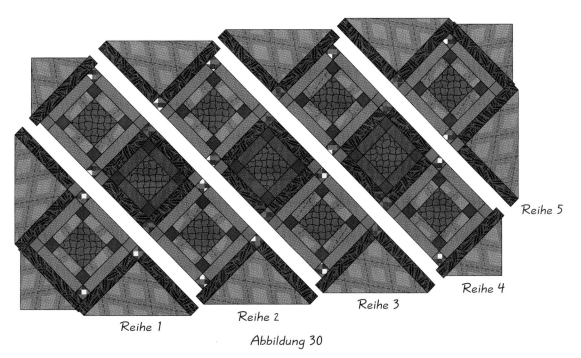

Reihe 1   Reihe 2   Reihe 3   Reihe 4   Reihe 5

Abbildung 30

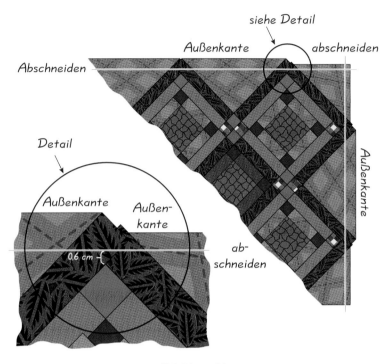

Abbildung 31

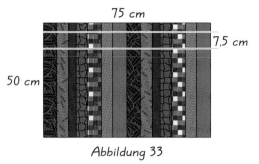

Abbildung 33

② Legen und bügeln Sie die Bäume in die Mitte der schwarz gemusterten Hintergrundquadrate.

③ Befestigen Sie die Kanten der Bäume mit Schlingstichen aus zweifädigem Sticktwist.

Randbordüre ansetzen

① Nähen Sie je einen 2,5 cm breiten und 107 cm langen Kontraststreifen an Ober- und Unterkante der Quilt-Oberseite. Schneiden Sie die überstehenden Enden ab und bügeln Sie die Nahtzugaben zum Kontraststreifen hin.

② Nähen Sie die beiden verbleibenden 2,5 cm breiten und 107 cm langen Kontraststreifen an die Seiten. Schneiden Sie die überstehenden Enden ab und bügeln Sie.

③ Für die Restebordüre nähen Sie die 7 Streifen à 100 cm (einen von jeder Farbe) zu einem 38 × 100 cm großen Streifenset aneinander. Wechseln Sie bei jeder Naht die Nährichtung und bügeln Sie alle Nahtzugaben in eine Richtung. Halbieren Sie das Streifenset in 2 etwa 50 cm lange Stücke **(Abb. 32)**:

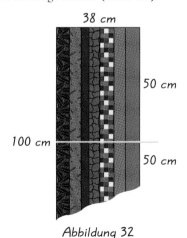

Abbildung 32

④ Nähen Sie die Hälften zu einem 75 × 50 cm großen Streifenset. Mit

Rollschneider und Quiltlineal schneiden Sie davon 6 Abschnitte à 7,5 × 75 cm ab **(Abb. 33)**.

⑤ Für Ober- und Unterkante nähen Sie je 2 der 7,5 cm breiten und 75 cm langen Abschnitte aneinander und erhalten so 2 Streifen à 7,5 × 149 cm. Stecken und nähen Sie diese Bordürenstreifen an Ober- und Unterkante. Schneiden Sie die überstehenden Enden ab und bügeln Sie die Nähte zu den Kontraststreifen hin.

⑥ Stecken und nähen Sie die verbleibenden 7,5 cm breiten und 75 cm langen Bordürenstreifen an die Seiten. Schneiden Sie die überstehenden Enden ab und bügeln Sie.

Quiltlagen montieren

Legen und heften Sie Rückseite, Vlies und Oberseite aufeinander, wie unter »Quiltlagen montieren« auf Seite 275 beschrieben. Schneiden Sie Vlies und Rückseite bis auf 0,6 cm an die Kanten der Oberseite zurück.

Quilt einfassen

Nähen Sie je einen 7 cm breiten und 53 cm langen Streifen an 2 der

118 cm

68 cm

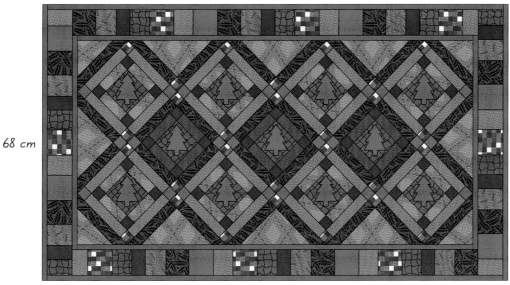

ANORDNUNG DES QUILTS

Kombinieren Sie die grünen Bäume doch auch einmal mit den Farben Blau, Grün, Lila und Gelb.

FARBVARIANTE

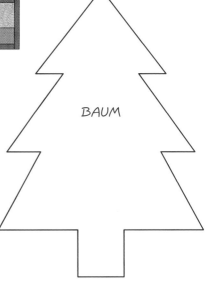

BAUM

7 cm breiten und 107 cm langen Streifen zu 2 Einfassstreifen à 7 × 159 cm. Fassen Sie den Quilt an den Längsseiten mit diesen beiden Streifen und an den Schmalseiten mit den beiden übrigen 107 cm langen Streifen ein (siehe »Quilt einfassen«, Seite 275/276).

Letzte Stiche

Quilten Sie von Hand oder mit Maschine in den Nahtlinien der Blöcke, Eckdreiecke und Kontraststreifen sowie der Restebordüre. Umquilten Sie die Applikationen 1 mm von der Kante entfernt. In die Seiten- und Eckdreiecke quilten Sie ein diagonales 3-cm-Gitter.

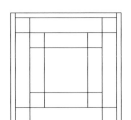

Zierdeckchen

Fertige Größe: 20 × 20 cm

(Siehe Foto auf Seite 118)

MATERIAL

Die Zierdeckchen werden in Dreiergruppen genäht. Auf dem abgebildeten Kaminsims (Fotos auf Seite 116/117 und 118) liegen zwei dieser Gruppen, jede in einer anderen Farbkombination. Messen Sie die Länge Ihres Regalbretts oder Kaminsimses und rechnen Sie aus, wie viele Deckchen Sie nähen müssen. Jedes Deckchen misst diagonal von Ecke zu Ecke 29 cm.

Patchworkstoffe, ca. 110 cm breit, für 3 Zierdeckchen:

0,10 m schwarz gemustert für die Mittelquadrate

0,10 m braun gemustert für den Rand

0,10 m oder 1 Streifen à 3,8 × 64 cm, rot gemustert, für die Eckquadrate

0,25 m dunkelbraun gemustert für den äußeren Rand

0,10 m oder 1 Streifen à 3,8 × 30 cm, bunt, für die Eckquadrate

0,10 m oder 1 Streifen à 3,8 × 30 cm, grün gemustert, für die Eckquadrate

0,15 m schwarz gemustert für die Einfassung

0,30 m Rückseitenstoff

ZUSCHNITT

Waschen und bügeln Sie alle Stoffe. Schneiden Sie die Stoffe entsprechend der Tabelle zu. Verwenden Sie dabei Rollschneider, Quiltlineal und Schneidematte. Alle Maße beinhalten 0,6 cm Nahtzugabe.

STOFF	ERSTER SCHNITT		ZWEITER SCHNITT	
Farbe	Anzahl	Format	Anzahl	Format
schwarz gemustert	**Mittelquadrate**			
	3	Quadrate: 9 × 9 cm	kein zweiter Schnitt	
braun gemustert	**Rand**			
	1	Streifen: 9 × 107 cm	1	Streifen: 9 × 30 cm
			6	Streifen: 9 × 3,8 cm
rot gemustert	**Eckquadrate**			
	1	Streifen: 3,8 × 63,5 cm	2	Streifen: 3,8 × 30 cm
dunkelbraun gemustert	**äußerer Rand**			
	1	Streifen: 14 × 107 cm	1	Streifen: 14 × 30 cm
			6	Streifen: 14 × 3,8 cm
bunt gemustert	**Eckquadrate**			
	1	Streifen: 3,8 × 30 cm	kein zweiter Schnitt	

STOFF	ERSTER SCHNITT		ZWEITER SCHNITT	
Farbe	Anzahl	Format	Anzahl	Format
grün gemustert	**Eckquadrate**			
	1	Streifen: 3,8 × 30 cm	kein zweiter Schnitt	
schwarz gemustert	**Einfassung**			
	3	Streifen: 2,5 × 107 cm	6	Streifen: 2,5 × 21,5 cm
			6	Streifen: 2,5 × 19 cm
Rückseitenstoff	3	Quadrate: 21,5 × 21,5 cm	kein zweiter Schnitt	

Zierdeckchen nähen

① Lesen Sie die Anleitung »Block 1 nähen« auf Seite 121. Arbeiten Sie 3 Blöcke nach den Arbeitsschritten 1–8.

② Nähen Sie die 2,5 cm breiten und 19 cm langen Einfassstreifen an Ober- und Unterkante der Blöcke. Bügeln Sie die Nähte zum Randstreifen hin.

③ Nähen Sie die 2,5 cm breiten und 21,5 cm langen Einfassstreifen an die Seiten. Bügeln Sie.

Fertigstellen

Legen Sie die Oberseiten und Rückseiten der Deckchen rechts auf rechts. Nähen Sie mit 0,6 cm Nahtzugabe um alle Kanten. Lassen Sie etwa 10 cm der Naht zum Wenden offen. Dann schneiden Sie die Ecken der Nahtzugaben ab, wenden die Deckchen auf rechts, schließen die Wendeöffnung mit Handstichen und bügeln die Deckchen.

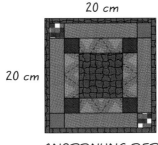

20 cm

20 cm

ANORDNUNG DER DECKCHEN

Aus Debbies Notizbuch

Die Fotos für das Wohnzimmerkapitel entstanden in einem traumhaften Blockhaus, das wir am Ufer des Hayden Lake in Idaho entdeckten. Meist sind unsere Fotostudios dunkel. Aber diesmal hatten wir Glück. Nicht nur, dass wir wunderbar dekorieren konnten, wir hatten auch einen grandiosen Seeblick entlang der ganzen Fensterfront. Doch als wir zu fotografieren begannen, stellten wir fest, dass viel zu viel Licht hereindrang. Also verhängten wir die Fenster mit riesigen schwarzen Decken – und standen doch wieder im Dunkeln.

QUILT
»WALDHÜTTE«

Schmücken Sie eine Wand Ihres Wohnzimmers mit diesem traditionellen

Blockhausquilt oder legen Sie ihn auf einem Polstersessel oder Sofa bereit,

damit Sie sich an kühlen Herbst- und Winterabenden warm einkuscheln

können. Natürlich passt er auch auf ein Bett. Der zeitlose Charme dieses

beliebten Musters garantiert, dass der Quilt lange Zeit in Ihr Haus passt, auch

wenn Sie wieder einmal renovieren sollten.

Fertige Größe: 208 × 208 cm   **Fertiger Block: 34 × 34 cm**

MATERIALS

Patchworkstoffe, 110 cm breit:

▨ 0,15 m gelb gemustert für die Mittelquadrate

■ je 0,25 m von 18 bis 22 verschiedenen rot gemusterten Stoffen für die Balken

■ ■ ■ ☐ je 0,10 m von 30 bis 50 verschiedenen gemusterten Stoffen (außer rot und gelb) für die Balken

■ 0,70 m schwarz gemustert für die Einfassung

6 m Rückseitenstoff

Außerdem:

dünnes Volumenvlies in Doppelbettgröße (230 × 275 cm)

ZUSCHNITT

Waschen und bügeln Sie alle Stoffe. Schneiden Sie die Stoffe entsprechend der Tabelle zu. Verwenden Sie dabei Rollschneider, Quiltlineal und Schneidematte. Alle Maße beinhalten 0,6 cm Nahtzugabe.

STOFF	ERSTER SCHNITT		ZWEITER SCHNITT	
Farbe	Anzahl	Format	Anzahl	Format
gelb gemustert ▨	**Mittelquadrate**			
	2	Streifen: 5 × 107 cm	36	Quadrate: 5 × 5 cm
rot gemustert ■	**Balken**			
	36	Streifen: 5 × 32 cm	kein zweiter Schnitt	
	36	Streifen: 5 × 28 cm	kein zweiter Schnitt	
	36	Streifen: 5 × 24 cm	kein zweiter Schnitt	

Fortsetzung auf Seite 132

ZUSCHNITT – FORTSETZUNG				
STOFF	**ERSTER SCHNITT**		**ZWEITER SCHNITT**	
Farbe	**Anzahl**	**Format**	**Anzahl**	**Format**
rot gemustert Fortsetzung	36	Streifen: 5 × 20,3 cm	kein zweiter Schnitt	
	36	Streifen: 5 × 16,5 cm	kein zweiter Schnitt	
	36	Streifen: 5 × 12,7 cm	kein zweiter Schnitt	
	36	Streifen: 5 × 9 cm	kein zweiter Schnitt	
	36	Quadrate: 5 × 5 cm	kein zweiter Schnitt	
verschieden gemusterte Stoffe	**Balken**			
	36	Streifen: 5 × 35,5 cm	kein zweiter Schnitt	
	36	Streifen: 5 × 32 cm	kein zweiter Schnitt	
	36	Streifen: 5 × 28 cm	kein zweiter Schnitt	
	36	Streifen: 5 × 24 cm	kein zweiter Schnitt	
	36	Streifen: 5 × 20,3 cm	kein zweiter Schnitt	
	36	Streifen: 5 × 16,5 cm	kein zweiter Schnitt	
	36	Streifen: 5 × 12,7 cm	kein zweiter Schnitt	
	36	Streifen: 5 × 9 cm	kein zweiter Schnitt	
schwarz gemustert	**Einfassung**			
	9	Streifen: 7 × 107 cm	kein zweiter Schnitt	

Blöcke nähen

Sie benötigen 36 Blöcke, von denen jeder aus einem gelben Mittelquadrat, 8 verschiedenen rot gemusterten Streifen und 8 verschiedenen andersfarbig gemusterten Streifen besteht. Achten Sie genau auf die Anordnung der Farben in den Abbildungen und vermeiden Sie zwei gleiche Stoffe in einem Block. Richten Sie sich nach der Anleitung »Rationelles Nähen« auf Seite 268. Arbeiten Sie mit 0,6 cm Nahtzugabe und bügeln Sie die Nahtzugaben nach jedem Arbeitsgang in die durch Pfeile angezeigte Richtung.

① Nähen Sie je ein rot gemustertes Quadrat an die gelben 5-cm-Mittelquadrate **(Abb. 1)**. Bügeln Sie.

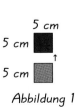

Abbildung 1

② Nähen Sie die rot gemusterten 9-cm-Streifen an die Einheiten aus Schritt 1 **(Abb. 2)**. Bügeln Sie.

Abbildung 2

③ Nähen Sie die Einheiten aus Schritt 2 an die verschieden gemusterten 9-cm-Streifen **(Abb. 3)**.

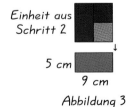

Abbildung 3

④ Nähen Sie die Einheiten aus Schritt 3 an die verschieden gemusterten 12,7-cm-Streifen **(Abb. 4)**.

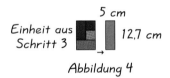

Abbildung 4

⑤ Nähen Sie die rot gemusterten 12,7-cm-Streifen an die Einheiten aus Schritt 4 **(Abb. 5)**. Bügeln Sie.

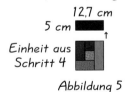

Abbildung 5

⑥ Nähen Sie die rot gemusterten 16,5-cm-Streifen an die Einheiten aus Schritt 5 **(Abb. 6)**. Bügeln Sie.

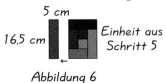

Abbildung 6

⑦ Nähen Sie Einheiten aus Schritt 6 an die verschieden gemusterten 16,5-cm-Streifen **(Abb. 7)**. Bügeln Sie.

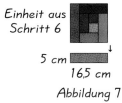

Einheit aus Schritt 6

5 cm

16,5 cm

Abbildung 7

⑧ Nähen Sie die Einheiten aus Schritt 7 an die verschieden gemusterten 20,3-cm-Streifen **(Abb. 8)**. Bügeln Sie.

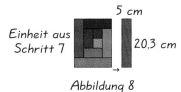

5 cm

Einheit aus Schritt 7

20,3 cm

Abbildung 8

⑨ Nähen Sie die rot gemusterten 20,3-cm-Streifen an die Einheiten aus Schritt 8 **(Abb. 9)**. Bügeln Sie.

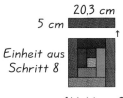

20,3 cm

5 cm

Einheit aus Schritt 8

Abbildung 9

⑩ Nähen Sie die rot gemusterten 24-cm-Streifen an die Einheiten aus Schritt 9 **(Abb. 10)**. Bügeln Sie.

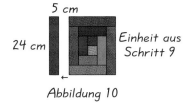

5 cm

24 cm

Einheit aus Schritt 9

Abbildung 10

⑪ Nähen Sie die Einheiten aus Schritt 10 an die verschieden gemusterten 24-cm-Streifen **(Abb. 11)**. Bügeln Sie.

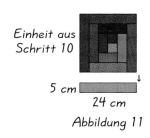

Einheit aus Schritt 10

5 cm

24 cm

Abbildung 11

⑫ Nähen Sie die Einheiten aus Schritt 11 an die verschieden gemusterten 28-cm-Streifen **(Abb. 12)**. Bügeln Sie.

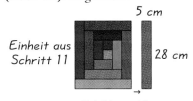

5 cm

Einheit aus Schritt 11

28 cm

Abbildung 12

⑬ Nähen Sie die rot gemusterten 28-cm-Streifen an die Einheiten aus Schritt 12 **(Abb. 13)**. Bügeln Sie.

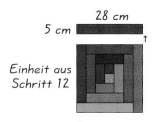

28 cm

5 cm

Einheit aus Schritt 12

Abbildung 13

⑭ Nähen Sie die rot gemusterten 32-cm-Streifen an die Einheiten aus Schritt 13 **(Abb. 14)**. Bügeln Sie.

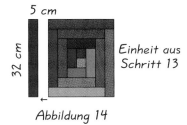

5 cm

32 cm

Einheit aus Schritt 13

Abbildung 14

⑮ Nähen Sie die Einheiten aus Schritt 14 an die verschieden ge-

musterten 32-cm-Streifen **(Abb. 15)**.

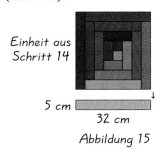

Einheit aus Schritt 14

5 cm

32 cm

Abbildung 15

⑯ Nähen Sie die Einheiten aus Schritt 15 an die verschieden gemusterten 35,5-cm-Streifen **(Abb. 16)**. Bügeln Sie. Jeder Blockhausblock misst nun 35,5 cm im Quadrat.

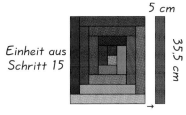

Einheit aus Schritt 15

5 cm

35,5 cm

Abbildung 16

Oberseite zusammensetzen

① Beachten Sie die Anordnung in **Abb. 17**. Nähen Sie jeweils 2 Blöcke zu insgesamt 18 Bockpaaren zusammen. Bügeln Sie die Nahtzugaben von 9 Blöcken in die eine Richtung, die der nächsten 9 Blöcke in die entgegengesetzte Richtung.

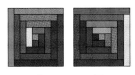

Abbildung 17

② Nähen Sie die Blockpaare aus Schritt 1 wieder paarweise zu 9 Viererеinheiten zusammen **(Abb. 18**, Seite 134). Bügeln Sie.

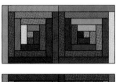

Abbildung 18

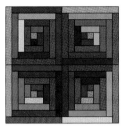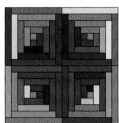

3 Reihen nähen
Abbildung 19

③ Nähen Sie die Viererblock-Einheiten aus Schritt 2 zu 3 Reihen aneinander, wie in **Abb. 19** gezeigt. Bügeln Sie die Nähte der mittleren Reihe in die andere Richtung als die Nähte der oberen und unteren Reihe.

④ Nähen Sie die 3 Reihen aus Schritt 3 aneinander und bügeln Sie alles. Die Quilt-Oberseite misst nun 207 × 207 cm.

Rückseite nähen

Schneiden Sie den Rückseitenstoff in 2 Teile von 224 cm und ein Teil von 112 cm Länge. Entfernen Sie alle Webkanten. Schneiden Sie von den 224-cm-Teilen 2 Stücke à 90 cm Breite über die gesamte Länge ab. Schneiden Sie von dem 112-cm-Teil 2 Stücke à 50 cm Breite ab. Nähen Sie die 4 Teile zur Rückseite zusammen **(Abb. 20)**.

Abbildung 20

Quiltlagen montieren

Legen und heften Sie Rückseite, Vlies und Oberseite aufeinander (»Quiltlagen montieren«, Seite 275).

Letzte Stiche

Quilten Sie von Hand oder mit Maschine, wie es Ihnen gefällt. Schneiden Sie Vlies und Rückseite bis auf 0,6 cm an die Kanten der Oberseite zurück.

Quilt einfassen

Schneiden Sie einen der 7 cm breiten und 107 cm langen Einfassstreifen in 4 Stücke à 7 × 26 cm. Nähen Sie jeweils einen dieser Streifen an einen 7 cm breiten und 107 cm langen Streifen, sodass 4 Einfassstreifen von etwa 245 cm Länge entstehen. Nähen Sie die Streifen an, wie unter »Quilt einfassen« auf Seite 275/276 beschrieben.

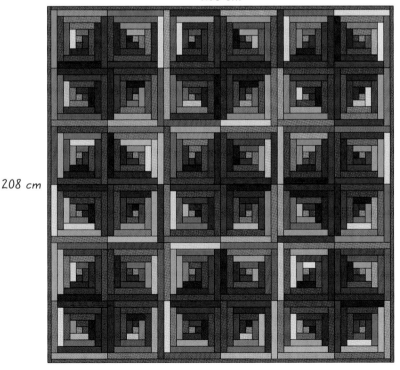

ANORDNUNG DES QUILTS

134

SPIELEABEND AM KAMIN

Gibt es etwas Schöneres an einem kalten Herbst- oder Winterabend als einen

Spieleabend bei würzigem Glühwein in der mollig warmen Stube? Für dieses

Spielbrett (nächste Seite) können Sie Ihre Stoffreste aufbrauchen und haben

zugleich ein schönes Geschenk. Auf Seite 138/139 ist beschrieben, wie Sie Knöpfe

färben und ein Spielsteinbeutelchen herstellen. Nähen Sie doch gleich

passende Untersetzer dazu (Anleitung Seite 139).

Spielbrett

Fertige Größe: 48 × 66 cm

MATERIAL

Patchworkstoffe, ca. 110 cm breit:

☐ 0,25 m beige gemustert für die hellen Schachbrettquadrate

Reste oder je ein 6,5-cm-Quadrat von 32 dunklen Stoffen für die dunklen Schachbrettquadrate

☐ 0,35 m uni schwarz für Kontraststreifen und Einfassung

Reste oder je ein 9 × 10 cm großes Stück von 12 verschiedenen Stoffen für die Patchworkbordüre

0,70 m Rückseitenstoff

Stoffreste für die Applikationen

Außerdem:

0,70 m dünnes Volumenvlies

dünnes, aufbügelbares Klebevlies (Vliesofix®)

Sticktwist

ZUSCHNITT

Waschen und bügeln Sie alle Stoffe. Schneiden Sie die Stoffe entsprechend der Tabelle zu. Verwenden Sie dabei Rollschneider, Quiltlineal und Schneidematte. Alle Maße beinhalten 0,6 cm Nahtzugabe.

STOFF	ERSTER SCHNITT		ZWEITER SCHNITT	
Farbe	Anzahl	Format	Anzahl	Format
beige gemustert ☐	**Schachbrettquadrate**			
	3	Streifen: 6,5 × 107 cm	32	Quadrate: 6,5 × 6,5 cm
dunkle Stoffe ■■■■	**Schachbrettquadrate:** aus jedem der 32 Stoffe schneiden			
	1	Quadrat: 6,5 × 6,5 cm	kein zweiter Schnitt	

Fortsetzung auf Seite 136

STOFF	ERSTER SCHNITT		ZWEITER SCHNITT	
Farbe	Anzahl	Format	Anzahl	Format
uni schwarz	**Kontraststreifen**			
	2	Streifen: 3,8 × 107 cm	2	Streifen: 3,8 × 47 cm
			2	Streifen: 3,8 × 42 cm
	Einfassung		1 Streifen schneiden wie folgt:	
	3	Streifen: 7 × 107 cm	2	Streifen: 7 × 53,5 cm
verschiedene Stoffe	**Patchworkbordüre:** Jeden der 12 Stoffe schneiden wie folgt:			
	1	Rechteck: 9 × 10 cm	kein zweiter Schnitt	

(Tabellentitel: ZUSCHNITT – FORTSETZUNG)

Zusammensetzen

① Wechseln Sie die beige gemusterten und die dunklen Stoffe ab. Legen Sie die Schachbrettquadrate in gewünschter Anordnung zu 8 Reihen mit je 8 Quadraten aus. Halten Sie sich beim Zusammennähen an die gefundene Farbfolge. Nähen Sie jeweils die 8 Quadrate mit 0,6 cm Nahtzugabe zu Reihen (**Abb. 1**). Bügeln Sie die Nahtzugaben zu den dunklen Stoffen hin.

② Nähen Sie die 8 Reihen zu einem Spielbrett von 42 × 42 cm zusammen (**Abb. 2**). Bügeln Sie alle Nahtzugaben in eine Richtung.

③ Nähen Sie die 3,8 cm breiten und 42 cm langen Kontraststreifen an Ober- und Unterkante des Spielbretts. Bügeln Sie die Nahtzugaben zu den Kontraststreifen hin.

④ Nähen Sie die 3,8 cm breiten und 47 cm langen Kontraststreifen an die Seiten. Bügeln Sie.

⑤ Legen Sie die 9 × 10 cm großen Rechtecke für die Randbordüre in gewünschter Reihenfolge in 2 Reihen à 6 Rechtecken aus. Orientieren Sie sich bei der Anordnung am Foto links. Nähen Sie die Stücke zu 2 Randbordüren à 47 × 10 cm zusammen (**Abb. 3**). Bügeln Sie alle Nahtzugaben in eine Richtung.

⑥ Nähen Sie die 47 cm langen und 10 cm breiten Randbordüren an Ober- und Unterkante des Spielbretts. Bügeln Sie die Nahtzugaben zu den Kontraststreifen hin.

Applikation

Die Applikationsmotive werden mit Schlingstichen auf die Patchworkbordüre aufgenäht (siehe »Schlingstichapplikation«, Seite 272). Arbeiten Sie mit dünnem, aufbügelbarem Klebevlies.

① Arbeiten Sie nach der Anleitung »Aufbügelapplikation« auf Seite 270/271. Pausen Sie 6 Bäume von den Vorlagen auf Seite 127 und 6 Sterne von Seite 140 auf die Papierseite des Klebevlieses ab.

② Bügeln Sie abwechselnd Bäume und Sterne auf die Felder der Patchworkbordüre. Halten Sie dabei zu den Außenkanten 0,6 cm Abstand für die Nahtzugabe.

6,5 cm 6,5 cm

Abbildung 1

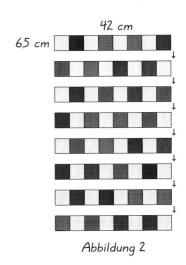

42 cm 6,5 cm

Abbildung 2

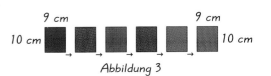

9 cm 10 cm 9 cm 10 cm

Abbildung 3

③ Befestigen Sie die Kanten der Bäume und Sterne mit Schling-stichen aus zweifädigem Stick-twist.

Quiltlagen montieren

Legen und heften Sie Rückseite, Vlies und Oberseite aufeinander, wie unter »Quiltlagen montie-ren« auf Seite 275 beschrieben. Schneiden Sie Vlies und Rück-seite bis auf 0,6 cm an die Kan-ten der Oberseite zurück.

Quilt einfassen

Arbeiten Sie nach der Anleitung »Quilt einfassen« auf Seite 275/276. Fassen Sie Ober- und Unterkante mit den 7 cm breiten und 53 cm langen Streifen und die Seiten mit den 107 cm langen Streifen ein.

Letzte Stiche

Quilten Sie von Hand oder mit Ma-schine in den Nahtlinien der Rand-streifen. Umquilten Sie die Appli-kationsmotive 1 mm außerhalb der Umrisse. Quilten Sie Diagonal-linien durch die Spielbrettquadrate.

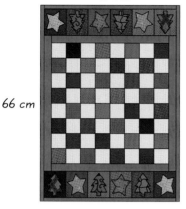

48 cm

66 cm

ANORDNUNG DES SPIELBRETTS

Spielsteinbeutel

Fertige Größe: 13 × 18 cm

(Siehe Foto auf Seite 136)

Material

je 12 Knöpfe in zwei Farben oder 24 helle Plastikknöpfe zum Sel-berfärben, 3,5 cm Ø

▪ 20 × 27 cm Baumwollstoff, rot gemustert, für den Beutel

▪ 9 × 9 cm Baumwollstoff, gelb gemustert, für den applizierten Stern

dünnes, aufbügelbares Klebevlies (Vliesofix®)

Sticktwist

40 cm Häkelgarn

Beutel nähen

① Verwenden Sie je 12 Knöpfe in zwei Farben als Spielsteine. Sie können helle Plastikknöpfe selbst einfärben. Lesen Sie »Wie man Knöpfe färbt« auf Seite 139.

② Für den Beutel nähen Sie an eine der 27 cm langen Kanten des rot gemusterten Stoffes einen schmalen Saum. Falten Sie dafür den Stoff 0,6 cm zur linken Seite und dann noch einmal 0,6 cm, und steppen Sie knapp entlang der gefalteten Kante.

③ Falten Sie den Stoff links auf links zur Hälfte. Lesen Sie die An-leitung »Aufbügelapplikation« auf Seite 270/271. Übertragen Sie den Stern von der Vorlage auf Seite 140 auf den gelben Stoff und schneiden Sie ihn aus. Legen und bügeln Sie den Stern in die untere Mitte des Beutels **(Abb. 4)**. Befes-tigen Sie den Stern mit Schling-stichen um alle Kanten.

gesäumte Kanten

Falz

Abbildung 4

SPIELSTEINBEUTEL

④ Falten Sie den Beutel rechts auf rechts zur Hälfte und steppen Sie mit 0,6 cm Nahtzugabe entlang der Unterkante und der offenen Seite. Schneiden Sie die unteren Ecken der Nahtzugaben ab. Wenden Sie den Beutel auf rechts und bügeln Sie ihn.

⑤ Das Häkelgarn dient als Zugschnur: Ziehen Sie es in langen Vorstichen etwa 2,5 cm unterhalb der Oberkante des Beutels rundum durch den Stoff.

So färben Sie Knöpfe selbst

Verwenden Sie unbedingt einen alten Topf, einen alten Löffel und ein altes Sieb. Ziehen Sie ein altes T-Shirt oder eine Schürze an und tragen Sie Gummihandschuhe.

① Bringen Sie etwa 2 Tassen Wasser zum Kochen. Schalten Sie die Hitze zurück und geben Sie Seidenmalfarbe oder Ostereierfarbe in kleinen Portionen in das Wasser, bis die gewünschte Farbkonzentration erreicht ist. Rühren Sie gut um.

② Geben Sie helle Plastikknöpfe in das Farbbad. Manche Knöpfe nehmen sehr schnell Farbe an, manche brauchen bis zu 20 Minuten. Rühren Sie gelegentlich um, lassen Sie die Knöpfe so lange köcheln, bis der gewünschte Farbton erreicht ist.

③ Nach der Färbezeit nehmen Sie die Knöpfe heraus, spülen sie in einem Sieb gründlich mit kaltem Wasser und lassen sie auf Küchenkrepp trocknen.

Anmerkung: Seien Sie vorsichtig bei der Verwendung von selbstgefärbten Knöpfen auf Kleidung oder Quilts. Die Knöpfe können abfärben, wenn sie nass werden.

Untersetzer

Fertige Größe: 10 × 10 cm

(Siehe Foto auf Seite 136)

MATERIAL UND ZUSCHNITT

Waschen und bügeln Sie alle Stoffe. Schneiden Sie die Stoffe entsprechend der Tabelle zu. Verwenden Sie dabei Rollschneider, Quiltlineal und Schneidematte. Alle Maße beinhalten 0,6 cm Nahtzugabe. Material für 4 Untersetzer.

STOFF	MENGE	TEILE	MASS
▪ schwarz gemustert für die Mittelquadrate	0,10 m	4	Quadrate: 9 × 9 cm
▪▪▪▪ verschiedene Stoffe für die Patchworkbordüre	je 0,10 m von 4 Stoffen	je 1	Streifen: 2,5 × 100 cm von jedem Stoff
Rückseitenstoff	0,15 m	4	Quadrate: 11,5 × 11,5 cm
Flanell als Wattierung	0,15 m	4	Quadrate: 11,5 × 11,5 cm
verschiedene passende Stoffe für die Applikationen	Reste oder je 0,10 m	–	–
dünnes, aufbügelbares Klebevlies (*Vliesofix®*); Sticktwist			

Zusammensetzen

① Für die Patchworkbordüre legen Sie die 4 Streifen à 2,5 × 100 cm in gewünschter Farbfolge aus. Nähen Sie die Streifen zu einem 6,5 × 100 cm großen Streifenset zusammen. Wechseln Sie bei jeder Naht die Nährichtung und bügeln Sie alle Nähte in eine Richtung. Halbieren Sie das Streifenset in 2 jeweils etwa 50 cm lange Stücke **(Abb. 5)**.

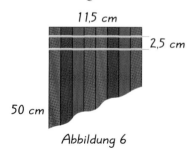

Abbildung 5

② Nähen Sie die beiden Hälften zu einem 11,5 × 50 cm großen Streifenset zusammen. Schneiden Sie davon mit Rollschneider und Schneidematte 16 Abschnitte à 2,5 × 11,5 cm ab. Jeder Streifen besteht aus 8 Quadraten.

Abbildung 6

③ Entfernen Sie mit einem Nahttrenner von 8 der 2,5 × 11,5 cm großen Abschnitte je 2 Quadrate. Sie haben nun 8 Streifen mit je 6 Quadraten. Stecken und nähen Sie diese 2,5 cm breiten und 9 cm langen Streifen an die Ober- und Unterkanten der 4 schwarz gemusterten 9-cm-Mittelquadrate **(Abb. 7)**. Bügeln Sie die Nähte zum Mittelquadrat hin.

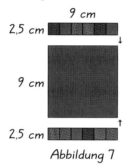

Abbildung 7

④ Stecken und nähen Sie die verbleibenden 11,5 cm langen Patchworkstreifen an die Seiten **(Abb. 8)**. Bügeln Sie.

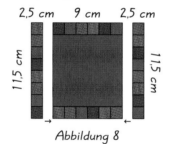

Abbildung 8

Applikation

Die Sterne werden mit Schlingstichen aufgenäht (siehe »Schlingstichapplikation«, Seite 272). Sie können mit der Nähmaschine wahlweise im Plattstich oder in einem Applikationsstich nähen (siehe »Maschinenapplikation«, Seite 271/272). Verwenden Sie für alle diese Techniken dünnes, aufbügelbares Klebevlies.

① Arbeiten Sie nach der Anleitung »Aufbügelapplikation« auf Seite 270/271. Pausen Sie 4 Sterne von der Vorlage unten auf die Papierseite des Klebevlieses ab.

② Legen und bügeln Sie die Sterne in die Mittelquadrate.

③ Arbeiten Sie mit zweifädigem Sticktwist Schlingstiche um alle Kanten der Sterne.

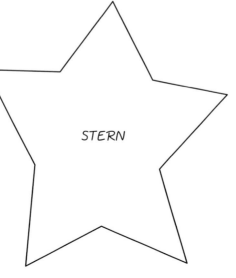

STERN

Fertigstellen

Legen Sie für jeden Untersetzer jeweils Oberseite und Rückseite rechts auf rechts. Legen Sie beide auf das Flanellquadrat und stecken Sie alle drei Lagen aufeinander fest. Nähen Sie mit 0,6 cm um alle Kanten und lassen Sie 7 cm zum Wenden offen. Dann schneiden Sie die Ecken der Nahtzugabe ab, wenden die Untersetzer auf rechts, schließen die Wendeöffnung mit Handstichen und bügeln die Untersetzer.

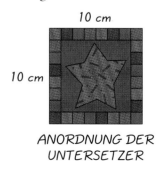

ANORDNUNG DER UNTERSETZER

SCHNEEMANN-
PARADE

Warten Sie und Ihre Familie auch schon ungeduldig auf den ersten Schnee,

um endlich wieder einen Schneemann bauen zu können? Mein Vorschlag:

Nähen Sie schon jetzt die lustigen Projekte von den nächsten Seiten.

So sind Sie allen voran und haben jederzeit die richtige Winterdekoration

zur Hand. Hängen Sie den Quilt mit den Schneemännern an die Wand

und stellen Sie im ganzen Raum die originellen Schneemannfiguren

(Anleitung auf Seite 145) aus Vlies und anderen Resten auf.

Quilt für Schneefreunde

Fertige Größe: 35 × 76 cm

MATERIAL UND ZUSCHNITT			
Waschen und bügeln Sie alle Stoffe. Schneiden Sie die Stoffe entsprechend der Tabelle zu. Verwenden Sie dabei Rollschneider, Quiltlineal und Schneidematte. Alle Maße beinhalten 0,6 cm Nahtzugabe.			
STOFF	**MENGE**	**TEILE**	**MASS**
schwarz gemustert für den Hintergrund	je 0,25 m von 3 Stoffen	je 1	Quadrat: 19 × 19 cm
verschiedene Stoffe für das Patchworkgitter	je 0,10 m von 8 Stoffen	je 1	Streifen: 3,8 × 46 cm
schwarzer Sternenstoff für den Rand	0,25 m	2 2	Streifen: 6,5 × 75 cm Streifen: 6,5 × 24 cm

Fortsetzung auf Seite 143

MATERIAL UND ZUSCHNITT—FORTSETZUNG

STOFF	MENGE	TEILE	MASS
▦ gelb gemustert für die Einfassung	0,25 m	2 2	Streifen: 7 × 107 cm Streifen: 7 × 53,5 cm
Rückseitenstoff	0,50 m	–	–
dünnes Volumenvlies	0,50 m	–	–
verschiedene passende Stoffe für die Applikationen	Reste oder 0,10-m-Stücke	–	–
aufbügelbares Klebevlies (*Vliesofix®*); Sticktwist, wasserfester Filzstift; verschiedene Knöpfe; Keramikknöpfe (nach Belieben)			

Hintergrund zusammensetzen

Setzen Sie den Hintergrund für den Quilt zusammen, bevor Sie die Applikationsmotive aufnähen. Arbeiten Sie mit 0,6 cm Nahtzugabe und bügeln Sie nach jedem Arbeitsgang.

① Für das Patchworkgitter legen Sie die 8 Streifen à 3,8 × 46 cm- in gewünschter Farbfolge vor sich hin. Nähen Sie die Streifen zu einem 21,5 × 46 cm großen Streifenset. Wechseln Sie nach jeder Naht die Nährichtung und bügeln Sie alle Nahtzugaben in eine Richtung. Mit Rollschneider und Quiltlineal schneiden Sie 10 Abschnitte à 3,8 × 21,5 cm von diesem Streifenset ab. Jeder Abschnitt besteht aus 8 Quadraten **(Abb. 1)**.

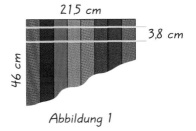

Abbildung 1

② Für die horizontalen Gitterstreifen trennen Sie mit Hilfe eines Nahttrenners von 4 der 3,8 cm breiten und 21,5 cm langen Streifen je ein Quadrat ab. Diese Streifen sind nun 3,8 × 19 cm lang und umfassen 7 Quadrate. Legen Sie 2 einzelne Quadrate für Schritt 3 beiseite.

③ Für die vertikalen Gitterstreifen nähen Sie aus je 3 Gitterstreifen à

Reste-Look

Sieht der zusammengesetzte Gitterstreifen zu ordentlich aus oder möchten Sie, dass er wie zufällig aus Resten zusammengesetzt wirkt, so trennen Sie aus dem vertikalen Streifen einzelne Quadrate heraus und setzen sie an die horizontalen Streifen an. Dann nähen Sie die Streifen wieder zusammen. Es ist einfacher, die horizontalen Streifen neu zu nähen als die vertikalen.

3,8 × 21,5 cm und einem einzelnen Quadrat (siehe Schritt 2) 2 je 65 cm lange Streifenbänder. Jeder dieser Streifen besteht aus 25 Quadraten **(Abb. 2)**.

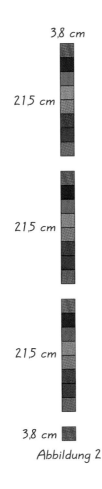

3,8 cm

21,5 cm

21,5 cm

21,5 cm

3,8 cm

Abbildung 2

④ Legen Sie die Gitterstreifen und die schwarz gemusterten Hintergrundquadrate in gewünschter Anordnung aus. Halten Sie sich beim Nähen an die gefundene Anordnung.

⑤ Stecken und nähen Sie je einen horizontalen 3,8 cm breiten und 19 cm langen Gitterstreifen an die Oberkanten der schwarz gemusterten 19-cm-Hintergrundquadrate und an die Unterkante des untersten Hintergrundquadrates. Bügeln Sie die Nahtzugaben zu den Hintergrundquadraten hin. Nähen Sie die Blöcke zusammen und bügeln Sie.

⑥ Vergleichen Sie die vertikalen 3,8 cm breiten und 65 cm langen Gitterstreifen mit der Länge der Seitenkanten. Vielleicht müssen Sie einige Nähte enger oder weiter nähen (maximal 1 mm), bis die Länge stimmt. Stecken und nähen Sie die Gitterstreifen an die Seiten. Bügeln Sie die Nahtzugaben zu den Hintergrundquadraten hin.

⑦ Nähen Sie die 3,8 cm breiten und 24 cm langen Randstreifen an Ober- und Unterkante. Bügeln Sie die Nahtzugaben zu den Randstreifen hin.

⑧ Nähen Sie die 75 cm langen Randstreifen an die Seiten. Bügeln Sie.

Applikation

① Arbeiten Sie nach der Anleitung »Aufbügelapplikation« auf Seite 270/271. Übertragen Sie die Schneemänner und die anderen Motive von den Vorlagen auf den Seiten 146 bis 148 auf die Papierseite des Klebevlieses.

② Legen und bügeln Sie jedes Motiv einzeln in die Mitte des entsprechenden Hintergrundquadrates (siehe Foto auf Seite 142). Zu einigen der aufgebügelten Motive passen hübsche Keramikknöpfe. Die Knöpfe sollten erst aufgenäht werden, wenn die Arbeit fertig gequiltet ist.

③ Sticken Sie für den Baumstamm drei dicht nebeneinander liegende Stielstichreihen mit sechsfädigem Sticktwist. Die Zweige entstehen aus zweifädigem Sticktwist und einer Stielstichreihe, ebenso die Ranke am Vogelhaus (siehe »Zierstiche«, Seite 272).

④ Zeichnen Sie weitere Details wie Augen und Münder mit wasserfestem Filzstift auf.

Quiltlagen montieren

Legen und heften Sie Rückseite, Vlies und Oberseite aufeinander, wie unter »Quiltlagen montieren« auf Seite 275 beschrieben. Schneiden Sie Vlies und Rückseite bis auf 0,6 cm an die Kanten der Oberseite zurück.

Quilt einfassen

Arbeiten Sie nach der Anleitung auf Seite 275/276 (»Quilt einfassen«). Fassen Sie Ober- und Unterkante mit den beiden 7 cm breiten und 53,5 cm langen Einfassstreifen und die Seiten mit den 107 cm langen Einfassstreifen ein.

Letzte Stiche

Quilten Sie von Hand oder mit Maschine in den Nahtlinien der Hintergrundquadrate, der Patchworkgitterstreifen und der Randstreifen. Umquilten Sie die Umrisse der Applikationen in 1 mm Abstand. Auf den Rand quilten Sie ein diagonales 3-cm-Gitter. Nähen Sie verschiedene Knöpfe auf (siehe Applikationsvorlagen, Seite 146 – 148).

35 cm

76 cm

ANORDNUNG DES QUILTS

Schneemann-Figuren

Höhe des großen Schneemanns: 30 cm
Höhe des kleinen Schneemanns: 26 cm

(Siehe Foto auf Seite 142)

Material

für 1 Schneemann:

0,30 m Baumwollvlies
Polyester-Füllwatte
1 $\frac{1}{2}$ Tassen Plastikgranulat
(z. B. *Granulex*)
22 cm-Quadrat Strickstoff für die
Mütze
Heißklebepistole mit Klebesticks
13 × 74 cm Wollstoff oder Baum-
wollflanell für den Schal des
kleinen Scheemanns
Klebstoff
verschiedene Knöpfe
0,10 m Wollstoff oder Flanell für
die Weste des großen Schneemanns
Zweige für die Arme

Zusammensetzen

① Für den Schneemann benutzen
Sie die Körpervorlagen von Seite
149/150 und die Fußplatte von
Seite 147. Schneiden Sie pro
Schneemann zwei Körper und
eine Fußplatte aus Baumwollvlies
zu.

② Stecken und nähen Sie die
Nähte des Körpers mit 0,6 cm

Dekorativer Kranz

Binden Sie ein paar
Kiefernzapfen und Schnee-
männer auf einen Kranz.

Nahtzugabe zusammen. Lassen
Sie die Armlöcher offen, wie ein-
gezeichnet, ebenso die Strecke
zwischen den Punkten an der Unterkante. Knipsen Sie die Nahtzugabe in den Rundungen ein und
wenden Sie den Körper auf rechts.

③ Stopfen Sie den Körper mit Polyesterwatte aus, bis er dick genug er-
scheint. Lassen Sie unten etwa 3 cm
ungefüllt, für das Plastikgranulat.

④ Stecken und nähen Sie die Fußplatte links auf links und nähen
Sie sie an den Körper. Lassen Sie
eine 5 cm breite Öffnung frei. Füllen Sie das Plastikgranulat ein
und nähen Sie die Öffnung zu.

⑤ Für die Mütze falten Sie den
Strickstoff zur Hälfte und nähen
die Kante gegenüber dem Falz mit
0,6 cm Nahtzugabe zu. Wenden
Sie den Strickstoff, sodass die ge-
rippte Seite außen liegt. Raffen Sie
die eine Seite 0,6 cm unterhalb
der Kante und verknoten Sie den
Faden. Rollen Sie die verblei-
bende offene Kante zweimal nach
oben. Kleben Sie die Mütze mit
Heißkleber an den Kopf des
Schneemanns.

⑥ Der Schal des kleinen Schneemanns ist ein Streifen Wollstoff
oder gebürsteter Baumwollstoff,
der um den Hals gebunden wird.
Schneiden Sie die Enden in gewünschter Länge ab und fransen
Sie sie aus.

⑦ Kleben Sie die Teile für das Ge-
sicht mit Klebstoff auf, ebenso die
Knöpfe auf die Vorderseite des
Schneemanns.

⑧ Für die Weste des großen
Schneemanns verwenden Sie die
Vorlage von Seite 151. Schneiden
Sie zwei Westenvorderteile und
ein Rückenteil aus Wollstoff oder
Flanell zu. Nähen Sie die Vorder-
teile und das Rückenteil an den
Seitennähten zusammen und las-
sen Sie die markierte Öffnung für
die Zweig-Arme frei.

⑨ Geben Sie Klebstoff auf die
Zweige, die als Arme dienen sol-
len, und schieben Sie die Zweige
durch die Löcher in den Nähten
auf beiden Seiten des Körpers.

Nur zum Spaß

Nehmen Sie den Schaft einer
alten Socke oder ein Ärmel-
bündchen anstelle des
Strickstoffs für die Mütze.
Schmücken Sie die Mütze
mit aufgebügelten Stoff-
resten, Knöpfen oder kleinen
Tannenzweigen.
Die Einzelheiten des Ge-
sichts, wie etwa eine Karotte
als Nase oder kleine Eier-
kohlen, können auch aus
farbiger Modelliermasse wie
FIMO oder Keramiplast,
einem lufthärtenden
Material, geformt werden.

ZEICHENERKLÄRUNG

———— Kontur

------ Kontur (wird später
von Stoff bedeckt)

Knopf

Knopf

Knopf

Knopf

Knopf

Knopf

Sticklinie

SCHNEEMANN 1

Fußplatte für beide Schneemannfiguren

Kleiner Schneemann

Großer Schneemann

Knopf

Knopf

SCHNEEMANN 2

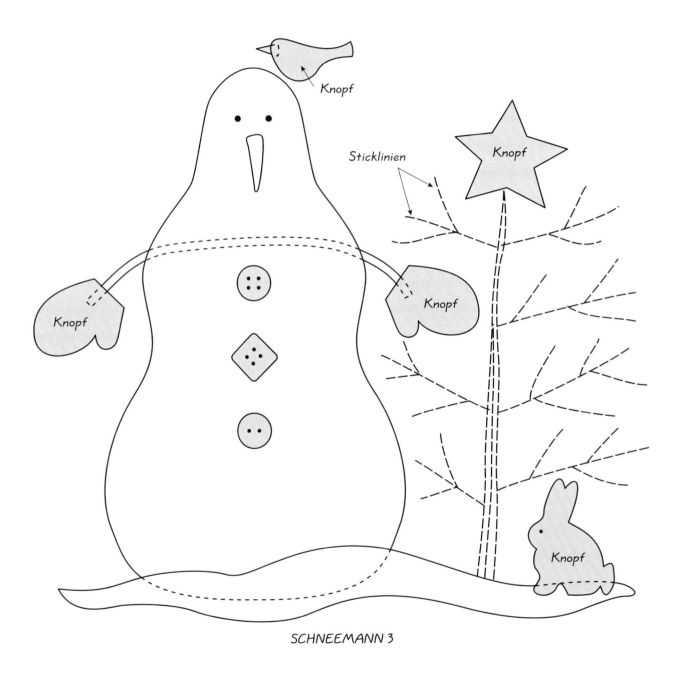

SCHNEEMANN 3

Öffnung für die
Zweig-Arme

Großer Schneemann

Kleiner Schneemann

SCHNEEMANN-FIGUREN
KÖRPER-VORLAGEN A

An die rote Linie von Vorlage B anlegen

Öffnung für die
Zweig-Arme

SCHNEEMANN-FIGUREN
KÖRPER-VORLAGEN B

An die rote Linie von Vorlage A anlegen

Kleiner
Schneemann

Großer
Schneemann

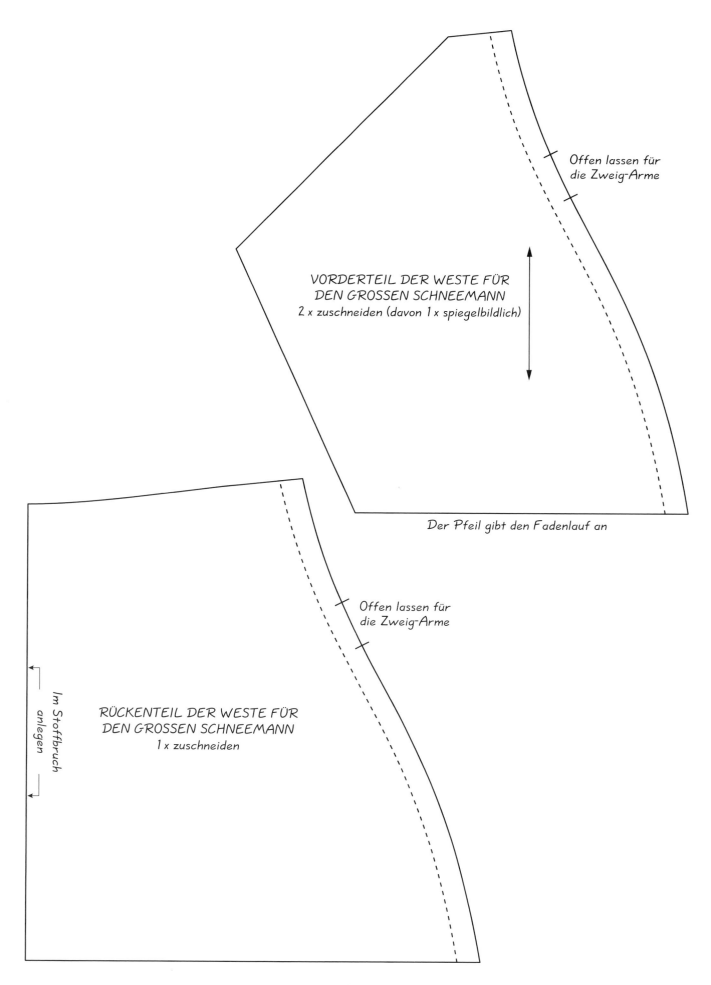

Offen lassen für
die Zweig-Arme

VORDERTEIL DER WESTE FÜR
DEN GROSSEN SCHNEEMANN
2 x zuschneiden (davon 1 x spiegelbildlich)

Der Pfeil gibt den Fadenlauf an

Offen lassen für
die Zweig-Arme

RÜCKENTEIL DER WESTE FÜR
DEN GROSSEN SCHNEEMANN
1 x zuschneiden

Im Stoffbruch
anlegen

ELEGANTES SCHLAF-ZIMMER

Kugelbäume gab es schon zu Cäsars Zeiten im alten Rom und in der Renaissance waren sie in ganz Europa allgegenwärtig. Ich interessiere mich seit jeher für Kunstgeschichte, für die antike Kultur der Griechen und Römer und für Gartengestaltung. Dies war meine Inspiration für diese elegante Schlafzimmerdekoration, die antike Elemente mit modernem Design kombiniert.

DEKORATIVE KUGELBÄUMCHEN

Wenn Sie diese Tagesdecke betrachten, wandeln Sie vielleicht in Gedanken in den Gärten eines Landguts aus der Römerzeit oder durch ein elegantes englisches Anwesen aus dem siebzehnten Jahrhundert. Zypressen, Buchsbaum und Rosmarin wurden damals zu allerlei Figuren zurechtgeschnitten: zu Kugeln, Kegeln und Spiralen, Pyramiden und Tieren. Ich habe meine Bäume mit passenden Schleifen und Ranken in Kübel gepflanzt. Rüschenkissen (Anleitung auf Seite 165) und verschiedene Sofakissen (Seite 187) laden Sie zu Ihren eigenen Gartenträumen ein.

Tagesdecke für ein Doppelbett

Fertige Größe: 254 × 254 cm　　　　　　**Fertiger Block: 25,5 × 35,5 cm**

MATERIAL

Das Foto zeigt die Tagesdecke für ein Doppelbett. Ein kleineres Format finden Sie auf Seite 160. Da Doppelbetten und die Decken dafür ganz unterschiedlich groß sein können, müssen Sie vielleicht die Randbordüren Ihres Bezugs Ihrem eigenen Bett anpassen.

(Muster mit deutlich erkennbarer Richtung eignen sich nicht.)

Patchworkstoffe, 110 cm breit:

6 m beige gemustert für Block- und Gitterstreifen-Hintergrund

2 m grün gemustert für den 2,5-cm-Rand der Blöcke und den äußeren Rand

3 m rot und schwarz gewürfelt für die Quadrate in den Gitterstreifen

0,60 m schwarz gemustert für die Eckquadrate der Gitterstreifen

2 m beige mit floralem Muster für den Randstreifen

0,25 m schwarz gemustert für die Eckquadrate im Rand

je 0,35 m von 2 grün gemusterten Stoffen für die applizierten Bäumchen

je 0,25 m von 2 schwarz gemusterten Stoffen für die applizierten Töpfe

Reste oder je 0,10-m-Stücke von verschiedenen passenden Stoffen für die applizierten Details

9 m Rückseitenstoff

Außerdem:

4,20 m dünnes, aufbügelbares Klebevlies (*Vliesofix®*)

Nähfaden, farblich passend zu den Applikationen

3,20 m ausreißbares Stickvlies

10 Knöpfe, 2,5 cm Ø

passende Decke zum Einziehen

ZUSCHNITT

Waschen und bügeln Sie alle Stoffe. Schneiden Sie die Stoffe entsprechend der Tabelle zu. Verwenden Sie dabei Rollschneider, Quiltlineal und Schneidematte. Alle Maße beinhalten 0,6 cm Nahtzugabe.

STOFF	ERSTER SCHNITT		ZWEITER SCHNITT	
Farbe	Anzahl	Format	Anzahl	Format
beige gemustert	**Block-Hintergrund**			
	7	Streifen: 37 × 107 cm	20	Rechtecke: 27 × 37 cm
	Gitter-Hintergrund			
	43	Streifen: 6,5 × 107 cm	684	Quadrate: 6,5 × 6,5 cm
grün gemustert	**2,5-cm-Randstreifen der Blöcke**			
	34	Streifen: 3,8 × 107 cm	40	Streifen: 3,8 × 27 cm
			40	Streifen: 3,8 × 42 cm
	äußerer Randstreifen		1 Streifen schneiden in:	
	9	Streifen: 3,8 × 107 cm	4	Streifen: ca. 3,8 × 25,5 cm
rot und schwarz gewürfelt	**Quadrate in den Gitterstreifen**			
	22	Streifen: 11,5 × 107 cm	171	Quadrate: 11,5 × 11,5 cm
schwarz gemustert	**Eckquadrate der Gitterstreifen**			
	4	Streifen: 11,5 × 107 cm	30	Quadrate: 11,5 × 11,5 cm
beige mit floralem Muster	**Randstreifen**		1 Streifen schneiden in:	
	9	Streifen: 19 × 107 cm	4	Streifen: ca. 19 × 25,5, cm
schwarz gemustert	**Eckquadrate im Rand**			
	1	Streifen: 19 × 107 cm	4	Quadrate: 19 × 19 cm

Ränder der Blöcke

① Nähen Sie die grün gemusterten 3,8 cm breiten und 27 cm langen Randstreifen an die Ober- und Unterkanten der 20 beige gemusterten 27 × 37 cm großen Hintergrundteile. Bügeln Sie die Nahtzugaben zu den Randstreifen hin.

② Nähen Sie die grün gemusterten 3,8 cm breiten und 42 cm langen Randstreifen an die Seiten der Hintergrundteile. Bügeln Sie.

Applikation

Die Bäume werden mit der Nähmaschine appliziert (siehe »Maschinenapplikation«, Seite 271/272). Ich habe dazu den Applikationsstich der Nähmaschine benutzt, doch können Sie auch wahlweise mit dem Plattstich der Maschine applizieren. Arbeiten Sie mit dünnem, aufbügelbarem Klebevlies.

① Lesen Sie die Anleitung »Aufbügelapplikation« auf Seite 270/271. Übertragen Sie 10 Kugelbäume mit

Schleifen und 10 Kugelbäume mit Ranken von den Vorlagen auf den Seiten 162 bis 164 auf Stoff und schneiden Sie die Formen aus.

② Legen und bügeln Sie die Kugelbäume entsprechend der Grafik »Anordnung der Tagesdecke« (Seite 159) auf die Hintergrundteile.

③ Befestigen Sie die Kanten der Motive mit dem Applikationsstich der Nähmaschine. Legen Sie ausreißbares Stickvlies auf die linke Seite der Hintergrundteile, das erleichtert das gleichmäßige Nähen. Entfernen Sie das Stickvlies nach dem Nähen.

Gitterstreifen zusammensetzen

Sie benötigen 171 Gitterquadrate. Lesen Sie dazu die Anleitungen »Eckdreiecke schnell genäht« (Seite 269) und »Rationelles Nähen« (Seite 268). Bügeln Sie die Nahtzugaben zu den angesetzten Eckdreiecken hin.

11,5 cm

11,5 cm

Abbildung 1

① Nähen Sie 2 beige gemusterte 6,5-cm-Hintergrundquadrate an alle rot und schwarz gewürfelten 11,5-cm-Gitterquadrate (**Abb. 1**). Bügeln Sie.

11,5 cm

11,5 cm

Abbildung 2

② Nähen Sie 2 weitere beige gemusterte 6,5-cm-Hintergrundquadrate an die Einheiten aus Schritt 2 (**Abb. 2**). Bügeln Sie.

③ Nähen Sie die Einheiten aus Schritt 2 mit 0,6 cm Nahtzugabe zu 25 Einheiten aus je 3 Quadraten aneinander (**Abb. 3**). Bügeln Sie die Nahtzugaben in Pfeilrichtung. Jede dieser Einheiten misst nun 11,5 × 32 cm. Vergleichen Sie die Gittereinheiten mit den Ober- und Unterkanten der Kugelbaum-Blöcke. Vielleicht müssen Sie ein paar Nähte enger oder weiter nachnähen (maximal 1 mm), bis die Länge übereinstimmt.

11,5 cm

11,5 cm

11,5 cm

Abbildung 3

④ Nähen Sie die verbleibenden 96 Einheiten aus Schritt 2 zu 24 Einheiten aus je 4 Quadraten zusammen. Jede dieser Einheiten misst nun 11,5 × 42 cm. Vergleichen Sie die Gittereinheiten mit den Seiten der Kugelbaumblöcke und passen Sie sie nötigenfalls an.

11,5 cm

11,5 cm

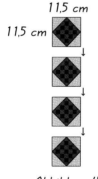

Abbildung 4

Oberseite zusammensetzen

① Legen Sie die Kugelbaumblöcke und die Gitterblöcke entsprechend der »Anordnung der Tagesdecke« (Seite 159) aus. Halten Sie sich beim Zusammennähen der Blöcke an diese Anordnung.

② Für die Reihen 1 und 3 nähen Sie jeweils 11,5 × 42 cm große Gittereinheiten und Kugelbaumblöcke zusammen, wie in **Abb. 5** auf Seite 158 gezeigt. Diese Reihen beginnen und enden mit einem

Baum mit Schleife. Bügeln Sie die Nahtzugaben zu den Blöcken hin.

③ Für die Reihen 2 und 4 nähen Sie 11,5 × 42 cm große Gittereinheiten und Kugelbaumblöcke zusammen wie in Schritt 2, beginnen und enden aber jeweils mit einem Baum mit Ranke. Bügeln Sie die Nahtzugaben zu den Blöcken hin.

④ Nähen Sie die schwarz gemusterten 11,5-cm-Eckquadrate des Gitters und die 11,5 × 32 cm großen Gitterblöcke zu 5 Reihen aneinander (**Abb. 6**, Seite 158). Bügeln Sie die Nahtzugaben zu den Eckquadraten hin.

⑤ Nähen Sie die Gitterreihen aus Schritt 4 und die Blockreihen aus den Schritten 2 und 3 zusammen. Bügeln Sie die Nahtzugaben zu den Blöcken hin.

Randbordüren ansetzen

① Nähen Sie immer 2 der 8 grün gemusterten Streifen à 3,8 × 107 cm zu 4 etwa 214 cm langen Streifen aneinander. Bügeln Sie die Nahtzugaben zu einer Seite. Nähen Sie zusätzlich einen grünen 25,5 cm langen Streifen an jeden 214 cm langen Streifen. Bügeln Sie.

② Stecken und nähen Sie je einen grünen Streifen an Ober- und Unterkante des Deckenbezuges. Schneiden Sie überstehenden Enden ab und bügeln Sie die Nahtzugaben zum Randstreifen hin.

③ Nähen Sie je einen der verbleibenden grünen Streifen an die Seiten. Schneiden Sie überstehende Enden ab und bügeln Sie.

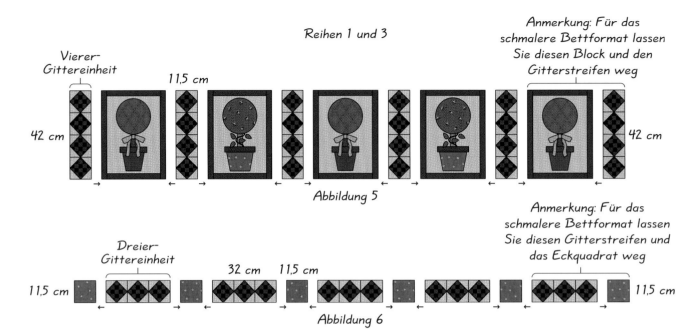

Reihen 1 und 3

Vierer-
Gittereinheit

11,5 cm

42 cm

42 cm

Anmerkung: Für das
schmalere Bettformat lassen
Sie diesen Block und den
Gitterstreifen weg

Abbildung 5

Anmerkung: Für das
schmalere Bettformat lassen
Sie diesen Gitterstreifen und
das Eckquadrat weg

Dreier-
Gittereinheit

11,5 cm

32 cm   11,5 cm

11,5 cm

Abbildung 6

④ Nähen Sie die 8 beigefarbenen, floral gemusterten Randstreifen à 19 × 107 cm zu 4 Streifen von jeweils rund 214 cm Gesamtlänge. Bügeln Sie. Nähen Sie einen beigefarbenen, floral gemusterten Streifen von 19 × 25,5 cm an das Ende jedes 214 cm langen Streifens. Bügeln Sie die Nahtzugaben zu einer Seite. Messen Sie die Außenkante der Decke ab. Schneiden Sie die Randstreifen auf diese Länge zu.

⑤ Stecken und nähen Sie je einen Randstreifen an Ober- und Unterkante des Deckenbezuges. Bügeln Sie die Nahtzugaben zu den Randstreifen hin.

⑥ Nähen Sie je ein schwarz gemustertes 19-cm-Eckquadrat an die Enden der beiden verbleibenden Randstreifen. Bügeln Sie die Nahtzugaben zum Randstreifen hin. Stecken und nähen Sie die Randstreifen an die Seiten. Bügeln Sie.

Rückseite annähen

① Teilen Sie den Rückseitenstoff in 3 gleiche Bahnen von etwa 280 cm. Schneiden Sie alle Webkanten ab.

② Nähen Sie 2 der Rückseitenteile rechts auf rechts entlang der Längskante zusammen zu einem etwa 200 × 280 cm großen Stück. Bügeln Sie. Falten und bügeln Sie einen 0,6 cm breiten Saum an einer der Längsseiten. Bügeln Sie. Falten Sie noch einmal 2,5 cm zur linken Stoffseite und bügeln Sie. Steppen Sie knapp entlang der gefalteten Kante.

③ Falten und bügeln Sie eine der langen Kanten des verbleibenden Rückseitenstückes ebenfalls erst 0,6 cm breit und dann noch einmal 7,5 cm breit nach innen. Bügeln Sie. Steppen Sie knapp entlang der gefalteten Kante. Zeichnen Sie die Lage der Knopflöcher ein und arbeiten Sie 10 senkrechte Knopflöcher auf der gesäumten Kante. Das erste und das letzte Knopfloch liegen jeweils 33 cm von den Seiten entfernt, die restlichen Knopflöcher werden in Abständen von rund 23 cm verteilt.

④ Legen Sie Oberseite und das obere Rückseitenteil aus Schritt 3 rechts auf rechts. Richten Sie die Oberseite mittig aus, sodass auf allen Seiten gleich viel übersteht. An der Oberkante steht der Rückseitenstoff etwa 13 cm über (**Abb. 7**). Stecken Sie beide Lagen aufeinander. Nähen Sie mit 0,6 cm Nahtzugabe entlang der Seiten und der Oberkante des Deckenbezuges. Schneiden Sie die Rückseite auf die gleiche Größe wie das Vorderteil zurück.

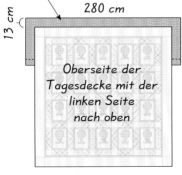

Rückenseitenteil aus Schritt 3

280 cm

13 cm

Oberseite der
Tagesdecke mit der
linken Seite
nach oben

Abbildung 7

⑤ Legen Sie Oberseite und das Rückseitenteil aus Schritt 2 rechts

Beim kleineren Format fehlen diese vertikale
Blockreihe und die Gitterstreifeneinheiten

254 cm

254 cm

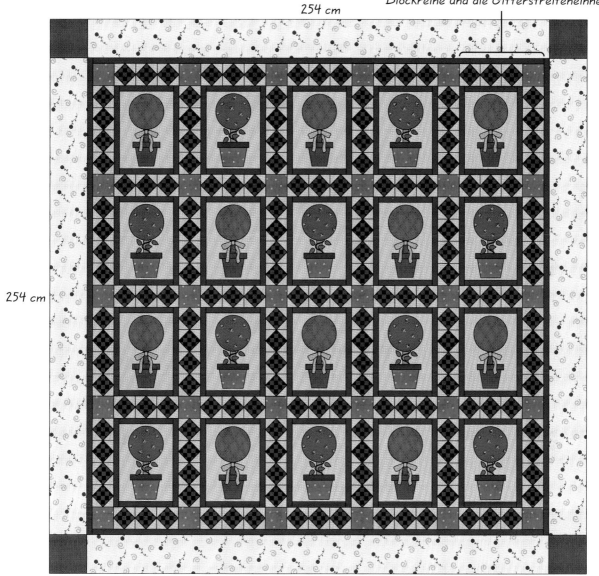

ANORDNUNG DER TAGESDECKE

auf rechts. Stecken Sie beides aufeinander. Die gesäumte Kante dieses Rückseitenteils überlappt die
gesäumte Kante des bereits angenähten, oberen Rückseitenteils
um 8 cm. Richten Sie die Oberseite
mittig auf dem Rückseitenteil aus,
sodass an allen Seiten gleich viel
übersteht **(Abb. 8)**. Stecken Sie die
beiden Lagen aufeinander. Nähen
Sie mit 0,6 cm Nahtzugabe entlang
der Seiten und der Unterkante des

Deckenbezugs. Schneiden Sie die
Rückseite auf die gleiche Größe wie
die Oberseite zurück. Dann schneiden Sie die Ecken der Nahtzugaben
ab, wenden den Bezug auf rechts
und bügeln ihn.

⑥ Zeichnen Sie die Platzierung der
Knöpfe auf dem unteren Rücksei-
tenteil an und nähen Sie die
Knöpfe fest. Schieben Sie die
Decke in den Bezug.

8 cm

8 cm

Oberseite des
Deckenbezuges mit
der linken Seite
nach oben

Rückenseitenteil aus Schritt 2

Abbildung 8

159

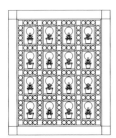

Tagesdecke für ein Einzelbett

Fertige Größe: 213 × 254 cm
Fertiger Block: 25,5 × 35,5 cm

(Klar ersichtliche Musterverläufe sind hier nicht extra erwähnt.)

Patchworkstoffe, 110 cm breit:

5 m beige gemustert für die Hintergründe von Blöcken und Gitterstreifen

1,60 m grün gemustert für die 2,5 cm breiten Randstreifen der Blöcke und des äußeren Randes

2,30 m rot und schwarz gewürfelt für die Quadrate in den Gitterstreifen

0,60 m schwarz gemustert für die Eckquadrate der Gitter

2 m beige mit floralem Muster für den Randstreifen

0,25 m schwarz gemustert für die Eckquadrate im Rand

je 0,35 m von 2 grün gemusterten Stoffen für die applizierten Bäume

je 0,25 m von 2 schwarz gemusterten Stoffen für die applizierten Töpfe

Reste oder je 0,10 m-Stücke von verschiedenen passenden Stoffen für die applizierten Details

7,50 m Rückseitenstoff

Außerdem:

3,70 m dünnes, aufbügelbares Klebevlies (Vliesofix®)

Nähfaden, farblich passend zu den Applikationen

2,30 m ausreißbares Stickvlies

10 Knöpfe, 2,5 cm ⌀

ZUSCHNITT

Waschen und bügeln Sie alle Stoffe. Schneiden Sie die Stoffe entsprechend der Tabelle zu. Verwenden Sie dabei Rollschneider, Quiltlineal und Schneidematte. Alle Maße beinhalten 0,6 cm Nahtzugabe.

STOFF	ERSTER SCHNITT		ZWEITER SCHNITT	
Farbe	**Anzahl**	**Format**	**Anzahl**	**Format**
beige gemustert	**Block-Hintergrund**			
	6	Streifen: 37 × 107 cm	16	Rechtecke: 27 × 37 cm
	Gitter-Hintergrund			
	35	Streifen: 6,5 × 107 cm	560	Quadrate: 6,5 × 6,5 cm
grün gemustert	**2,5-cm-Randstreifen**			
	27	Streifen: 3,8 × 107 cm	32	Streifen: 3,8 × 27 cm
			32	Streifen: 3,8 × 42 cm
	äußerer Randstreifen		1 Streifen wie folgt schneiden:	
	9	Streifen: 3,8 × 107 cm	2	Streifen: 3,8 × 28 cm
rot-schwarz gewürfelt	**Quadrate in den Gitterstreifen**			
	18	Streifen: 11,5 × 107 cm	140	Quadrate: 11,5 × 11,5 cm

STOFF	ERSTER SCHNITT		ZWEITER SCHNITT	
Farbe	Anzahl	Format	Anzahl	Format
schwarz gemustert	**Eckquadrate der Gitterstreifen**			
	4	Streifen: 11,5 × 107 cm	25	Quadrate: 11,5 × 11,5 cm
beige mit floralem Mustert	**Randstreifen**		1 Streifen wie folgt schneiden:	
	9	Streifen: 19 × 107 cm	2	Streifen: 19 × 28 cm
schwarz gemustert	**Eckquadrate im Rand**			
	1	Streifen: 19 × 107 cm	4	Quadrate: 19 × 19 cm

Ränder der Blöcke

Lesen Sie »Ränder der Blöcke« auf Seite 156. Folgen Sie der Anleitung in Schritt 1 und 2 und nähen Sie 16 Hintergrundblöcke mit Randstreifen.

Applikation

Lesen Sie »Applikation« auf Seite 156, folgen Sie der Anleitung in Schritt 1 bis 3 und applizieren Sie Bäume mit Schleifen auf 8 der Hintergrundteile und Bäume mit Ranken auf die restlichen Hintergrundteile. Verwenden Sie die Vorlagen auf den Seiten 162 bis 164.

Gitterstreifen zusammensetzen

Folgen Sie der Anleitung »Gitterstreifen zusammensetzen« auf Seite 157. Sie benötigen 140 Gitterblöcke. Die Gitterstreifen werden zu 20 Einheiten aus je 3 Quadraten und 20 Einheiten aus je 4 Quadraten zusammengenäht.

Oberseite zusammensetzen

Lesen Sie die Schritte 1 bis 5 der Anleitung »Oberseite zusammensetzen« auf Seite 157. Beachten Sie die »Anordnung der Tagesdecke« (Seite 159) und legen Sie die Kugelbaum-Blöcke und die Gitterstreifeneinheiten in der entsprechenden Anordnung aus. Sie erhalten 4 Reihen mit Kugelbaum-Blöcken, mit Gittereinheiten dazwischen. Halten Sie sich beim Zusammennähen der Blöcke und Gitter an die vorgegebene Anordnung.

Randbordüren ansetzen

Lesen Sie »Randbordüren ansetzen« auf Seite 157. Sie nähen einen zusätzlichen 28 cm langen äußeren Randstreifen an nur 2 der 213-cm-Streifen. Die kürzeren Streifen werden an Ober- und Unterkante des Deckenbezugs genäht.

Für die beigefarbene, floral gemusterte Bordüre ändern sich die Maße für Ober- und Unterkante und für die Seiten. Schneiden Sie die Streifen entsprechend der Größe der genähten Oberseite zu.

Rückseite annähen

① Teilen Sie den Rückseitenstoff in 3 gleich lange Bahnen von etwa 250 cm. Schneiden Sie alle Webkanten ab.

② Nähen Sie 2 der Rückseitenteile rechts auf rechts an der Längskante zusammen zu einem etwa 200 × 250 cm großen Stück. Falten Sie entlang einer Längskante 0,6 cm zur linken Stoffseite. Falten Sie noch einmal 2,5 cm um und bügeln Sie. Nähen Sie diesen Saum knappkantig fest.

③ Falten und bügeln Sie an der langen Kante des verbleibenden Teils 0,6 cm zur linken Stoffseite um. Falten Sie noch einmal 7,5 cm um und bügeln Sie. Steppen Sie diesen Saum knappkantig fest. Zeichnen Sie die Lage von 10 Knopflöchern ein und nähen Sie diese. Das erste und das letzte Knopfloch liegen 30 cm von den Seitenkanten entfernt, die restlichen 8 Knopflöcher werden gleichmäßig mit etwa 19 cm Abstand genäht.

④ Folgen Sie Schritt 4 bis 6 der Anleitung »Rückseite annähen«, wie auf Seite 158 beim großen Deckenbezug beschrieben.

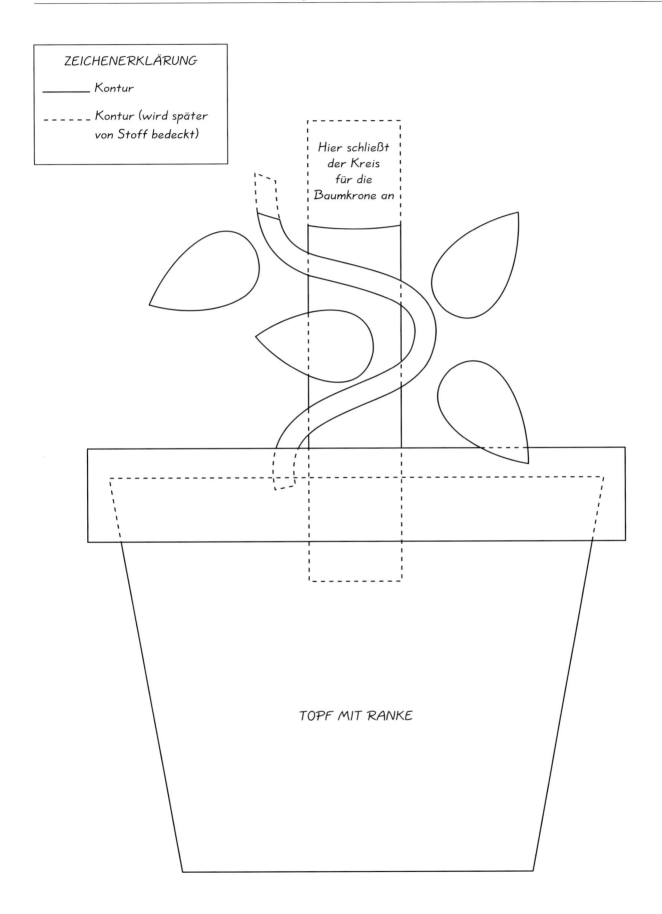

ZEICHENERKLÄRUNG

_____ Kontur

- - - - - Kontur (wird später
von Stoff bedeckt)

Hier schließt
der Kreis
für die
Baumkrone an

TOPF MIT RANKE

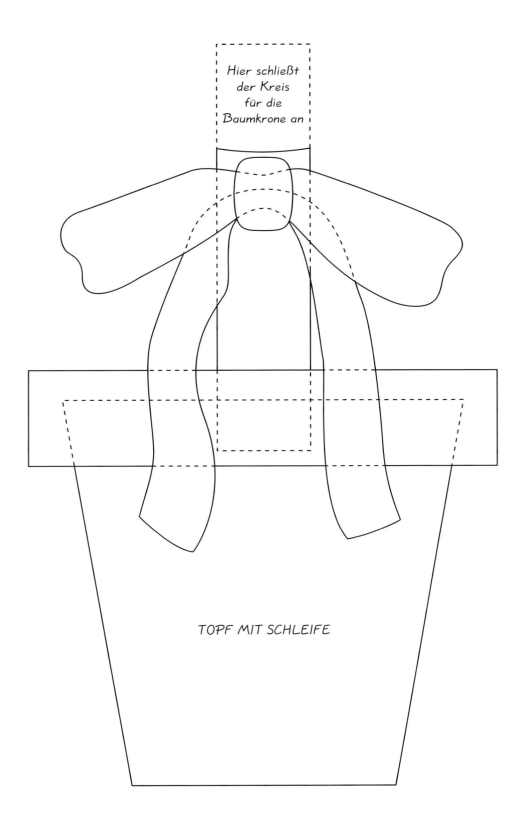

Hier schließt
der Kreis
für die
Baumkrone an

TOPF MIT SCHLEIFE

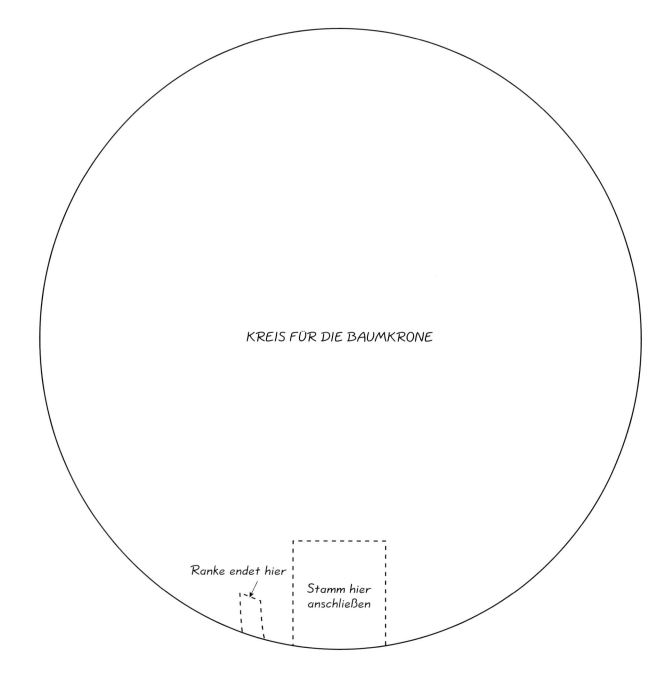

KREIS FÜR DIE BAUMKRONE

Ranke endet hier

Stamm hier
anschließen

KISSENHÜLLEN MIT RÜSCHEN UND KAROS

Die Kissen auf der folgenden Seite nehmen die Gitterblöcke der Tagesdecke

auf dem Bett wieder auf und bilden mit ihr zusammen ein perfektes

Ensemble. Hier können Sie sich ganz stilvoll zur Nachtruhe zurückziehen

oder morgens gemütlich im Bett frühstücken. Die Anleitungen gelten

für drei Kissenhüllen für ein großes Doppelbett.

Fertige Größe: 100 × 80 cm (inklusive Rüsche)

MATERIAL FÜR 3 KISSENHÜLLEN

(Muster mit deutlich erkennbarer Richtung eignen sich nicht.)

Patchworkstoffe, 110 cm breit:

0,25 m gelb gemustert für die Mitte

0,50 m dunkelbeige gemustert für die kleinen Dreiecke

0,80 m grün gemustert für die kleinen, auf die Spitze gestellten Quadrate und den Kontraststreifen

1 m beige gemustert für die großen Dreiecke

0,80 m rot-schwarz gewürfelt für die großen, auf die Spitze gestellten Quadrate

0,10 m rot gemustert für die kleinen Eckquadrate

0,50 m beige mit floralem Muster für den Rand

0,30 m schwarz gemustert für die großen Eckquadrate

4,50 m schwarz und beige gewürfelt für die Rüsche

2,50 m Rückseitenstoff

Außerdem:

Festes Baumwollhäkelgarn oder Perlgarn

ZUSCHNITT

Waschen und bügeln Sie alle Stoffe. Schneiden Sie die Stoffe entsprechend der Tabelle zu. Verwenden Sie dabei Rollschneider, Quiltlineal und Schneidematte. Alle Maße beinhalten 0,6 cm Nahtzugabe.

STOFF	ERSTER SCHNITT		ZWEITER SCHNITT	
Farbe	Anzahl	Format	Anzahl	Format
gelb gemustert	**Mitte**			
	1	Streifen: 11,5 × 107 cm	3	Streifen: 11,5 × 32 cm
dunkelbeige gemustert	**kleine Dreiecke**			
	8	Streifen: 3,8 × 107 cm	192	Quadrate: 3,8 × 3,8 cm
grün gemustert	**kleine, auf die Spitze gestellte Quadrate**			
	3	Streifen: 6,5 × 107 cm	48	Quadrate: 6,5 × 6,5 cm
	Kontraststreifen			
	12	Streifen: 3,8 × 107 cm	kein zweiter Schnitt	
beige gemustert	**große Dreiecke**			
	12	Streifen: 6,5 × 107 cm	192	Quadrate: 6,5 × 6,5 cm
rot-schwarz gewürfelt	**große, auf die Spitze gestellte Quadrate**			
	6	Streifen: 11,5 × 107 cm	48	Quadrate: 11,5 × 11,5 cm
rot gemustert	**kleine Eckquadrate**			
	1	Streifen: 6,5 × 107 cm	12	Quadrate: 6,5 × 6,5 cm
beige mit floralem Mustert	**Rand**			
	5	Streifen: 6,5 × 107 cm	6	Streifen: 6,5 × 42 cm
			6	Streifen: 6,5 × 32 cm
schwarz gemustert	**große Eckquadrate**			
	2	Streifen: 11,5 × 107 cm	12	Quadrate: 11,5 × 11,5 cm
schwarz-beige gewürfelt	**Rüsche**			
	15	Streifen: 28 × 107 cm	kein zweiter Schnitt	
Rückseitenstoff	6	Streifen: 38 × 81 cm	kein zweiter Schnitt	

Eckdreiecke annähen

Wie Sie die Eckdreiecke ganz einfach und schnell annähen, ist auf Seite 269 und unter »Rationelles Nähen« (Seite 268) beschrieben. Bügeln Sie die Nahtzugaben zu den angesetzten Dreiecken hin.

① Nähen Sie je 2 dunkelbeige gemusterte 3,8-cm-Quadrate an alle 48 grün gemusterten 6,5-cm-Quadrate **(Abb. 1)**. Bügeln Sie.

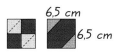

6,5 cm

6,5 cm

Abbildung 1

② Nähen Sie 2 weitere dunkelbeige gemusterte 3,8-cm-Quadrate an alle Einheiten aus Schritt 1 **(Abb. 2)**. Bügeln Sie.

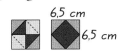

6,5 cm

6,5 cm

Abbildung 2

③ Nähen Sie je 2 beige gemusterte 6,5-cm-Quadrate an alle 48 rot-schwarz gewürfelten 11,5-cm-Quadrate **(Abb. 3)**. Bügeln Sie.

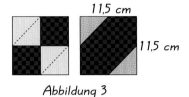

Abbildung 3

④ Nähen Sie 2 weitere beige ge-musterte 6,5-cm-Quadrate an die Einheiten aus Schritt 3 **(Abb. 4)**. Bügeln Sie.

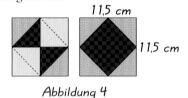

Abbildung 4

Zusammensetzen

Arbeiten Sie mit 0,6 cm Nahtzu-gabe und bügeln Sie nach jedem Arbeitsgang in die mit Pfeilen an-gegebene Richtung.

① Nähen Sie 36 beige-grüne Quadrate mit angenähten Eckdreiecken zu 6 Streifen à 6 Quadraten zu-sammen **(Abb. 5)**. Jede dieser Ein-heiten misst nun 6,5 × 32 cm.

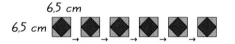

Abbildung 5

② Vergleichen Sie die Länge der Einheiten mit den Ober- und Un-terkanten der gelb gemusterten Mittelteile von 11,5 × 32 cm. Viel-leicht müssen Sie einige Nähte enger oder weiter nachnähen (maximal 1 mm), damit die Län-gen übereinstimmen. Nähen Sie

die 3 gelb gemusterten Mittelteile zwischen die 6 Einheiten aus Schritt 1 **(Abb. 6)**. Bügeln Sie.

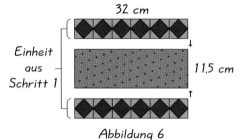

Abbildung 6

③ Nähen Sie die verbleibenden 12 beige-grünen Ein-heiten mit an-genähten Eckdrei-ecken zu 6 Paaren von 6,5 × 11,5 cm zusammen **(Abb. 7)**. Bügeln Sie.

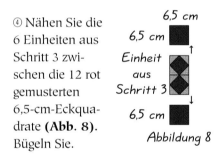

Abbildung 7

④ Nähen Sie die 6 Einheiten aus Schritt 3 zwi-schen die 12 rot gemusterten 6,5-cm-Eckqua-drate **(Abb. 8)**. Bügeln Sie.

Abbildung 8

⑤ Nähen Sie die 3 Einheiten aus Schritt 2 zwischen die 6 Einheiten aus Schritt 4 **(Abb. 9)**. Bügeln Sie.

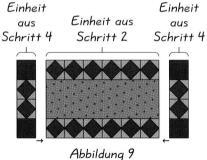

Abbildung 9

⑥ Nähen Sie die 3 Einheiten aus Schritt 5 zwischen die 6 beigefar-

benen, floral gemusterten Rand-streifen à 6,5 × 42 cm **(Abb. 10)**. Bügeln Sie.

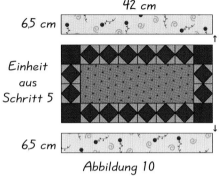

Abbildung 10

⑦ Nähen sie die 3 Einheiten aus Schritt 6 zwischen die 6 beigefar-benen, floral gemusterten Rand-streifen à 6,5 × 32 cm **(Abb. 11, Seite 169)**. Bügeln Sie.

⑧ Nähen Sie 30 beige-rot-schwarze 11,5-cm-Quadrate mit angenähten Eckdreiecken zu 6 Streifen à 5 Quadraten zusam-men **(Abb. 12, Seite 169)**. Bügeln Sie. Jede Einheit misst nun 11,5 × 52 cm.

⑨ Stecken und nähen Sie die 3 Einheiten aus Schritt 7 zwischen die 6 Einheiten aus Schritt 8 **(Abb. 13, Seite 169)**. Bügeln Sie.

⑩ Nähen Sie die verbleibenden 18 beige-rot-schwarzen 11,5-cm-Quadrate mit den angenähten Eckdreiecken zu 6 Einheiten aus je 3 auf die Spitze gestellten Quadraten zusammen **(Abb. 14, Seite 169)**. Bügeln Sie. Jede Ein-heit misst nun 11,5 × 32 cm.

⑪ Nähen Sie die 6 Einheiten aus Schritt 10 zwischen die 12 schwarz gemusterten 11,5-cm-Eckquadrate **(Abb. 15, Seite 169)**. Bügeln Sie.

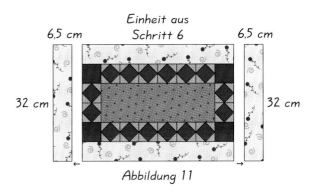

6,5 cm   Einheit aus Schritt 6   6,5 cm

32 cm   32 cm

Abbildung 11

⑫ Nähen Sie die 3 Einheiten aus Schritt 9 zwischen die 6 Einheiten aus Schritt 11 **(Abb.16)**. Bügeln Sie. Die Kissenoberseiten messen nun 72,5 × 52 cm.

⑬ Nähen Sie je einen 3,8 cm breiten und 107 cm langen Kontraststreifen an Ober- und Unterkante der Einheiten aus Schritt 12. Schneiden Sie überstehende Enden ab und bügeln Sie die Nahtzugaben zum Kontraststreifen hin.

⑭ Nähen Sie die verbleibenden 3,8 cm breiten und 107 cm langen Kontraststreifen an die Seiten jeder Einheit aus Schritt 13. Schneiden Sie überstehende Enden ab und bügeln Sie.

Rüschen und Rückseiten

① Nähen Sie die Schmalseiten von 5 schwarz-beige gewürfelten Rüschenstreifen à 28 × 107 cm rechts auf rechts aneinander und diesen langen Streifen dann zu einem geschlossenen Ring. Bügeln Sie die Rüsche der Länge nach zur Hälfte links auf links. Arbeiten Sie die verbleibenden 10 Streifen zu 2 weiteren Rüschen.

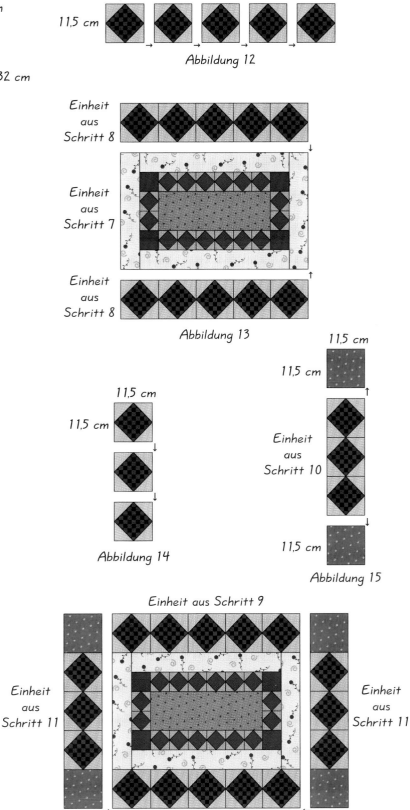

11,5 cm

11,5 cm

Abbildung 12

Einheit aus Schritt 8

Einheit aus Schritt 7

Einheit aus Schritt 8

Abbildung 13

11,5 cm

11,5 cm

Abbildung 14

11,5 cm

11,5 cm

Einheit aus Schritt 10

11,5 cm

Abbildung 15

Einheit aus Schritt 9

Einheit aus Schritt 11

Einheit aus Schritt 11

Abbildung 16

② Nähen Sie einen Reihfaden entlang der offenen Kante der Rüsche, indem Sie einen breiten Zickzackstich über das Häkelgarn oder das Perlgarn arbeiten. Teilen Sie jede Rüsche in Viertel ein und markieren Sie die Stellen.

③ Messen Sie die Länge des Kissenbezuges und markieren sie dort die Mitten aller 4 Kanten.

④ Legen und stecken Sie die Rüschen rechts auf rechts so auf jede Kissenhüllenoberseite, dass die Markierungen aufeinander treffen. Die Schnittkanten von Oberseite und Rüsche liegen aufeinander, der Stoffbruch der Rüsche zeigt zur Kissenmitte. Ziehen Sie an dem eingenähten Häkelgarn und raffen Sie jede Rüsche. Verteilen Sie den Stoff gleichmäßig. Heften Sie die Rüschen an den Kissenhüllen fest. Die Rüschen werden beim Annähen der Kissenrückseiten mitgefasst.

⑤ Arbeiten Sie an einer langen Kante jedes 38 × 81 cm großen Rückseitenteils einen schmalen Saum, indem Sie 0,6 cm zur linken Seite falten und bügeln. Falten und bügeln Sie noch einmal 0,6 cm um und steppen Sie die gefaltete Kante fest.

⑥ Legen Sie jeweils ein Rückseitenteil rechts auf rechts über das zweite Rückseitenteil, sodass die gesäumten Kanten einander um 8 cm überlappen. Heften Sie die Teile an den einander überlappenden Seiten zusammen (**Abb. 17**). Verfahren Sie mit den restlichen 4 Rückseitenteilen für die beiden anderen Kissenrückseiten genauso.

⑦ Legen Sie eine Kissenvorderseite rechts auf rechts so auf eine Rückseite, dass die Rüsche innen liegt. Stecken Sie beides aufeinander. Die Rückseite ragt etwa 2,5 bis 4 cm über alle Kanten des Kissenvorderteils hinaus. Nähen Sie mit 0,6 cm Nahtzugabe um alle Kanten

der Kissenhülle. Schneiden Sie die Rückseite auf die Größe der Vorderseite zurück. Dann schneiden Sie die Ecken ab, wenden die Kissenhülle auf rechts und bügeln sie. Arbeiten Sie die beiden anderen Kissenhüllen ebenso.

Ganz in Weiß!

Kissenhüllen in Weiß, Creme, Beige und Ecru sind eine besonders edle Schlafzimmerdekoration.

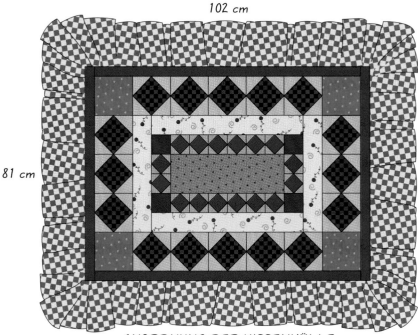

102 cm

81 cm

ANORDNUNG DER KISSENHÜLLE

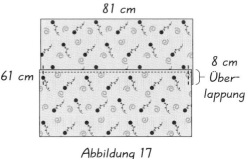

81 cm

61 cm

8 cm }Überlappung

Abbildung 17

DIE SCHÖNSTEN KUGELBÄUMCHEN

Sehen Sie sich das Foto auf der nächsten Seite an. Die entzückenden Kugel-

bäumchen sehen aus, als wären sie gerade eben auf einer Gartenschau als

die Schönsten aller getrimmten und geformten Pflanzen preisgekrönt worden.

Arbeiten Sie mit Stoffen anstelle von Zweigen und Blättern. Bei diesen Ver-

sionen haben Sie jegliche Gestaltungsfreiheit und wissen, die Bäumchen

halten ewig – ohne Gießen und Nachschneiden. Der plastische Vogel,

die Schleifen, Knöpfe und Jo-Jos geben diesem Wandquilt das Besondere.

Fertige Größe: 80 × 50 cm

MATERIAL UND ZUSCHNITT

Waschen und bügeln Sie alle Stoffe. Schneiden Sie die Stoffe entsprechend der Tabelle zu. Verwenden Sie dabei Rollschneider, Quiltlineal und Schneidematte. Alle Maße beinhalten 0,6 cm Nahtzugabe.

STOFF	MENGE	TEILE	MASS
gelb gemustert für Hintergrund und Schachbrettmuster	0,60 m	1	Rechteck: 42 × 62,5 cm (Hintergrund)
		2	Streifen: 3,8 × 75 cm (Schachbrett)
		1	Quadrat: 3,8 × 3,8 cm (Schachbrett)
schwarz gemustert für Kontraststreifen, Einfassung und Hängeschlaufen (nach Belieben)	0,60 m	2	Streifen: 2,5 × 62,5 cm (Kontraststreifen)
		2	Streifen: 2,5 × 44,5 cm (Kontraststreifen)
		4	Streifen: 7 × 107 cm (Einfassung)
		1	Streifen: 6,5 × 100 cm (Schlaufen)
grün gemustert für das Schachbrettmuster	0,10 m	2	Streifen: 3,8 × 75 cm
		1	Quadrat: 3,8 × 3,8 cm

Fortsetzung auf Seite 173

MATERIAL UND ZUSCHNITT—FORTSETZUNG

STOFF	MENGE	TEILE	MASS
▪ rot gemustert für die Seitenstreifen	0,15 m	2	Streifen: 9 × 49,5 cm
Rückseitenstoff	0,70 m	–	–
dünnes Volumenvlies	0,70 m	–	–
▨ grün gemustert für die großen Applikationen	0,25 m	–	–
verschiedene passende Stoffe für die Applikationen und Jo-Jos	Reste oder 0,10-m-Stücke	–	–
dünnes, aufbügelbares Klebevlies (*Vliesofix®*); grüne Schmuckkordel (nach Belieben); Sticktwist; verschiedene Knöpfe, Seidenmal- oder Ostereierfarbe (nach Belieben); Schleifenband aus Organza; 15 × 15 cm roter Filz für den plastischen Vogel; Polyesterwatte			

Hintergrund zusammensetzen

Setzen Sie den Hintergrund zusammen, bevor Sie die Applikationen aufnähen. Arbeiten Sie mit
0,6 cm Nahtzugabe und bügeln
Sie nach jedem Arbeitsschritt.

① Nähen Sie die 2,5 cm breiten
und 62,5 cm langen Kontraststreifen an Ober- und Unterkante des
gelb gemusterten Hintergrundteils
von 42 × 62,5 cm. Bügeln Sie die
Nahtzugaben zum Kontraststreifen hin.

② Nähen Sie die 2,5 cm breiten
und 44,5 cm langen Kontraststreifen an die Seiten. Bügeln Sie.

③ Wechseln Sie die beiden Farben
ab und nähen Sie die 4 jeweils
3,8 cm breiten und 75 cm langen
Streifen für das Schachbrettmuster
zu einem 11,5 × 75 cm großen
Streifenset zusammen. Wechseln
Sie bei jeder Naht die Nährichtung und bügeln Sie zum dunklen

Stoff hin. Schneiden Sie dieses Set
in 3 Teile zu je etwa 25 cm Länge
(**Abb. 1**).

④ Nähen Sie die 3 Teile zu einem
32 × 25 cm großen Streifenset zusammen. Halbieren Sie dieses
Streifenset in 2 Teile von jeweils
etwa 13 cm Länge (**Abb. 2**).

⑤ Nähen Sie die Hälften zu einem
63 × 13 cm großen Streifenset zusammen. Mit Rollschneider und
Quiltlineal schneiden Sie 2 Abschnitte à 3,8 × 63 cm davon ab.
Jeder Streifen besteht aus 24
Quadraten (**Abb. 3**, Seite 174).

⑥ Nähen Sie das gelb gemusterte
3,8-cm-Quadrat an das Ende
eines Schachbrettstreifens. Nähen
Sie das grün gemusterte 3,8-cm-
Quadrat an des Ende des anderen
Schachbrettstreifens (**Abb. 4**,
Seite 174). Bügeln Sie. Nun besteht jeder Streifen aus 25 Quadraten.

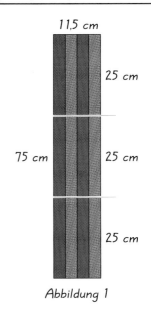

11,5 cm
25 cm
75 cm
25 cm
25 cm

Abbildung 1

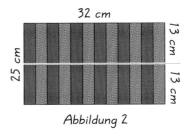

32 cm
25 cm
13 cm
13 cm

Abbildung 2

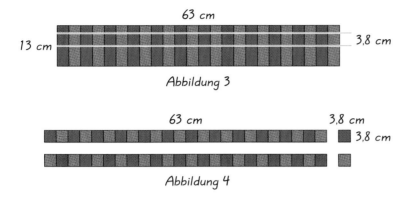

63 cm

13 cm   3,8 cm

Abbildung 3

63 cm   3,8 cm

3,8 cm

Abbildung 4

⑦ Vergleichen Sie die Schachbrettstreifen mit der Unterkante des Quilts. Vielleicht müssen Sie einige Nähte enger oder weiter nähen (maximal 1 mm), damit die Länge übereinstimmt. Korrigieren Sie diese Nähte, noch bevor Sie die Schachbrettstreifen aneinander nähen. Wenn Sie die gleichen Nähte in beiden Streifen korrigieren, passen beim Zusammennähen die Nahtkreuzungen (siehe dazu »Zusammengesetzte Randbordüren anpassen«, Seite 274). Nähen Sie die beiden Schachbrettstreifen aneinander und bügeln Sie. Stecken und nähen Sie die Schachbrettbordüre an die Unterkante des Quilts. Bügeln Sie die Naht zum Kontraststreifen hin.

⑧ Nähen Sie die 9 cm breiten und 49,5 cm langen Randstreifen an die Seiten. Bügeln Sie die Nahtzugaben zu den seitlichen Randstreifen hin.

Applikation

Die Applikationsmotive werden von Hand aufgenäht (siehe »Schlingstichapplikation«, Seite 272). Sie können sie aber auch mit der Nähmaschine wahlweise im Plattstich oder einem Applikationsstich befestigen (siehe »Maschinenapplikation«, Seite

271/272). Arbeiten Sie mit dünnem, aufbügelbarem Klebevlies.

① Lesen Sie die Anleitung »Aufbügelapplikation« auf Seite 270/271. Übertragen Sie die 3 Bäumchen von den Vorlagen auf den Seiten 176 bis 181 auf Stoff und schneiden Sie die Formen aus. Wählen Sie ein Blatt von Baumvorlage 3, um die 20 Blätter für die Seitenbordüre durchzupausen und aus Stoff zuzuschneiden.

② Legen und bügeln Sie die Applikationsteile auf den Hintergrund, wie die Grafik »Anordnung des Quilts« zeigt. Bevor Sie den rechten Baum Nr. 3 aufnähen, legen Sie die grüne Kordel als »Ranke«

unter die Kanten der Baumkugelkreise und des Topfes. Nähen Sie die Kordel von Hand fest. Legen und bügeln Sie 10 Blätter auf jeden der Seitenstreifen.

③ Arbeiten Sie Schlingstiche mit zweifädigem Sticktwist um alle Kanten der Applikationen und sticken Sie die Schnörkel auf dem Rand des mittleren Topfes mit Stielstich (siehe »Zierstiche«, Seite 272). Zeichnen Sie die Ranken auf die Seitenstreifen auf.

Quiltlagen montieren

Legen und heften Sie Rückseite, Vlies und Oberseite aufeinander (siehe »Quiltlagen montieren«, Seite 275). Schneiden Sie Vlies und Rückseite bis auf 0,6 cm an die Kanten der Oberseite zurück.

Quilt einfassen

Fassen Sie den Quilt entsprechend der Anleitung auf Seite 275/276 (»Quilt einfassen«) mit den 7 cm breiten und 107 cm langen Einfassstreifen ein.

80 cm

50 cm

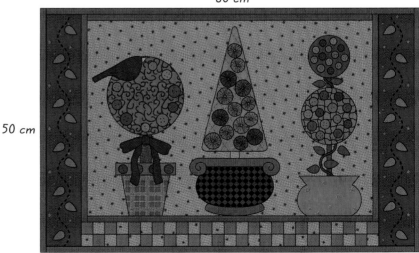

ANORDNUNG DES QUILTS

Letzte Stiche

① Quilten Sie von Hand oder mit Maschine in den Nahtlinien von Hintergrund und Kontraststreifen und zwischen den Quadraten des Schachbrettstreifens. Um die Umrisse der Applikationen quilten Sie in 1 mm Abstand. Auf den Hintergrund quilten Sie ein diagonales 3-cm-Gitter. Die Ranken auf den Seitenstreifen quilten Sie mit ungeteiltem Sticktwist.

② Arbeiten Sie 5 kleine und 9 große Jo-Jos entsprechend der Anleitung »Jo-Jos nähen« auf Seite 272/273 und nach den unten abgebildeten Vorlagen. Nähen Sie die Jo-Jos auf das mittlere Bäumchen, wie die Grafik »Anordnung des Quilts« (Seite 174) zeigt.

③ Nähen Sie verschiedene Knöpfe auf das rechte und linke Bäumchen Nr. 1 und 3. Wer mag, kann selbst Knöpfe färben (siehe Seite 139). Binden Sie das Organzaband zu einer Schleife und nähen Sie diese von Hand auf das linke Bäumchen.

④ Arbeiten Sie einen plastischen Vogel nach der Anleitung auf dieser Seite (Kasten rechts). Nähen Sie den Vogel von Hand auf den linken Baum auf.

⑤ Wenn Sie Hängeschlaufen an Ihrem Quilt anbringen möchten, so falten Sie den schwarzen 6,5 cm breiten und 100 cm langen Streifen der Länge nach rechts auf rechts zur Hälfte. Schließen Sie die offene Kante mit 0,6 cm Nahtzugabe, wenden Sie den Streifen

und bügeln Sie ihn. Steppen Sie an beiden Kanten entlang. Schneiden Sie den Streifen in 5 Stücke à 19 cm. Falten Sie jedes Stück zur Hälfte, bügeln Sie den Falz und schlagen Sie die Unterkanten ein. Verteilen Sie die Schlaufen gleichmäßig entlang der Rückseite des Quilts und nähen Sie sie von Hand fest.

So wird der plastische Vogel genäht

① Stellen Sie für den Vogelkörper inklusive Schnabel eine Schablone nach der Vorlage auf Seite 177 her. Halbieren Sie das 15 × 15 cm große Filzquadrat und zeichnen Sie den Umriss der Schablone auf die eine Hälfte. Stecken Sie den Filz mit der markierten Seite nach oben auf das zweite Filzstück. Schneiden Sie den Vogel entlang der aufgezeichneten Linie durch beide Lagen gleichzeitig aus.

② Übertragen Sie den Schnabel von der Vorlage auf Seite 177 auf das Klebevlies. Bügeln Sie den Schnabel aus einem gelben Stoffrest auf.

③ Arbeiten Sie mit zweifädigem Sticktwist Schlingstiche um alle Kanten des Vogels. Lassen Sie eine kurze Öffnung zum Ausstopfen offen. Stopfen Sie den Vogel mit ein wenig Polyesterwatte aus und arbeiten Sie weiter Schlingstiche, bis die Öffnung geschlossen ist. Sticken Sie die Augen als Knötchenstich mit Sticktwist (siehe »Zierstiche«, Seite 272).

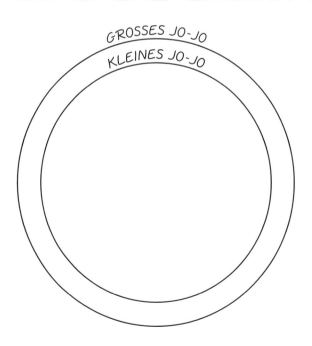

GROSSES JO-JO

KLEINES JO-JO

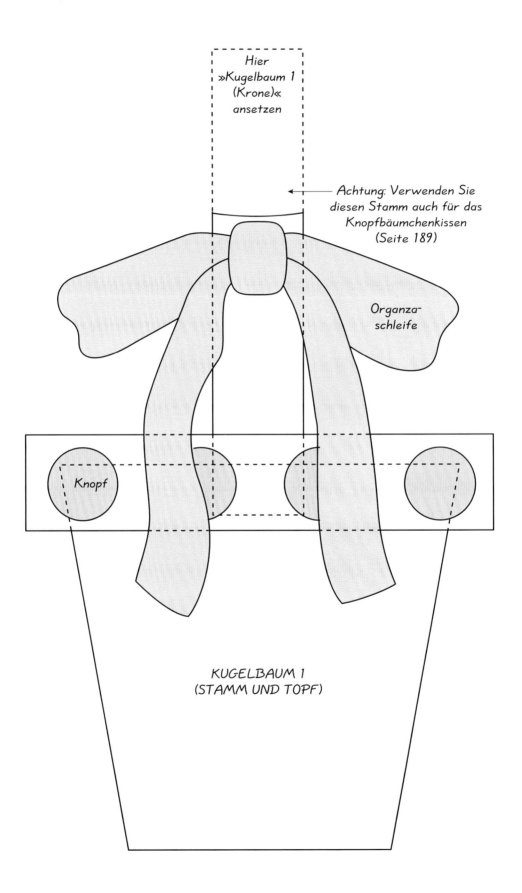

Hier
»Kugelbaum 1
(Krone)«
ansetzen

Achtung: Verwenden Sie
diesen Stamm auch für das
Knopfbäumchenkissen
(Seite 189)

Organza-
schleife

Knopf

KUGELBAUM 1
(STAMM UND TOPF)

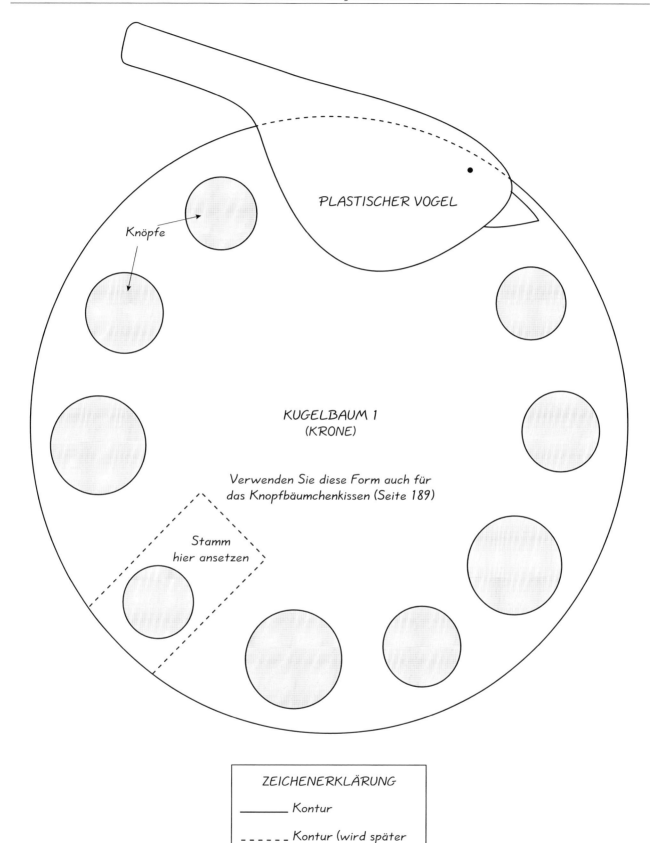

PLASTISCHER VOGEL

Knöpfe

KUGELBAUM 1
(KRONE)

Verwenden Sie diese Form auch für
das Knopfbäumchenkissen (Seite 189)

Stamm
hier ansetzen

ZEICHENERKLÄRUNG

――――― Kontur

- - - - - - Kontur (wird später
von Stoff bedeckt)

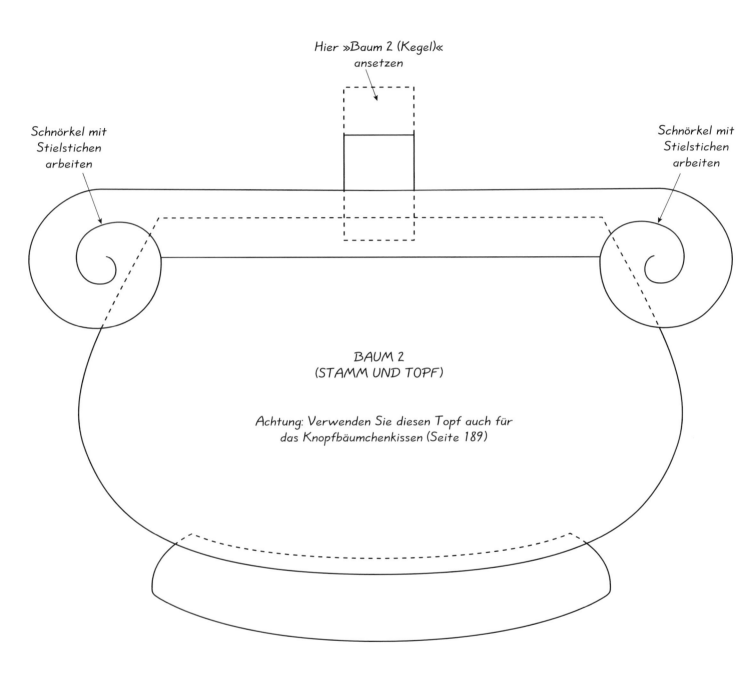

Hier »Baum 2 (Kegel)«
ansetzen

Schnörkel mit
Stielstichen
arbeiten

Schnörkel mit
Stielstichen
arbeiten

BAUM 2
(STAMM UND TOPF)

Achtung: Verwenden Sie diesen Topf auch für
das Knopfbäumchenkissen (Seite 189)

ZEICHENERKLÄRUNG

——— Kontur

- - - - - Kontur (wird später
von Stoff bedeckt)

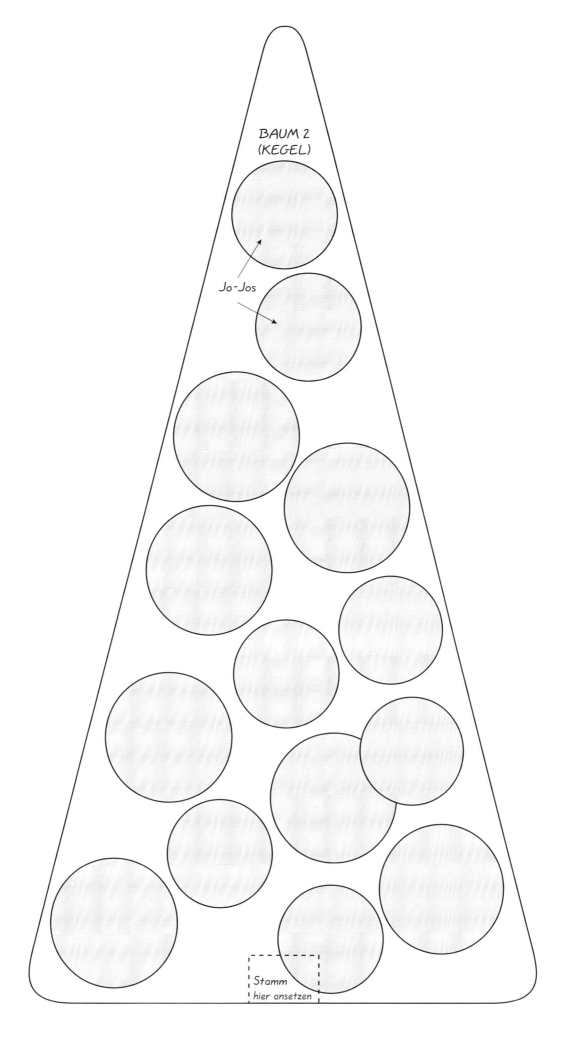

BAUM 2
(KEGEL)

Jo-Jos

Stamm
hier ansetzen

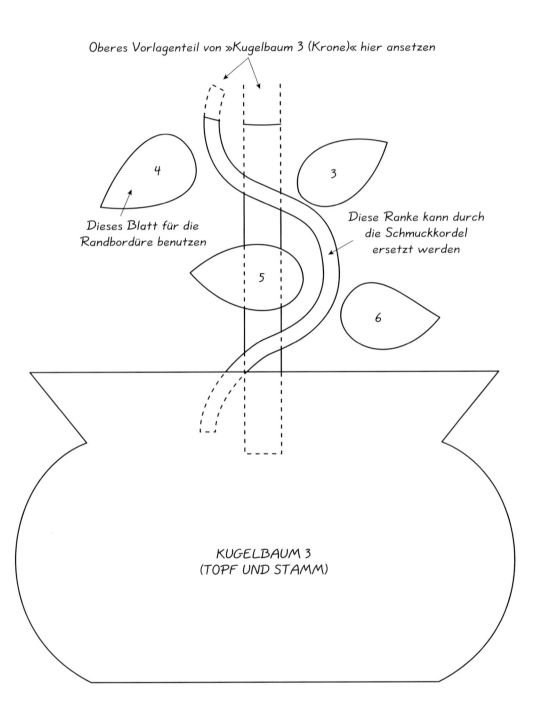

Oberes Vorlagenteil von »Kugelbaum 3 (Krone)« hier ansetzen

4

3

Dieses Blatt für die
Randbordüre benutzen

Diese Ranke kann durch
die Schmuckkordel
ersetzt werden

5

6

KUGELBAUM 3
(TOPF UND STAMM)

ZEICHENERKLÄRUNG

_____ Kontur

- - - - - Kontur (wird später
von Stoff bedeckt)

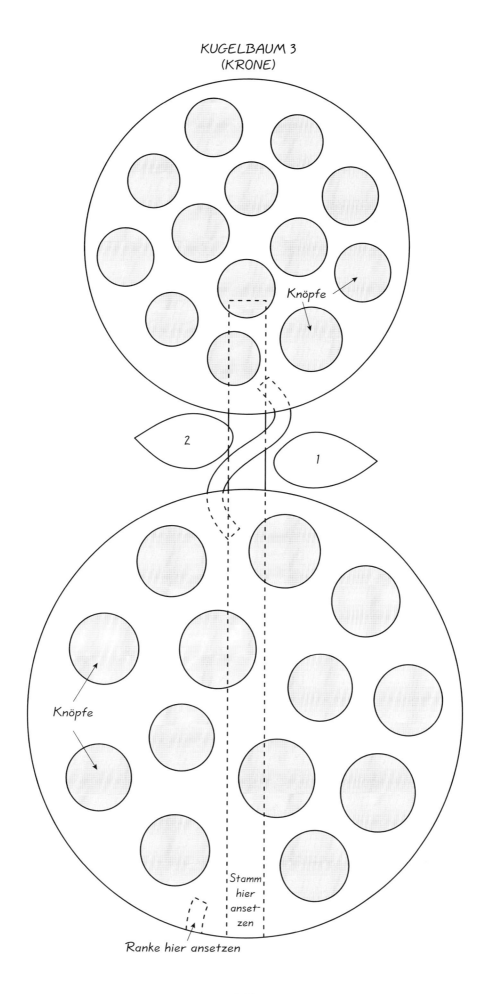

Knöpfe

2

1

Knöpfe

Stamm
hier
ansetzen

Ranke hier ansetzen

MITTELDECKE

Diese dekorative Tischdecke wirkt sehr klar und grafisch. Das Mittelmotiv aus zwei ineinander gestellten Quadraten wird von ebenfalls auf die Spitze gestellten Quadraten eingerahmt, die wir bereits von der großen Tagesdecke her kennen (Anleitung Seite 155). Ich habe für diese Mitteldecke Dekostoffe benutzt, kein Vlies eingearbeitet und auch nicht gequiltet. Dadurch ist die Tischdecke besonders schnell und einfach anzufertigen.

Fertige Größe: 85 × 85 cm

MATERIAL

(Muster mit deutlich erkennbarer Richtung eignen sich nicht.)

Dekorationsstoffe aus Baumwolle, mindestens 110 cm breit:

■ 0,30 m grün und schwarz gewürfelt für das Mittelquadrat und die Randquadrate

■ 0,70 m rot gemustert für die Dreiecke und den äußeren Rand

■ 0,60 m beige gemustert für die kleinen und großen Dreiecke

■ 0,25 m schwarz gemustert für die 2,5-cm-Randstreifen

■ 0,10 m gelb gemustert für die Eckquadrate

1 m Rückseitenstoff

Außerdem:

4 Quasten, farblich passend

ZUSCHNITT

Waschen und bügeln Sie alle Stoffe. Schneiden Sie die Stoffe entsprechend der Tabelle zu. Verwenden Sie dabei Rollschneider, Quiltlineal und Schneidematte. Alle Maße beinhalten 0,6 cm Nahtzugabe.

STOFF	ERSTER SCHNITT		ZWEITER SCHNITT	
Farbe	Anzahl	Format	Anzahl	Format
grün-schwarz gewürfelt ■	**Mittelquadrat** (Schneiden Sie das Quadrat als Erstes zu.)			
	1	Quadrat: 21,5 × 21,5 cm	kein zweiter Schnitt	
	Randquadrate			
	4	Streifen: 6,5 × 76 cm	40	Quadrate: 6,5 × 6,5 cm

Fortsetzung auf Seite 184

STOFF	ERSTER SCHNITT		ZWEITER SCHNITT	
Farbe	**Anzahl**	**Format**	**Anzahl**	**Format**
rot gemustert ■	**Dreiecke** (Schneiden Sie die Quadrate zuerst zu.)			
	2	Quadrate: 17 × 17 cm	kein zweiter Schnitt	
	äußerer Rand			
	2	Streifen: 14 × 88 cm	kein zweiter Schnitt	
	2	Streifen: 14 × 63 cm	kein zweiter Schnitt	
beige gemustert	**kleine Dreiecke** (Schneiden Sie die Streifen zuerst zu.)			
	7	Streifen: 3,8 × 107 cm	160	Quadrate: 3,8 × 3,8 cm
	große Dreiecke			
	2	Quadrate: 22,5 × 22,5 cm	kein zweiter Schnitt	
schwarz gemustert ■	**2,5-cm-Randstreifen**			
	4	Streifen: 3,8 × 107 cm	4	Streifen: 3,8 × 57 cm
			4	Streifen: 3,8 × 42 cm
gelb gemustert ■	**Eckquadrate**			
	1	Streifen: 3,8 × 107 cm	8	Quadrate: 3,8 × 3,8 cm

Eckdreiecke nähen

Lesen Sie unter »Eckdreiecke schnell genäht« auf Seite 269, wie man die Quadrate mit den Eckdreiecken näht. Bügeln Sie die Nahtzugaben zu den angesetzten Dreiecken hin.

① Nähen Sie je 2 beige gemusterte 3,8-cm-Quadrate an alle 40 grün-schwarz gewürfelten 6,5-cm-Quadrate (**Abb. 1**). Bügeln Sie.

Abbildung 1

② Nähen Sie 2 weitere beige gemusterte 3,8-cm-Quadrate an die Einheiten aus Schritt 1 (**Abb. 2**). Bügeln Sie.

6,5 cm

6,5 cm

Abbildung 2

Zusammensetzen

① Mit Rollschneider und Quiltlineal halbieren Sie nun die beiden rot gemusterten 17-cm-Quadrate einmal diagonal zu insgesamt 4 Dreiecken (**Abb. 3**).

Schneiden 17 cm

17 cm

Der Pfeil zeigt den Fadenlauf an
Abbildung 3

② Nähen Sie mit 0,6 cm Nahtzugabe das grün-schwarz gewürfelte 21,5-cm-Quadrat zwischen 2 rot gemusterte Dreiecke. Bügeln Sie die Nahtzugaben zu den Dreiecken hin. Schneiden Sie die überstehenden Spitzen der Dreiecke ab (**Abb. 4**).

Nach dem Nähen die Spitzen abschneiden

17 cm   17 cm

17 cm   17 cm

Abbildung 4

③ Nähen Sie die Einheit aus Schritt 2 zwischen die beiden verbleibenden rot gemusterten Dreiecke. Bügeln Sie. Schneiden Sie das Quadrat mit Rollschneider und Quiltlineal auf genau 30 × 30 cm zu (**Abb. 5**, Seite 185).

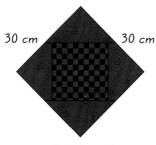

30 cm   30 cm

Abbildung 5

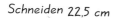

Schneiden 22,5 cm

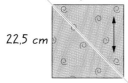

22,5 cm

Der Pfeil zeigt den Fadenlauf an
Abbildung 6

22,5 cm

22,5 cm

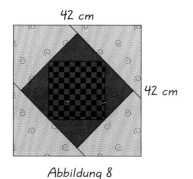

22,5 cm

Nach dem Nähen die Spitzen abschneiden   22,5 cm

Abbildung 7

42 cm

42 cm

Abbildung 8

6,5 cm

6,5 cm

Abbildung 9

④ Mit Rollschneider und Quiltlineal halbieren Sie die beiden beige gemusterten 22,5-cm-Quadrate einmal diagonal zu insgesamt 4 Dreiecken **(Abb. 6)**.

⑤ Nähen Sie die Einheit aus Schritt 3 zwischen 2 beige gemusterte Dreiecke. Bügeln Sie die Nahtzugaben zu den Dreiecken hin. Schneiden Sie die Spitzen der Dreiecke ab **(Abb. 7)**.

⑥ Nähen Sie die Einheit aus Schritt 5 zwischen die beiden verbleibenden beige gemusterten Dreiecke **(Abb. 8)**. Bügeln Sie. Schneiden Sie das Quadrat mit Rollschneider und Quiltlineal auf das genaue Maß von 42 × 42 cm zu.

Randbordüren ansetzen

① Nähen Sie je einen schwarz gemusterten Randstreifen von 3,8 × 42 cm an Ober- und Unterkante der Mitteldecke. Bügeln Sie die Nahtzugaben zum Randstreifen hin.

② Nähen Sie je ein gelb gemustertes 3,8-cm-Quadrat an die Enden der verbleibenden schwarz gemusterten 42-cm-Randstreifen. Bügeln Sie die Nahtzugaben zu den Randstreifen hin. Stecken und nähen Sie die Randstreifen an die Seiten. Bügeln Sie.

③ Nähen Sie 18 beige-grün-schwarz gemusterte 6,5-cm-Einheiten mit den angenähten Eckdreiecken zu 2 Bordüren mit je 9 Quadraten aneinander **(Abb. 9)**. Bügeln Sie die Nahtzugaben in eine Richtung. Jede

Nicht alle Tische sind rund

Ich lege diese Mitteldecke über eine große Tischdecke auf einen runden Tisch. Selbstverständlich können Sie diese Mitteldecke aber auch auf einen quadratischen oder rechteckigen Tisch zu legen. Arbeiten Sie die Mitteldecke in einem Farbschema, das zu Ihrem Tisch passt – sei er nun aus Kirsche oder Kiefer oder ein Fundstück vom Flohmarkt.

dieser Randbordüren misst nun 6,5 × 47 cm.

④ Vergleichen Sie die zusammengesetzten Randbordüren mit Ober- und Unterkante der Mitteldecke. Vielleicht müssen Sie einige Nähte enger oder weiter nachnähen (maximal 1 mm) bis die Längen übereinstimmen. Stecken und nähen Sie die Bordüren an Ober- und Unterkante der Tischdecke. Bügeln Sie die Nahtzugaben zum schwarz gemusterten Randstreifen hin.

⑤ Nähen Sie die verbleibenden 22 beige-grün-schwarzen 6,5-cm-Einheiten mit den angenähten Eckdreiecken zu 2 Randbordüren mit je 11 Quadraten zusammen **(Abb. 10)**. Bügeln Sie.

6,5 cm

6,5 cm

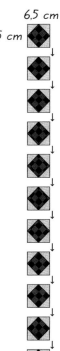

Abbildung 10

Jeder dieser Streifen misst nun
6,5 × 57 cm.

⑥ Passen, stecken und nähen Sie
die zusammengesetzte Bordüre an
die Seiten. Bügeln Sie.

⑦ Nähen Sie je einen schwarz gemusterten Randstreifen von 3,8 ×
57 cm an Ober- und Unterkante
der Tischdecke. Bügeln Sie die
Nahtzugaben zu den schwarz
gemusterten Randstreifen hin.

⑧ Nähen Sie je ein gelb gemustertes 3,8-cm-Quadrat an die Enden
der verbleibenden schwarz gemusterten Streifen von 3,8 × 57 cm.
Bügeln Sie die Nahtzugaben zu
den schwarzen Stoffen hin.
Stecken und nähen Sie die Randstreifen an die Seiten. Bügeln Sie.

⑨ Nähen Sie die rot gemusterten
Außenstreifen von 14 × 63 cm an
Ober- und Unterkante der Tischdecke. Bügeln Sie die Nahtzugaben nach außen.

⑩ Nähen Sie die rot gemusterten
Außenstreifen von 14 × 88 cm an
die Seiten. Bügeln Sie.

Fertigstellen

Legen Sie Oberseite und Rückseite
rechts auf rechts und stecken Sie
sie fest. Nähen Sie mit 0,6 cm
Nahtzugabe um alle Kanten und
lassen Sie zum Wenden etwa 20
bis 25 cm offen. Schneiden Sie die
Rückseite auf dieselbe Größe wie
die Oberseite zurück. Schneiden
Sie die Ecken ab, wenden Sie die
Mitteldecke auf rechts und nähen
Sie die Wendeöffnung mit Handstichen zu. Steppen Sie einmal um
die Außenkanten. Nähen Sie eine
dekorative Quaste an jede Ecke.

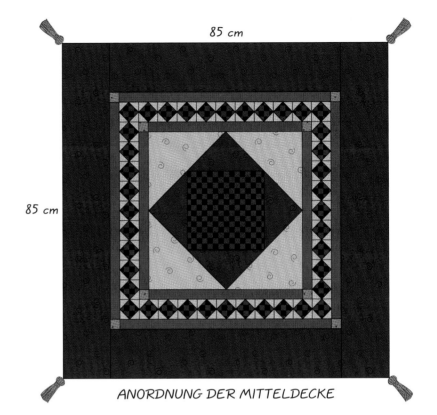

85 cm

85 cm

ANORDNUNG DER MITTELDECKE

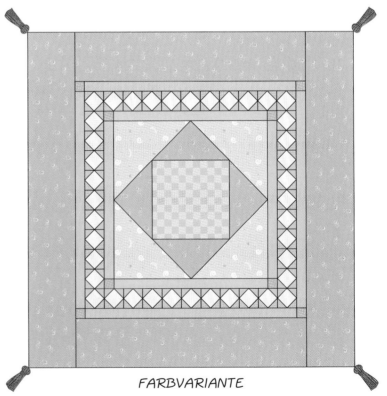

FARBVARIANTE

*Wenn Sie Pastellfarben lieben, nähen Sie Ihre Mitteldecke
in blassem Blau, Violett, Meergrün und Pfirsich.*

GEMÜTLICHE LANDHAUSKISSEN

LÄNDLICH DEKORIEREN · EINFACH UND SCHNELL

Machen Sie sich mit diesen Kissen und einem guten Buch einen gemütlichen Abend. Mit einer Gruppe von Sofakissen ist ein Schlafzimmer oder ein schön eingerichtetes Wohnzimmer erst richtig komplett. Auf dem Foto finden Sie das Kissen mit den Jo-Jo-Kugelbäumen auf der oberen Schublade der Kommode. Auf dem Sessel liegen das Knopfbäumchenkissen (Mitte; Anleitung Seite 189), das Jo-Jo-Blumenkissen (links; Seite 191) und das Sonnenblumenkissen (rechts; Seite 192).

JO-JO-KUGEL-BAUMKISSEN

188). Bügeln Sie die Nahtzugaben in Pfeilrichtung, wie abgebildet.

Fertige Größe: 50 × 37 cm

Zusammensetzen

Angaben zu Material und Zuschnitt finden Sie auf Seite 188. Setzen Sie die Kissenoberseite zusammen, bevor Sie die Applikationen aufnähen. Arbeiten Sie mit 0,6 cm Nahtzugabe und bügeln Sie nach jedem Arbeitsschritt.

① Nähen Sie die 3 gelb gemusterten Hintergrundteile von 11,5 × 18 cm zusammen (**Abb. 1**, Seite

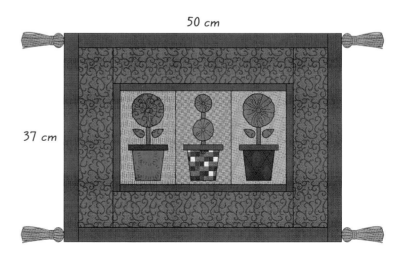

50 cm

37 cm

MATERIAL UND ZUSCHNITT *(für das Jo-Jo-Kugelbaumkissen)*

Waschen und bügeln Sie alle Stoffe. Schneiden Sie die Stoffe entsprechend der Tabelle zu. Verwenden Sie dabei Rollschneider, Quiltlineal und Schneidematte. Alle Maße beinhalten 0,6 cm Nahtzugabe.

STOFF	MENGE	TEILE	MASS
gelb gemustert für den Hintergrund	je 0,15 m von 3 Stoffen	je 1	Rechteck 11,5 × 18 cm von jedem Stoff
uni schwarz für Kontraststreifen und Einfassung	0,25 m (schneiden Sie 2 Streifen à 2,5 × 107 cm und 2 Streifen à 3,8 × 107 cm)	2	Streifen: 2,5 × 32 cm (Kontraststreifen)
		2	Streifen: 2,5 × 20 cm (Kontraststreifen)
		2	Streifen: 3,8 × 47 cm (Einfassung)
		2	Streifen: 3,8 × 38 cm (Einfassung)
grün gemustert für den breiten Rand	0,25 m (schneiden Sie 2 Streifen à 7,5 × 107 cm)	2	Streifen: 7,5 × 34,5 cm
		2	Streifen: 7,5 × 33 cm
Futterstoff	0,50 m	–	–
dünnes Volumenvlies	1 m (für ein Kissen nach Maß)	2	Rechtecke à 33 × 47 cm (Kissen nach Maß)
Rückseitenstoff	0,50 m	2	Rechtecke: 32 × 38 cm
verschiedene passende Stoffe für die Applikationsmotive und Jo-Jos	Reste oder 0,10-m-Stücke	–	–

dünnes, aufbügelbares Klebevlies *(Vliesofix®)*; Sticktwist; 4 Quasten; Polyesterfüllwatte

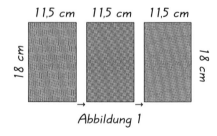

11,5 cm   11,5 cm   11,5 cm

18 cm   18 cm

Abbildung 1

② Nähen Sie die 2,5 cm breiten und 32 cm langen Kontraststreifen an Ober- und Unterkante der Einheit aus Schritt 1. Bügeln Sie die Nahtzugaben zu den Kontraststreifen hin.

③ Nähen Sie die 2,5 cm breiten und 20 cm langen Kontraststreifen an die Seiten. Bügeln Sie.

④ Nähen Sie die 7,5 cm breiten und 34,5 cm langen Randstreifen an Ober- und Unterkante. Bügeln Sie die Nahtzugaben zum Rand.

⑤ Nähen Sie die 7,5 cm breiten und 33 cm langen Randstreifen an die Seiten. Bügeln Sie.

⑥ Nähen Sie die 3,8 cm breiten und 46 cm langen Einfassstreifen an Ober- und Unterkante. Bügeln Sie die Nahtzugaben zum Einfassstreifen hin.

⑦ Nähen Sie die 3,8 cm breiten und 38 cm langen Einfassstreifen an die Seiten. Bügeln Sie.

Applikation

Die Applikationsmotive werden von Hand aufgenäht (siehe »Schlingstichapplikation«, Seite 272). Sie können sie aber auch mit der Nähmaschine wahlweise im Plattstich oder in einem anderen Applikationsstich aufnähen (siehe »Maschinenapplikation«, Seite 271/272). Arbeiten Sie mit dünnem, aufbügelbarem Klebevlies.

① Lesen Sie die Anleitung »Aufbügelapplikation« auf Seite 270/271. Übertragen Sie 3 Töpfe mit Stamm und Blättern von Seite 195 auf Stoff und schneiden Sie die Formen aus.

② Legen und bügeln Sie die Applikationsmotive auf den Hintergrund (siehe Grafik auf Seite 187).

③ Befestigen Sie die Kanten der Applikationsteile mit Schlingstichen in zweifädigem Sticktwist. Die Jo-Jos werden später aufgenäht.

Kissenlagen montieren

Legen und heften Sie Futterstoff, Vlies und Oberseite aufeinander, wie unter »Quiltlagen montieren« auf Seite 275 beschrieben.

Letzte Stiche

① Quilten Sie von Hand oder mit Maschine in den Nahtlinien von Hintergrund und Kontraststreifen. Umquilten Sie die Umrisse der Applikationen in 1 mm Abstand. Auf den breiten Rand quilten Sie ein diagonales 4-cm-Gitter. Quilten Sie nicht in der Naht neben der Einfassung.

② Schneiden Sie Vlies und Futterstoff auf die gleiche Größe zu wie die Oberseite.

③ Arbeiten Sie ein kleines, ein mittleres und 2 große Jo-Jos nach den Vorlagen auf Seite 195 und der Anleitung »Jo-Jos nähen« auf Seite 272/273. Nähen Sie das kleine und das mittlere Jo-Jo auf das mittlere Bäumchen. Nähen Sie die großen Jo-Jos auf das linke und rechte Bäumchen.

Kissenrückseite nähen

① Arbeiten Sie entlang einer der 38 cm langen Kanten der 32 ×

38 cm-Rückseitenstoffe einen schmalen Saum, indem Sie 0,6 cm nach innen falten, bügeln und dann noch einmal 0,6 cm umschlagen. Bügeln Sie. Steppen Sie entlang der gefalteten Kante.

② Legen Sie das eine Rückseitenteil so über das andere, dass die gesäumten Kanten einander um 9 cm überlappen (Abb. 2). Beide Stoffe liegen mit der rechten Seite nach oben. Heften Sie die Teile dort aufeinander, wo sie einander überlappen. Die Kissenrückseite misst nun 52 × 38 cm.

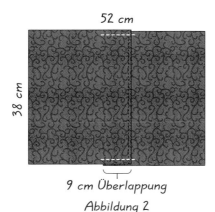

9 cm Überlappung

Abbildung 2

Kissen fertig stellen

① Nähen Sie die Kissenvorderseite und die Rückseite mit 0,6 cm Nahtzugabe rechts auf rechts an allen Kanten zusammen. Schneiden Sie die Ecken ab, wenden Sie das Kissen auf rechts und bügeln Sie.

② Nähen Sie mit der Maschine entlang der Einfassung und des Randstreifens. Nähen Sie von Hand an jede Ecke eine Quaste.

③ Nähen Sie ein passendes Kissen nach der Anleitung auf Seite 194. Stecken Sie die Kissenfüllung durch die Öffnung auf der Rückseite in den Bezug.

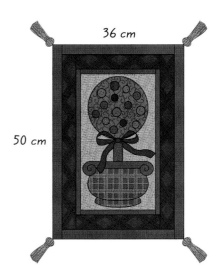

KNOPF-BÄUMCHEN-KISSEN

Fertige Größe: 36 × 50 cm
(Siehe Foto auf Seite 187, das mittlere Kissen auf dem Sessel)

Zusammensetzen

Angaben zu Material und Zuschnitt finden Sie auf Seite 190. Stellen Sie die Oberseite fertig, bevor Sie die Applikationen aufnähen. Arbeiten Sie mit 0,6 cm Nahtzugabe und bügeln Sie nach jedem Arbeitsgang.

① Nähen Sie die 2,5 cm breiten und 21,5 cm langen Kontraststreifen an Ober- und Unterkante des 21,5 × 37 cm großen Hintergrundteils. Bügeln Sie die Nahtzugaben zum Kontraststreifen hin.

② Nähen Sie die 2,5 cm breiten und 39,5 cm langen Kontraststreifen an die Seiten. Bügeln Sie.

③ Nähen Sie die 5 cm breiten und 24 cm langen Randstreifen an Ober- und Unterkante. Bügeln Sie die Nahtzugaben zu den breiten Randstreifen hin.

MATERIAL UND ZUSCHNITT *(für das Knopfbäumchenkissen)*

Waschen und bügeln Sie alle Stoffe. Schneiden Sie die Stoffe entsprechend der Tabelle zu. Verwenden Sie dabei Rollschneider, Quiltlineal und Schneidematte. Alle Maße beinhalten 0,6 cm Nahtzugabe.

STOFF	MENGE	TEILE	MASS
gelb gemustert für den Hintergrund	0,30 m	1	Rechteck: 21,5 × 37 cm
schwarz uni für Kontraststreifen und Einfassung	0,25 m (in 2 Streifen à 2,5 × 107 cm und 2 Streifen à 3,8 × 107 cm schneiden)	2	Streifen: 2,5 × 39,5 cm (Kontraststreifen)
		2	Streifen: 2,5 × 21,5 cm (Kontraststreifen)
		2	Streifen: 3,8 × 52 cm (Einfassung)
		2	Streifen: 3,8 × 32 cm (Einfassung)
rot gemustert für den breiten Rand	0,15 m (in 2 Streifen à 5 × 107 cm schneiden)	2	Streifen: 5 × 47 cm
		2	Streifen: 5 × 24 cm
Futterstoff	0,50 m	–	–
dünnes Volumenvlies	1 m (für ein Kissen nach Maß)	2	Rechtecke: 32 × 47 cm (Kissen nach Maß)
Rückseitenstoff	0,50 m	2	Rechtecke: 32 × 37 cm
verschiedene passende Stoffe für die Applikationen	Reste oder jeweils 0,10 – 0,15 m	–	–

dünnes, aufbügelbares Klebevlies *(Vliesofix®)*; Sticktwist; verschiedene Knöpfe; Organzaband; 4 Quasten; Polyesterwatte

④ Nähen Sie die 5 cm breiten und 47 cm langen Randstreifen an die Seiten. Bügeln Sie.

⑤ Nähen Sie die 3,8 cm breiten und 32 cm langen Einfassstreifen an Ober- und Unterkante. Bügeln Sie die Nahtzugaben zum Einfassstreifen hin.

⑥ Nähen Sie die 3,8 cm breiten und 52 cm langen Einfassstreifen an die Seiten. Bügeln Sie.

Applikation

Die Applikationen werden von Hand auf den Hintergrund genäht

(siehe »Schlingstichapplikation«, Seite 272). Sie können sie aber auch mit der Nähmaschine wahlweise im Plattstich oder einem Applikationsstich anbringen (siehe »Maschinenapplikation«, Seite 271/272). Verwenden Sie für jede dieser Techniken dünnes, aufbügelbares Klebevlies.

① Lesen Sie die Anleitung »Aufbügelapplikation« auf Seite 270/271. Verwenden Sie die Vorlagen zum Kugelbäumchen-Wandquilt auf den Seiten 176 bis 178. Pausen Sie Krone und Stamm von Baum 1 und den Topf von Baum 2 ab.

② Legen und bügeln Sie die Applikationsteile auf den Hintergrund (siehe Abbildung des Knopfbäumchens auf Seite 189).

③ Arbeiten Sie Schlingstiche mit zweifädigem Sticktwist um alle Kanten der Applikation. Sticken Sie die Stielstiche für die Schnörkel am Rand des Topfes ebenfalls mit zweifädigem Sticktwist (siehe »Zierstiche«, Seite 272).

Kissenlagen montieren

Legen und heften Sie Futterstoff, Vlies und Oberseite aufeinander,

wie unter »Quiltlagen montieren«
auf Seite 275 beschrieben.

Letzte Stiche

① Quilten Sie von Hand oder mit
Maschine in den Nahtlinien von
Hintergrund und Kontraststreifen.
Umquilten Sie die Applikationen
in 1 mm Abstand. Auf den Hintergrund und den breiten Rand quilten Sie ein diagonales 2,5-cm-Git-
ter. Quilten Sie nicht in der
Nahtlinie des Einfassstreifens.

② Schneiden Sie Futter und Vlies
auf die gleiche Größe wie die
Oberseite zurück.

③ Nähen Sie die Knöpfe auf.

Kissenrückseite
nähen

① Arbeiten Sie entlang einer der
langen Kanten der 32 × 37 cm
großen Rückseitenstücke einen
schmalen Saum, indem Sie 0,6 cm
nach innen falten, bügeln und
dann noch einmal 0,6 cm umschlagen. Bügeln Sie. Steppen Sie entlang der gefalteten Kante.

② Legen Sie das eine Rückseitenteil
so über das andere – beide mit der
rechten Seite nach oben – dass die
gesäumten Kanten einander um
8 cm überlappen **(Abb. 3)**. Heften
Sie die Teile dort aufeinander, wo
sie einander überlappen. Die Kissenrückseite misst nun 37 × 52 cm.

Kissen fertig stellen

① Nähen Sie die Kissenvorderseite
und die Rückseite mit 0,6 cm
Nahtzugabe rechts auf rechts entlang aller Kanten zusammen.

37 cm

52 cm

*8 cm
Über-
lappung*

Abbildung 3

Dann schneiden Sie die Ecken ab,
wenden die Kissenhülle auf rechts
und bügeln sie.

② Nähen Sie mit der Maschine
entlang der Nahtlinie von Einfassung und Randstreifen. Das Organzaband binden Sie zu einer
Schleife und nähen sie von Hand
am Stamm fest. Nähen Sie von
Hand an jede Ecke eine Quaste.

③ Nähen Sie ein passendes Kissen nach der Anleitung auf Seite
194. Stecken Sie das Kissen durch
die Öffnung auf der Rückseite in
den Bezug.

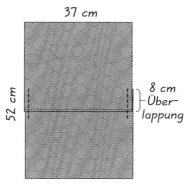

35,5 cm

35,5 cm

JO-JO-BLUMENKISSEN

JO-JO-
BLUMENKISSEN

Fertige Größe: 35,5 × 35,5 cm
*(Siehe Foto auf Seite 187, das linke
Kissen auf dem Sessel)*

Zusammensetzen

Angaben zu Material und Zuschnitt finden Sie auf Seite 192.
Arbeiten Sie mit 0,6 cm Nahtzugabe und bügeln Sie nach jedem
Arbeitsgang.

① Nähen Sie die 2,5 cm breiten
und 24 cm langen Kontraststreifen
an Ober- und Unterkante des gelben 24 × 24 cm großen Hintergrundquadrates. Bügeln Sie die
Nahtzugaben zum Kontraststreifen.

② Nähen Sie die 2,5 cm breiten
und 27 cm langen Kontraststreifen
an die Seiten. Bügeln Sie.

③ Nähen Sie die 6,5 cm breiten
und 27 cm langen Randstreifen an
Ober- und Unterkante. Bügeln Sie.

④ Nähen Sie die 6,5 cm breiten
und 37 cm langen Randstreifen an
die Seiten. Bügeln Sie.

Kissenoberseite
verzieren

① Benutzen Sie die Vorlagen von
Seiten 196/197 und zeichnen Sie
die Ranken auf dem Hintergrund
zart auf. Arbeiten Sie die Ranken
mit Vorstichen aus ungeteiltem
Sticktwist.

② Lesen Sie die Anleitungen »Aufbügelapplikation« (Seite 270/271)
und »Schlingstichapplikation«
(Seite 272). Übertragen Sie 24 Blätter von der Vorlage auf Seite 195
auf Stoff und schneiden Sie die Formen aus. Arbeiten Sie mit dünnem,
aufbügelbarem Klebevlies. Bügeln
Sie die Blätter auf den Hintergrund
laut Vorlage auf Seite 196/197.
Arbeiten Sie Schlingstiche mit
zweifädigem Sticktwist um alle
Kanten der Blätter.

MATERIAL UND ZUSCHNITT *(für das Jo-Jo-Blumenkissen)*

Waschen und bügeln Sie alle Stoffe. Schneiden Sie die Stoffe entsprechend der Tabelle zu. Verwenden Sie dabei Rollschneider, Quiltlineal und Schneidematte. Alle Maße beinhalten 0,6 cm Nahtzugabe.

STOFF	MENGE	TEILE	MASS
gelb gemustert für den Hintergrund	0,30 m	1	Quadrat: 24 × 24 cm
rot gemustert für den Kontraststreifen	0,10 m (in 2 Streifen von 2,5 × 107 cm schneiden)	2 2	Streifen: 2,5 × 27 cm Streifen: 2,5 × 24 cm
schwarz gemustert für den breiten Rand	0,25 m (in 2 Streifen von 6,5 × 107 cm schneiden)	2 2	Streifen: 6,5 × 37 cm Streifen: 6,5 × 27 cm
Rückseitenstoff	0,30 m	2	Rechtecke: 37 × 24 cm
verschiedene passende Stoffe für die applizierten Blätter und Jo-Jos	Reste	–	–

Sticktwist; dünnes aufbügelbares Klebevlies *(Vliesofix®)*; etwa 18 verschiedene Knöpfe; fertig gekauftes Kissen von 35,5 × 35,5 cm

③ Arbeiten Sie gemäß der Anleitung »Jo-Jos nähen« (Seite 272/273) 4 kleine und 5 mittlere Jo-Jos nach den Vorlagen auf Seite 195. Nähen Sie die Jo-Jos an die Blumenstiele (siehe Vorlage für das Jo-Jo-Blumenkissen, Seite 196/197).

37 cm

37 cm

9 cm Überlappung

Abbildung 4

Kissenrückseite nähen

① Arbeiten Sie entlang einer der 37 cm langen Kanten der 37 × 24 cm großen Rückseitenstoffe einen schmalen Saum, indem Sie 0,6 cm nach innen falten, bügeln und dann noch einmal 0,6 cm umschlagen. Bügeln Sie. Steppen Sie entlang der gefalteten Kante.

② Legen Sie ein Rückseitenteil so über das andere – beide mit der rechten Seite nach oben – dass die gesäumten Kanten einander um 9 cm überlappen **(Abb. 4)**. Heften Sie die Teile dort aufeinander, wo

sie einander überlappen. Die Kissenrückseite misst nun 37 cm im Quadrat.

Kissen fertig stellen

① Nähen Sie die Kissenvorderseite und die Rückseite mit 0,6 cm Nahtzugabe rechts auf rechts entlang aller Kanten zusammen. Schneiden Sie die Ecken ab, wenden Sie das Kissen auf rechts und bügeln Sie.

② Nähen Sie verschiedene Knöpfe von Hand auf den Rand-

streifen (siehe Abbildung auf Seite 191). Stecken Sie das 35,5 × 35,5 cm große Kissen durch die Öffnung auf der Rückseite in den Bezug.

SONNENBLU-MENKISSEN

Fertige Größe:
40,5 cm Durchmesser

(Siehe Foto auf Seite 187, das rechte Kissen auf dem Sessel)

40,5 cm Durchmesser

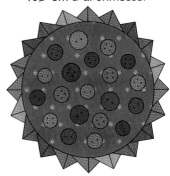

Zusammensetzen

① Angaben zu Material und Zuschnitt finden Sie unten. Für die Stoffzacken falten Sie jeweils ein gelbes 10-cm-Quadrat links auf links zur Hälfte. Falten Sie noch einmal, wie auf **Abb. 5** gezeigt. Bügeln Sie.

Abbildung 5

② Um den schwarz gemusterten Kreis in 4 Viertel zu unterteilen, falten Sie ihn zunächst zur Hälfte und dann noch einmal zur Hälfte **(Abb. 6)**. Markieren Sie die Kanten an jedem Falz.

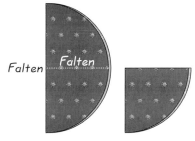

Abbildung 6

③ Legen und stecken Sie auf jede Markierung einen der Zacken, rechts auf rechts und so, dass die Kanten übereinstimmen **(Abb. 7)**.

Kreise zeichnen leicht gemacht

Um für das Sonnenblumenkissen einen Kreis zu zeichnen, haben Sie mehrere Möglichkeiten:

• Binden Sie einen Bleistift an eine Schnur und verankern Sie das andere Ende der Schnur mit einer Reißzwecke im Zentrum des Kreises.

• Zeichnen Sie um einen Teller oder eine Schüssel mit der richtigen Größe.

• Kaufen Sie ein Zirkellineal. Sie erhalten es in den meisten Patchworkläden und in Geschäften für Grafikbedarf.

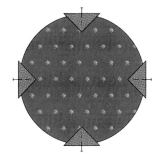

Abbildung 7

④ Legen Sie gleichmäßig verteilt 3 weitere Zacken in jedes Viertel. Die Zacken überlappen einander. Stecken und heften Sie die Zacken fest.

Kissenrückseite nähen

① Arbeiten Sie entlang einer der langen Kanten der 25 × 40,5 cm großen Rückseitenstoffe einen schmalen Saum, indem Sie 0,6 cm nach innen falten, bügeln und dann noch einmal 0,6 cm umschlagen. Bügeln Sie. Steppen Sie knapp entlang der gefalteten Kante.

MATERIAL UND ZUSCHNITT *(für das Sonnenblumenkissen)*

Waschen und bügeln Sie alle Stoffe. Schneiden Sie die Stoffe entsprechend der Tabelle zu. Verwenden Sie dabei Rollschneider, Quiltlineal und Schneidematte. Alle Maße beinhalten 0,6 cm Nahtzugabe.

STOFF	MENGE	TEILE	MASS
schwarz gemustert für den Hintergrund	0,50 m	1	Kreis: 37 cm Ø
gelb gemustert für die Zacken	je 0,15 m von 5 Stoffen	je 4	Quadrate: 10 × 10 cm von jedem Stoff
Rückseitenstoff	0,30 m	2	Rechtecke: 25 × 40,5 cm
Volumenvlies für ein Kissen nach Maß	0,50 m	2	Kreise: 37 cm Ø
verschiedene Knöpfe; Polyesterwatte			

② Legen Sie ein Rückseitenteil so über das andere, dass die gesäumten Kanten einander um 7,5 cm überlappen **(Abb. 8)**. Beide Stoffe liegen mit der rechten Seite nach oben. Heften Sie die Teile dort aufeinander, wo sie einander überlappen. Die Kissenrückseite misst nun 40,5 cm im Quadrat.

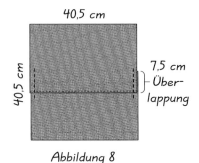

Abbildung 8

Kissen fertig stellen

① Legen Sie Kissenoberseite und Rückseite rechts auf rechts – die Zacken zeigen zur Mitte – und stecken Sie beide aufeinander fest. Nähen Sie mit 0,6 cm Nahtzugabe um die Kissenhülle. Schneiden Sie die Rückseite und die Basis der Zacken auf die gleiche Größe wie das Kissenvorderteil zurück. Schneiden Sie die Nahtzugabe in Abständen von 1 cm ein und wenden Sie die Kissenhülle auf rechts.

② Nähen Sie verschiedene Knöpfe auf die Kissenhülle.

③ Nähen Sie aus 2 Kreisen von 37 cm Durchmesser ein passendes Kissen nach der Anleitung rechts. Stecken Sie das Kissen durch die Öffnung auf der Rückseite der Kissenhülle.

Kissen nach Maß selber machen

Das Geheimnis eines schönen Kissens ist eine Kissenform, die perfekt in den Überzug passt. Das ist mit gekauften Kissen nicht immer möglich, doch ist es gar nicht schwer, ein Kissen selbst zu machen. Sie brauchen nur etwas Volumenvlies und Polyesterwatte.

Für Kissen ohne Rand

① Rechnen Sie zur fertigen Kissengröße 1,5 cm dazu. Schneiden Sie 2 Stücke Vlies auf diese Größe zu. Beispiel: Das Jo-Jo-Blumenkissen misst 35,5 × 35,5 cm. Also müssen Sie 2 Vliesstücke von 37 cm im Quadrat zuschneiden.

② Nähen Sie die beiden Vliesstücke mit 0,6 cm Nahtzugabe aufeinander und lassen Sie etwa 10 cm zum Wenden offen. Wenden Sie das Inlett auf rechts, sodass die Nahtzugaben innen liegen.

③ Füllen Sie so viel Polyesterwatte in die Kissenform, bis die gewünschte Festigkeit erreicht ist. Schließen Sie die Wendeöffnung von Hand.

Für Kissen mit Rand

Messen Sie die Breite des Randes. Verdoppeln Sie das Maß und ziehen Sie dieses von der fertigen Kissengröße ab. Rechnen Sie 0,6 cm dazu und schneiden Sie 2 Vliesstücke dieser Größe zu. Beispiel: Das Jo-Jo-Bäumchenkissen misst fertig 51 × 37 cm und hat einen 2,5 cm breiten Außenrand. Also schneiden Sie 2 Vliesstücke à 47 × 33 cm zu. Arbeiten Sie weiter, wie in Schritt 2 und 3 beschrieben.

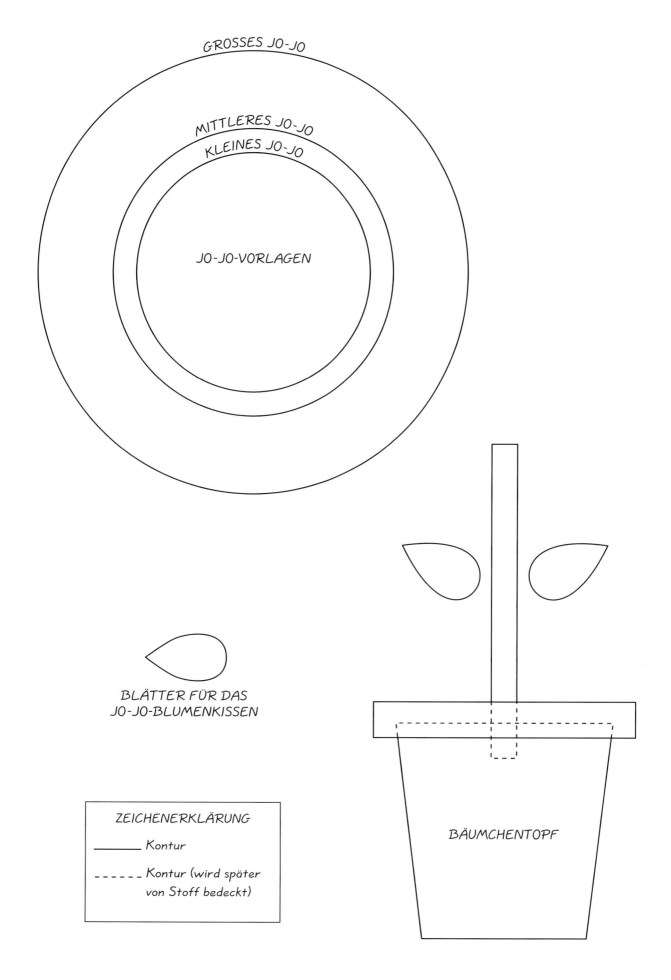

GROSSES JO-JO

MITTLERES JO-JO

KLEINES JO-JO

JO-JO-VORLAGEN

BLÄTTER FÜR DAS
JO-JO-BLUMENKISSEN

BÄUMCHENTOPF

ZEICHENERKLÄRUNG

———————— Kontur

- - - - - - - Kontur (wird später
von Stoff bedeckt)

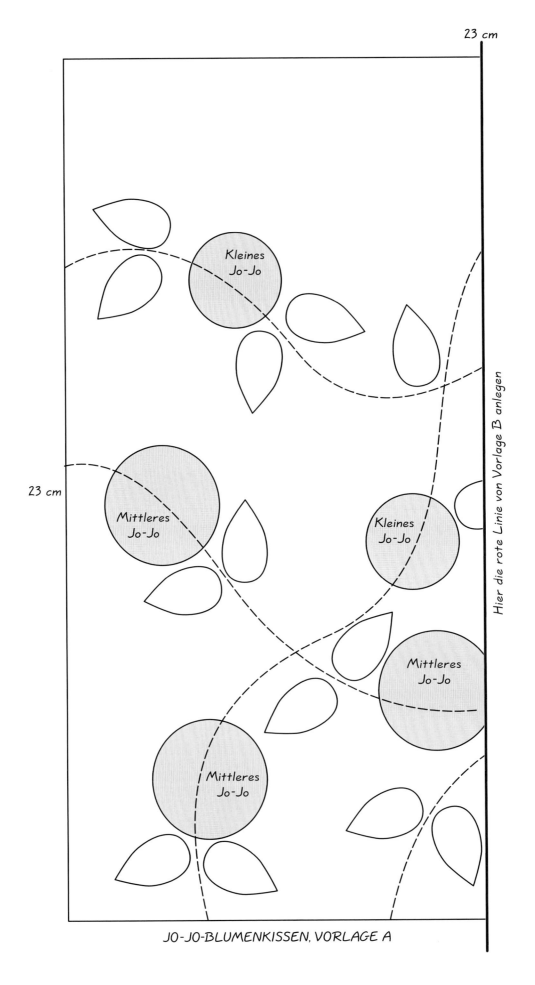

23 cm

23 cm

Kleines
Jo-Jo

Kleines
Jo-Jo

Mittleres
Jo-Jo

Mittleres
Jo-Jo

Mittleres
Jo-Jo

Hier die rote Linie von Vorlage B anlegen

JO-JO-BLUMENKISSEN, VORLAGE A

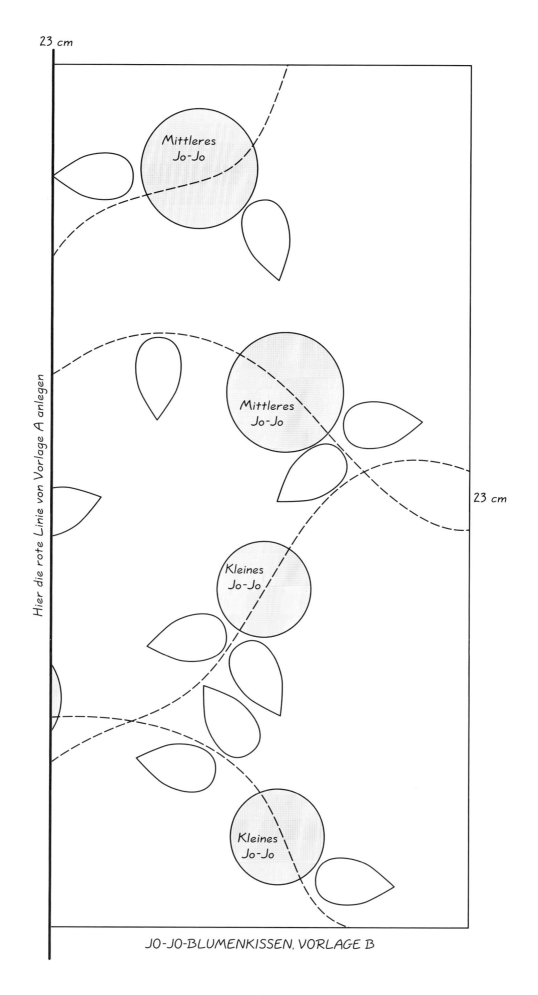

23 cm

Mittleres
Jo-Jo

Hier die rote Linie von Vorlage A anlegen

Mittleres
Jo-Jo

23 cm

Kleines
Jo-Jo

Kleines
Jo-Jo

JO-JO-BLUMENKISSEN, VORLAGE B

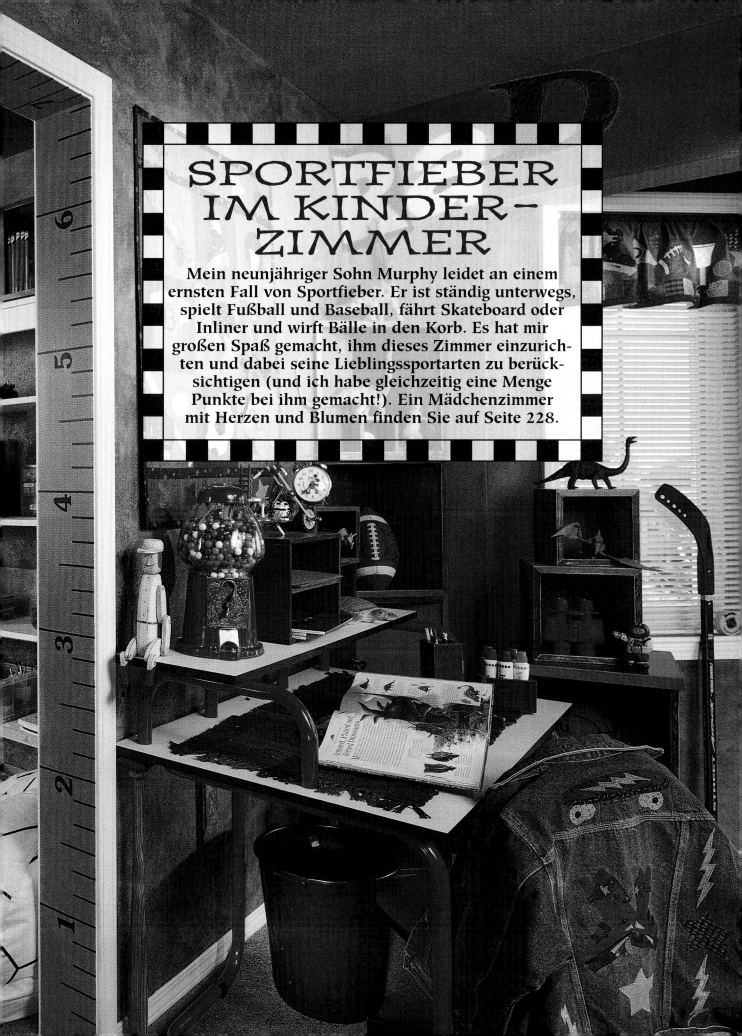

SPORTFIEBER IM KINDER-ZIMMER

Mein neunjähriger Sohn Murphy leidet an einem ernsten Fall von Sportfieber. Er ist ständig unterwegs, spielt Fußball und Baseball, fährt Skateboard oder Inliner und wirft Bälle in den Korb. Es hat mir großen Spaß gemacht, ihm dieses Zimmer einzurichten und dabei seine Lieblingssportarten zu berücksichtigen (und ich habe gleichzeitig eine Menge Punkte bei ihm gemacht!). Ein Mädchenzimmer mit Herzen und Blumen finden Sie auf Seite 228.

NOCH EIN TOR!

»Total cool!« – so würde ein Kind diesen Sportquilt und die dazu passenden

Kissen (Anleitung Seite 205) bezeichnen. Fast alle Sportarten sind hier als

Applikationen verewigt. Wimpel, Sterne, Bälle und anderes Sportgerät

schmücken den Quilt zusätzlich, Skateboards fahren am Kissenrand entlang.

Dies ist der richtige Platz, um sich nach dem Spiel zu erholen!

Sportquilt

Fertige Größe: 190 × 220 cm

MATERIAL

(Muster mit deutlich erkennbarer Richtung eignen sich nicht.)

Patchworkstoffe, 110 cm breit:

3,80 m uni blau für Hintergrund, Eckquadrate und gestreifte Patchworkbordüre (siehe Anmerkung)

0,35 m rot gemustert für den inneren Kontraststreifen

je 0,35 m von 8 verschiedenen Stoffen für den Patchworkrand

1,10 m dunkelblau gemustert für den äußeren Kontraststreifen und die Einfassung

5 m Rückseitenstoff

0,60 m rot gemustert für die Hintergrundteile der Applikationen

Reste oder 0,10 – 0,25 m-Stücke von verschiedenen passenden Stoffen für die Applikationen

Außerdem:

5 m dünnes Volumenvlies

3,70 m dünnes, aufbügelbares Klebevlies (*Vliesofix®*)

wasserfester Filzstift

Faden, farblich passend zu den Applikationen

3,70 m ausreißbares Stickvlies

Anmerkung: Damit ich die große Quiltfläche nicht zusammensetzen musste, habe ich dünnen Jeansstoff benutzt, der 1,60 m breit liegt. Sie benötigen dann 3 m Jeansstoff.

ZUSCHNITT

Waschen und bügeln Sie alle Stoffe. Schneiden Sie die Stoffe entsprechend der Tabelle zu. Verwenden Sie dabei Rollschneider, Quiltlineal und Schneidematte. Alle Maße beinhalten 0,6 cm Nahtzugabe.

STOFF	ERSTER SCHNITT		ZWEITER SCHNITT	
Farbe	Anzahl	Format	Anzahl	Format
uni blau	**Hintergrund** – siehe Bemerkung unten			
	2	125 × 79 cm	kein zweiter Schnitt	
	große Eckquadrate (aus der restlichen Breite des Hintergrundstoffs schneiden)			
	4	Quadrate: 21,5 × 21,5 cm	kein zweiter Schnitt	
	kleine Eckquadrate (aus der restlichen Breite des Hintergrundstoffs schneiden)			
	4	Quadrate: 11,5 × 11,5 cm	kein zweiter Schnitt	
	gestreifte Patchworkbordüre			
	16	Streifen: 6,5 × 107 cm	kein zweiter Schnitt	
rot gemustert	**innerer Kontraststreifen**		1 Streifen schneiden in:	
	7	Streifen: 3,8 × 107 cm	2	Streifen: 3,8 × 53 cm
verschiedene Stoffe	**innere Patchworkbordüre** – aus jedem der 8 Stoffe schneiden:			
	1	Streifen: 11,5 × 107 cm	kein zweiter Schnitt	
	gestreifte Patchworkbordüre – aus jedem der 8 Stoffe schneiden:			
	2	Streifen: 6,5 × 107 cm	kein zweiter Schnitt	
dunkelblau gemustert	**äußerer Kontraststreifen**		1 Streifen schneiden in:	
	7	Streifen: 3,8 × 107 cm	2	Streifen: 3,8 × 53 cm
	Einfassung		1 Streifen schneiden in:	
	9	Streifen: 7 × 107 cm	2	Streifen: 7 × 53 cm

Anmerkung: Wenn der Stoff für den Hintergrund 160 cm breit liegt, schneiden Sie ein 120 × 150 cm großes Stück aus den gesamten 3 m Stoff.

Hintergrund zusammensetzen

Nähen Sie die beiden einfarbig blauen Hintergrundteile à 125 × 79 cm mit 0,6 cm Nahtzugabe rechts auf rechts zu einem 125 × 158 cm großen Stück zusammen. Bügeln Sie die Nahtzugaben zu einer Seite. Schneiden Sie dieses Teil zu einem 119 × 149 cm großen Stück zurecht.
Anmerkung: Wenn Ihr Stoff 160 cm breit liegt, können Sie diesen Schritt überspringen.

Applikation

Die Applikationen werden mit der Nähmaschine aufgenäht (siehe »Maschinenapplikation«, Seite 271/272). Benutzen Sie einen kleinen Zickzackstich. Arbeiten Sie mit dünnem, aufbügelbarem Klebevlies.

① Lesen Sie die Anleitung »Aufbügelapplikation« auf Seite 270/271. Zeichnen Sie 5 Quadrate mit 23 cm Seitenlänge auf die Papierseite des Klebevlieses und lassen Sie mindestens 1,5 cm Abstand zwischen den Quadraten. Bügeln Sie diese Quadrate auf die linke Seite des rot gemusterten Hintergrundstoffes für die Applikationen. Schneiden Sie die Quadrate entlang der Linien aus.

② Pausen Sie 25 verschiedene Sportmotive und 15 Sterne für den Hintergrund von den Vorlagen von Seite 207 bis 215 ab. Pausen Sie 4 Fußbälle für die Eckquadrate von der Vorlage auf Seite 213 ab. Verteilen Sie die Motive entsprechend der Grafik »Anordnung des Quilts«

auf Seite 204 auf dem Hintergrundstoff.

③ Wählen Sie 5 der Applikationsmotive aus Schritt 2 und bügeln Sie sie auf die rot gemusterten Hintergrundquadrate.

④ Lassen Sie die 0,6 cm breiten Nahtzugaben frei und bügeln Sie die Motive auf den 119 × 149 cm großen Hintergrundstoff (siehe »Anordnung des Quilts«, Seite 204). Legen und bügeln Sie die Fußbälle auf die einfarbig blauen 21,5-cm-Eckquadrate. Zeichnen Sie die Nahtlinien mit wasserfestem Filzstift auf die Basebälle und Fußbälle.

⑤ Nähen Sie die Kanten der Applikationen mit der Nähmaschine fest. Legen Sie das ausreißbare Stickvlies unter den Hintergrundstoff, das erleichtert das gleichmäßige Nähen. Entfernen Sie anschließend das Stickvlies aus den Nähten.

Ränder annähen

① Nähen Sie je einen 3,8 cm breiten inneren Kontraststreifen von 53 cm und einen von 107 cm Länge zusammen, sodass 2 Streifen mit einer Länge von etwa 160 cm entstehen. Bügeln Sie. Nähen Sie diese Kontraststreifen an Ober- und Unterseite des Hintergrundteiles an und bügeln Sie die Nahtzugaben zum Kontraststreifen hin.

② Nähen Sie je 2 der 4 verbleibenden 3,8 cm breiten und 107 cm langen inneren Kontraststreifen zu 2 Streifen à 3,8 × 213 cm aneinander. Bügeln Sie. Nähen Sie diese Streifen an die

Hilfe beim Übertragen von Motiven

Zum leichteren Übertragen von Applikationsmotiven oder Quiltmustern bietet der Fachhandel einen 30 × 40 cm großen Plastikbogen mit einem engmaschigen Netz 1 mm großer Löcher an. Damit lassen sich Vorlagen mit Bleistift auf Stoff übertragen. Die Linien können anschließend – sehr vorsichtig! – von dem Bogen abgewischt werden.

Seiten. Schneiden Sie überstehende Enden ab und bügeln Sie.

③ Legen Sie die 8 Streifen à 11,5 × 107 cm für die innere Patchworkbordüre in gewünschter Farbfolge zurecht und nähen Sie sie an den Längskanten zu einem 82,5 × 107 cm großen Streifenset zusammen. Wechseln Sie bei jeder Naht die Nährichtung und bügeln Sie alle Nahtzugaben in eine Richtung. Schneiden Sie mit Rollschneider und Quiltlineal 7 Abschnitte à 11,5 × 82,5 cm von diesem Streifenset. Jeder Abschnitt besteht aus 8 Quadraten (**Abb. 1**).

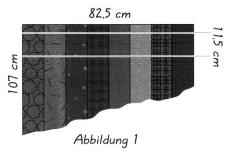

82,5 cm

11,5 cm

107 cm

Abbildung 1

④ Nähen Sie 3 der Streifenabschnitte à 11,5 × 82,5 cm zu einer Gesamtlänge von 245 cm mit

24 Quadraten aneinander. Mit einem Nahttrenner teilen Sie diesen Streifen in 2 jeweils 123 cm lange Stücke mit je 12 Quadraten. Vergleichen Sie diese Streifen mit Ober- und Unterkante des Quilts. Vielleicht müssen Sie ein paar Nähte enger oder weiter nachnähen (maximal 1 mm), damit die Längen stimmen. Nähen Sie die Bordüren an Ober- und Unterkante und bügeln Sie.

⑤ Nähen Sie je 2 der 4 restlichen 11,5 cm breiten und 82,5 cm langen inneren Patchworkstreifen zu Streifen von 11,5 × 167 cm mit je 16 Quadraten zusammen. Trennen Sie mit dem Nahttrenner ein Quadrat von jedem Streifen ab. Sie haben nun 2 Streifen von 11,5 × 154 cm mit je 15 Quadraten.

⑥ Nähen Sie ein einfarbig blaues 11,5-cm-Eckquadrat an jedes Ende der Patchworkbordüren aus Schritt 5. Passen, stecken und nähen Sie die Bordüren an die Seiten. Bügeln Sie.

⑦ Nähen Sie je einen 3,8 cm breiten und 53 cm langen äußeren Kontraststreifen an einen 107 cm langen Streifen zu einer Gesamtlänge von 160 cm. Bügeln Sie. Nähen Sie die Streifen an Ober- und Unterkante des Quilts, schneiden Sie überstehende Enden ab und bügeln Sie die Nahtzugaben zu den Kontraststreifen hin.

⑧ Nähen Sie je 2 der 4 restlichen 3,8 cm breiten und 107 cm langen äußeren Kontraststreifen zu einer Gesamtlänge von etwa 213 cm aneinander. Bügeln Sie. Nähen Sie die äußeren Kontraststreifen an die Seiten, schneiden Sie überstehende Enden ab und bügeln Sie.

⑨ Nähen Sie die 8 einfarbig blauen abwechselnd mit den 8 andersfarbigen 6,5 cm breiten und 107 cm langen Streifen für die äußere Patchworkbordüre zu einem 82,5 × 107 cm großen Streifenset zusammen. Wechseln Sie bei jeder Naht die Nährichtung und bügeln Sie alle Nahtzugaben in eine Richtung. Wiederholen Sie dies mit den anderen Streifen und nähen Sie ein zweites solches Streifenset. Schneiden Sie mit Rollschneider und Quiltlineal von jedem Streifenset 4 Abschnitte à 21,5 × 82,5 cm ab. Jeder Streifen besteht aus 16 Teilen (Abb. 2).

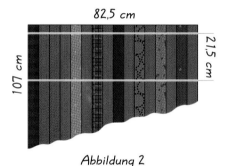

Abbildung 2

⑩ Nähen Sie je 2 gestreifte Abschnitte à 21,5 × 82,5 cm zu 2 Stücken à 21,5 × 164 cm mit je 32 Teilen zusammen. Entfernen Sie mit dem Nahttrenner ein Stück mit 3 Streifen und erhalten Sie so 2 Bordüren von 21,5 × 149 cm mit jeweils 29 Streifen. Legen Sie das Dreierstück für den nächsten Schritt beiseite. Stecken und nähen Sie die Bordüren an Ober- und Unterkante des Quilts. Bügeln Sie die Nahtzugaben zu den Kontraststreifen hin.

⑪ Nähen Sie je 2 der restlichen gestreiften Abschnitte à 21,5 × 82,5 cm zu einer Gesamtlänge von 164 cm aneinander. Jeder Streifen besteht aus 32 Teilen.

Nähen Sie die Dreierstücke aus Schritt 10 an die Enden der beiden Streifen zu 2 Streifenbordüren à 21,5 × 180 cm mit je 35 Teilen.

⑫ Nähen Sie je ein blaues 21,5-cm-Eckquadrat an beide Enden der Streifenbordüren aus Schritt 11. Bügeln Sie die Nahtzugaben zu den Bordüren hin. Passen, stecken und nähen Sie die Bordüren an die Seiten. Bügeln Sie.

Quiltlagen montieren

① Halbieren Sie den Rückseitenstoff quer und schneiden Sie alle Webkanten ab. Nähen Sie die beiden Teile rechts auf rechts zu einem etwa 200 × 250 cm großen Stück zusammen. Bügeln Sie es.

② Legen und heften Sie Rückseite, Vlies und Oberseite aufeinander, wie unter »Quiltlagen montieren« auf Seite 275 beschrieben.

Letzte Stiche

Quilten Sie von Hand oder mit Maschine, wie es Ihnen gefällt. Bei Murphys Quilt habe ich mit der Nähmaschine um alle Applikationsmotive gequiltet. Der Hintergrund ist flächig mit Mäander-

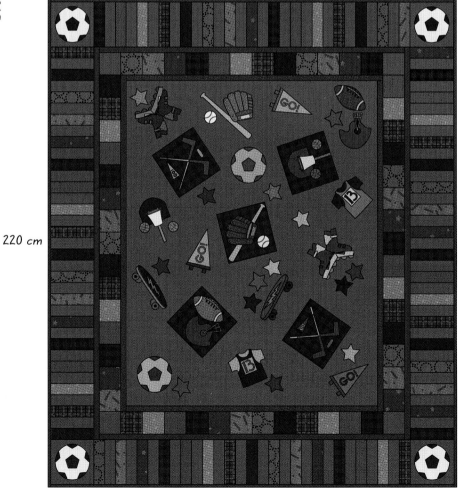

ANORDNUNG DES QUILTS

linien bedeckt; dazwischen liegen einzelne, frei gequiltete Sternen, die über die ganze Oberfläche verstreut sind.

Quilt einfassen

① Schneiden Sie Vlies und Rückseite bis auf 0,6 cm an die Kanten der Oberseite zurück.

② Nähen Sie je 2 der 8 Einfassstreifen à 7 × 107 cm zu 4 Streifen à 7 × 215 cm zusammen. Nähen Sie je einen der 7 cm breiten und 53 cm langen Einfassstreifen an

2 der 215 cm langen Streifen zu einer Gesamtlänge von je 270 cm.

③ Verwenden Sie die beiden 215 cm langen Einfassstreifen für Ober- und Unterkante und die beiden 270 cm langen Einfassstreifen für die Seiten. Arbeiten Sie nach der Anleitung »Quilt einfassen« auf Seite 275/276.

Sportkissen

Fertige Größe: 76 × 48 cm

(Siehe Foto auf Seite 200)

MATERIAL UND ZUSCHNITT

Waschen und bügeln Sie alle Stoffe. Schneiden Sie die Stoffe entsprechend der Tabelle zu. Verwenden Sie dabei Rollschneider, Quiltlineal und Schneidematte. Alle Maße beinhalten 0,6 cm Nahtzugabe. Material für 1 Kissen.

STOFF	MENGE	TEILE	MASS
rot kariert für den Kissenbezug	0,80 m	1	Rechteck: 65 × 100 cm
blau gemustert für den Rand	0,35 m	1	Streifen: 27 × 100 cm
rot gemustert für den Kontraststreifen	0,10 m	1	Streifen: 2,5 × 100 cm
verschiedene passende Stoffe für die Applikationen	Reste oder 0,10-m-Stücke	–	–
dünnes, aufbügelbares Klebevlies (*Vliesofix®*); ausreißbares Stickvlies			

Zusammensetzen

① Falten Sie den 27 × 100 cm großen Randstreifen der Länge nach zur Hälfte links auf links und bügeln Sie ihn.

② Nähen Sie den 2,5 cm breiten und 100 cm langen Kontraststreifen zwischen das 65 × 100 cm große Kissenbezugteil und den gefalteten 13,5 × 100 cm großen Randstreifen **(Abb. 3)**. Bügeln Sie die Nahtzugaben zum Kontraststreifen hin. Falten Sie den Kissenbezug quer zur Hälfte und bügeln Sie ihn.

③ Lesen Sie die Anleitung »Aufbügelapplikation« auf Seite 270/271. Arbeiten Sie mit dünnem, aufbügelbarem Klebevlies. Übertragen Sie von der Vorlage auf Seite 215 ein Skateboard sowie 2 kleine und 2 große Sterne von Seite 212 auf Stoff und schneiden Sie die Formen aus. Legen und bügeln Sie die Applikationsteile auf den Rand (siehe »Anordnung des Kissenbezugs«, Seite 206). Richten Sie die Motive zwischen Falz und offener Kante mittig aus.

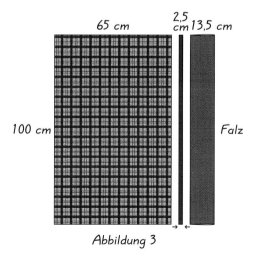

Abbildung 3

④ Arbeiten Sie einen schmalen Zickzackstich um alle Kanten der Applikationen (siehe »Maschinenapplikation«, Seite 271/272). Legen Sie ausreißbares Stickvlies unter den Stoff, das erleichtert das gleichmäßige Nähen. Entfernen Sie danach das Stickvlies aus den Nähten.

⑤ Falten Sie den Kissenbezug wieder quer zur Hälfte, rechts auf rechts. Arbeiten Sie mit 0,6 cm Nahtzugabe. Stecken und nähen Sie untere und die dem Rand gegenüberliegende Kante zu **(Abb. 4).** Wenden Sie den Kissenbezug auf rechts und bügeln Sie ihn.

Falz

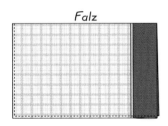

Abbildung 4

48 cm

76 cm

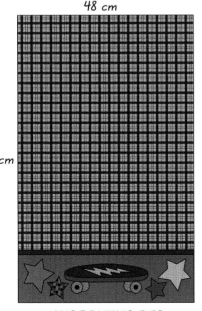

ANORDNUNG DES
KISSENBEZUGS

Sportlerjacke

Verwandeln Sie eine einfache Jeansjacke mit aufgenähten Applikationsmotiven in ein Lieblingskleidungsstück.

Material
Kinderjeansjacke
Reste oder 0,10 – 0,25 m-Stücke von verschiedenen passenden Stoffen für die Applikationsteile
dünnes, aufbügelbares Klebevlies (Vliesofix®)
ausreißbares Stickvlies

Zusammensetzen

① Lesen Sie die Anleitung »Aufbügelapplikation« auf Seite 270/271. Übertragen Sie ein Skateboard und 4 Blitze von den Vorlagen auf Seite 215, 3 große Sterne von Seite 212 und ein Paar Inlineskates von Seite 214 auf Stoff und schneiden Sie die Formen aus.

② Legen und bügeln Sie die Applikationsmotive auf den Rücken der Jacke auf (siehe Foto unten).

③ Nähen Sie mit einem kleinen Zickzackstich um alle Kanten der Applikationsteile (siehe »Maschinenapplikation«, Seite 271/272). Legen Sie das ausreißbare Stickvlies unter den Jackenstoff, das erleichtert das gleichmäßige Nähen.

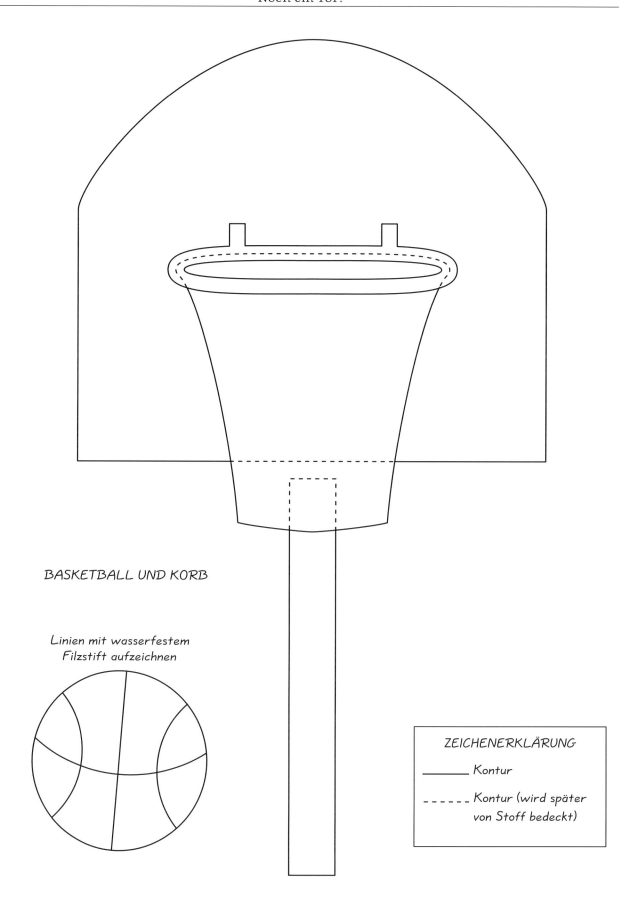

BASKETBALL UND KORB

Linien mit wasserfestem
Filzstift aufzeichnen

ZEICHENERKLÄRUNG

———— Kontur

- - - - - Kontur (wird später
von Stoff bedeckt)

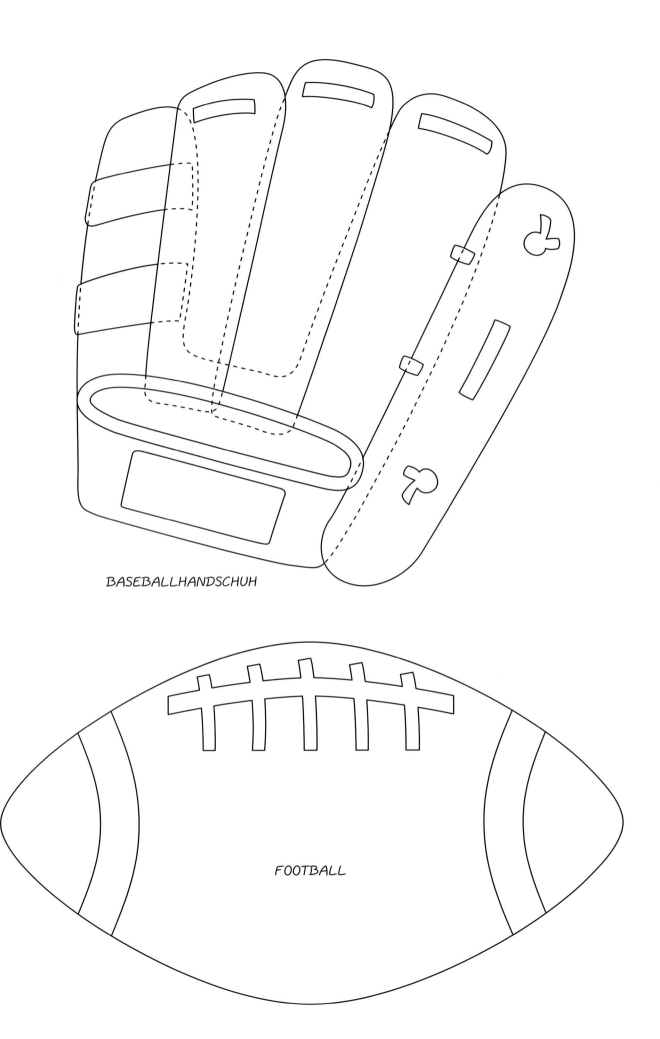

BASEBALLHANDSCHUH

FOOTBALL

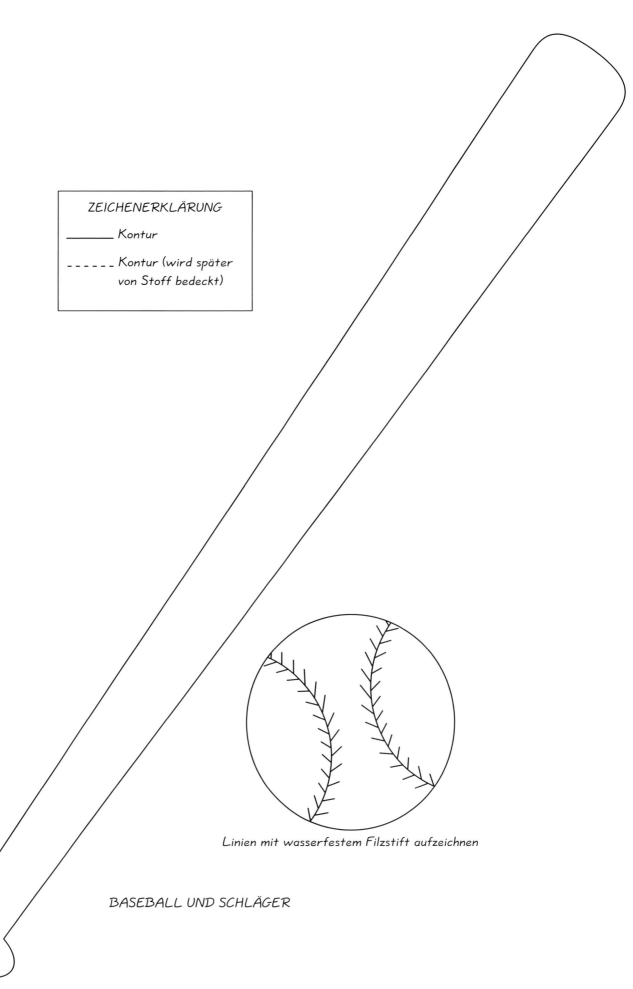

ZEICHENERKLÄRUNG

_____ Kontur

- - - - - - Kontur (wird später
von Stoff bedeckt)

Linien mit wasserfestem Filzstift aufzeichnen

BASEBALL UND SCHLÄGER

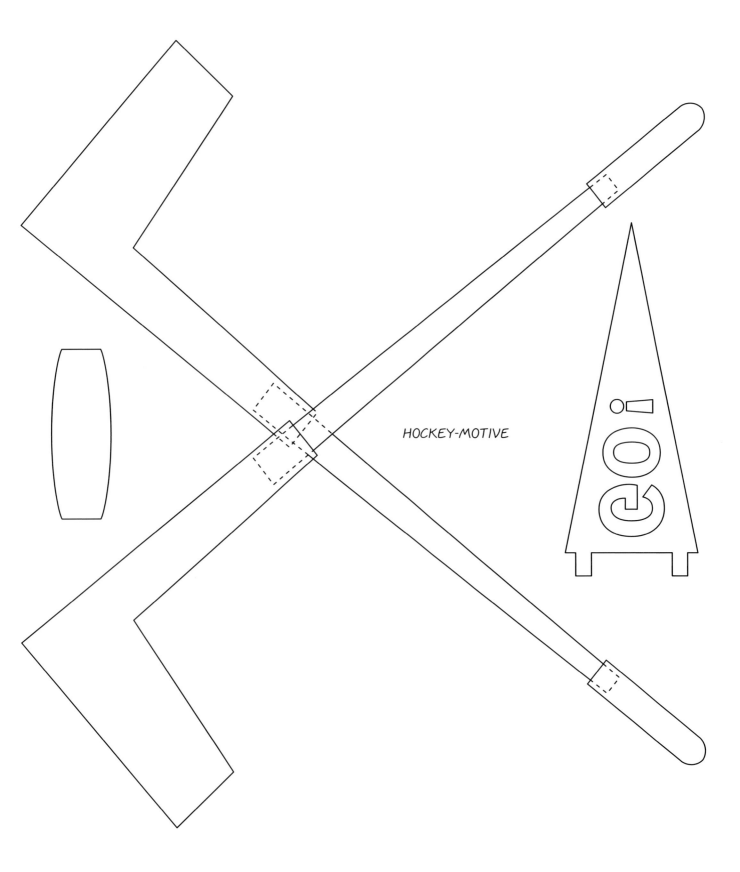

HOCKEY-MOTIVE

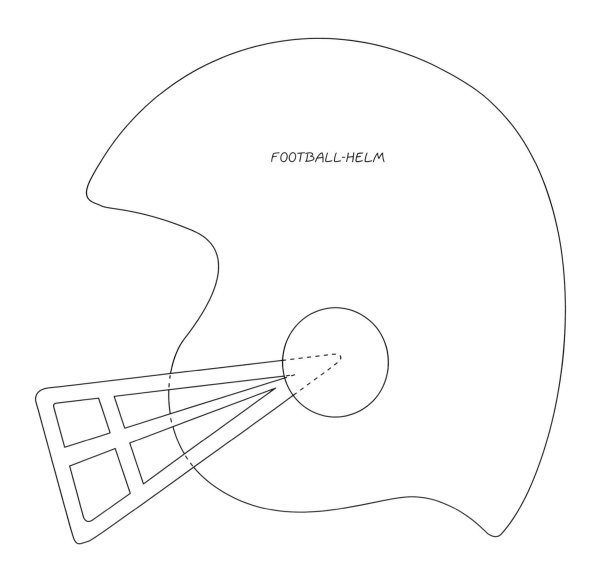

FOOTBALL-HELM

ZEICHENERKLÄRUNG

_____ Kontur

- - - - - Kontur (wird später
von Stoff bedeckt)

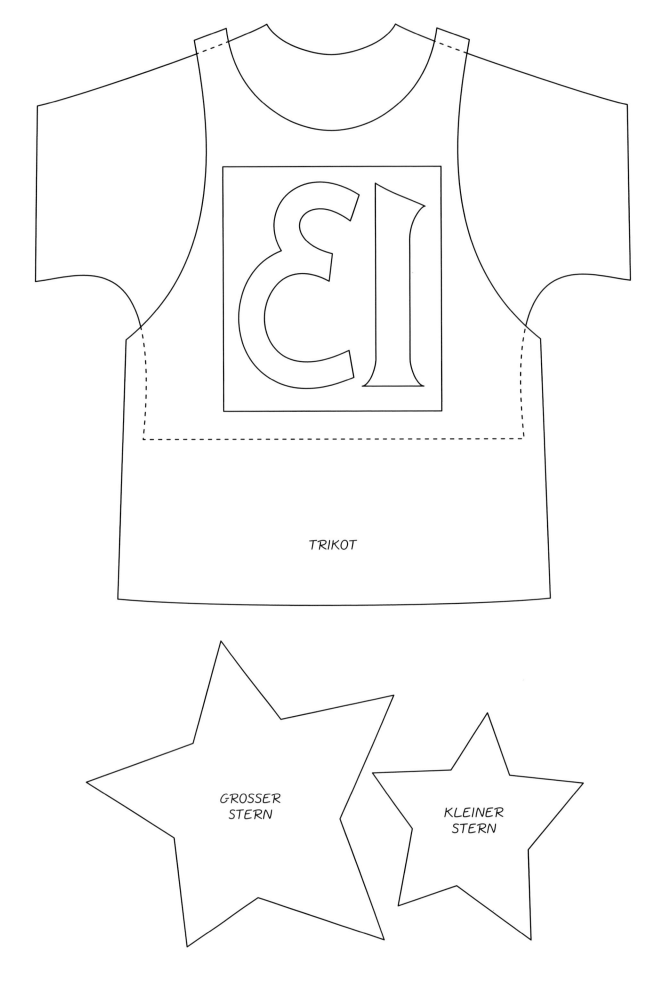

TRIKOT

GROSSER
STERN

KLEINER
STERN

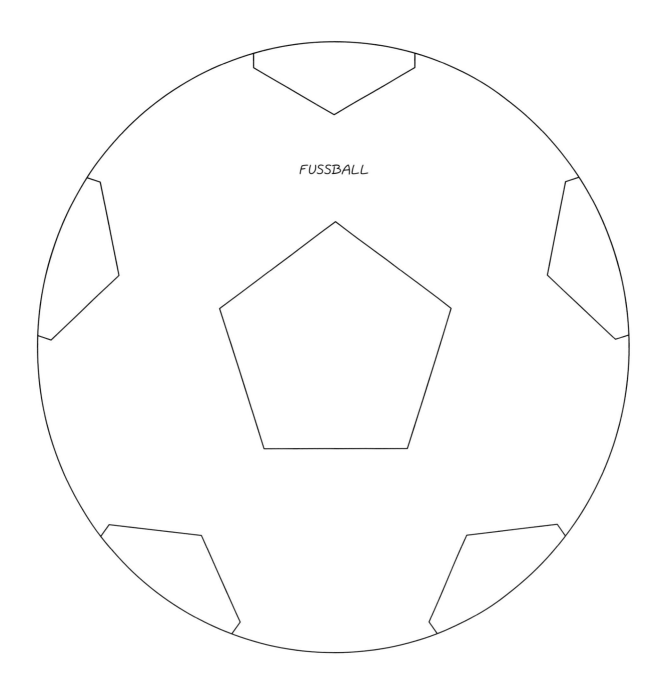

FUSSBALL

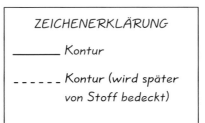

ZEICHENERKLÄRUNG

────── Kontur

- - - - - Kontur (wird später
von Stoff bedeckt)

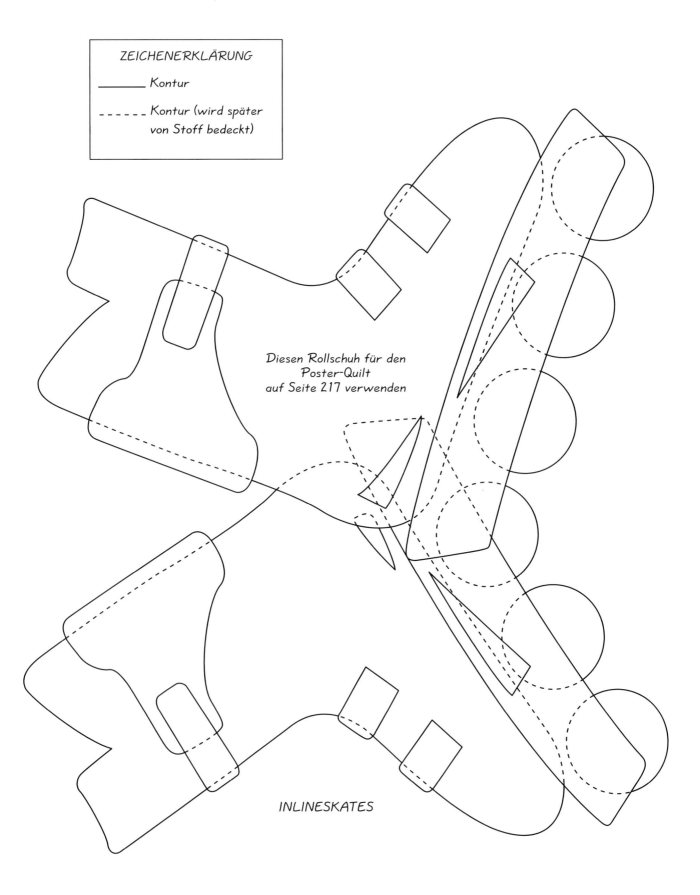

ZEICHENERKLÄRUNG

_____ Kontur

- - - - - Kontur (wird später
von Stoff bedeckt)

Diesen Rollschuh für den
Poster-Quilt
auf Seite 217 verwenden

INLINESKATES

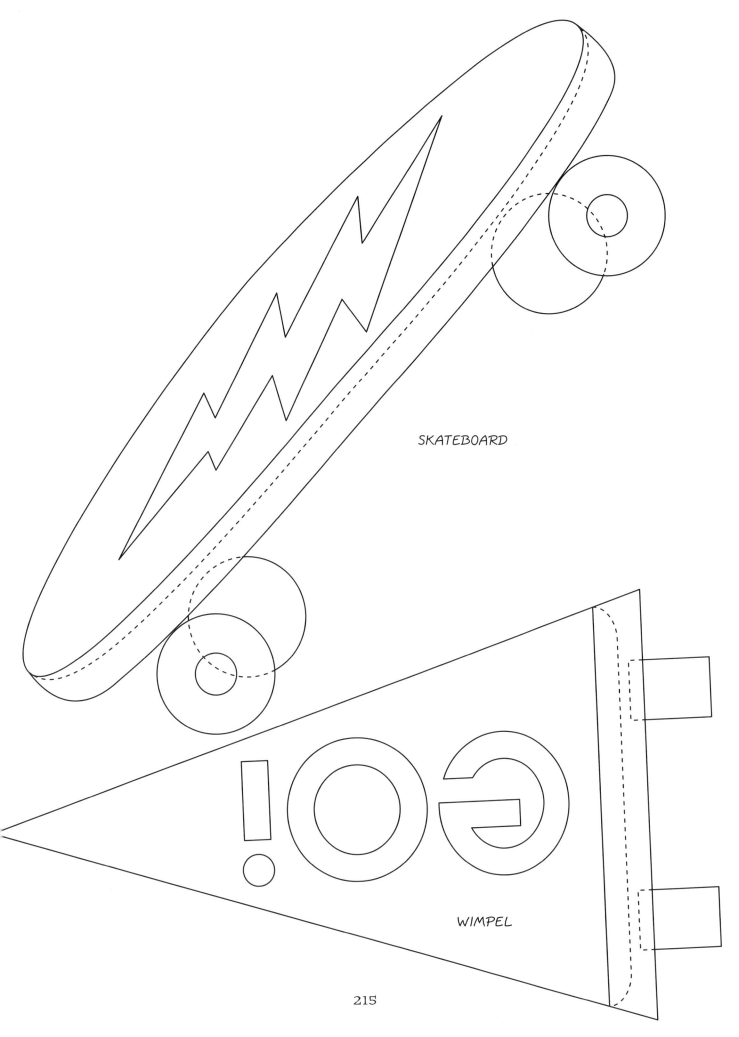

SKATEBOARD

WIMPEL

215

POSTER-QUILT

Kinder dekorieren ihre Zimmer gerne mit Postern und Plakaten. Ein solches

genähtes Poster lässt das Herz aller sportbegeisterten Kids höher schlagen.

Die schnellen Näh- und Applikationstechniken garantieren, dass Sie den

Quilt wirklich in kurzer Zeit fertigbekommen. Dieses ideale Geschenk für

einen jungen Sportler ist an nur einem Wochenende genäht.

Fertige Größe: 71 × 97 cm

MATERIAL UND ZUSCHNITT

Waschen und bügeln Sie alle Stoffe. Schneiden Sie die Stoffe entsprechend der Tabelle zu. Verwenden Sie dabei Rollschneider, Quiltlineal und Schneidematte. Alle Maße beinhalten 0,6 cm Nahtzugabe.

STOFF	MENGE	TEILE	MASS
▪ uni blau für Hintergrund und Rand	0,80 m	5 2	Quadrate 24 × 24 cm (Hintergrund) Streifen: 11,5 × 70 cm (Rand)
▪ rot gewürfelt für den Hintergrund	0,30 m	4	Quadrate: 24 × 24 cm
▪ schwarz gemustert für Kontraststreifen	0,10 m	4	Streifen: 3,8 × 70 cm
▪ schwarz gemustert für Einfassung	0,10 m	4	Streifen: 7 × 107 cm
Rückseitenstoff	1 m	–	–
Flanell als Einlage	1 m	–	–
verschiedene passende Stoffe für die Applikationen	Reste oder Stücke à 0,10 – 0,25 m	–	–
aufbügelbares Klebevlies *(Vliesofix®)*; feiner wasserfester Filzstift			

Hintergrund zusammensetzen

Setzen Sie den Hintergrund zusammen, bevor Sie die Applikationen aufnähen. Arbeiten Sie mit 0,6 cm Nahtzugabe und bügeln Sie nach jedem Arbeitsgang.

① Nähen Sie ein rot gewürfeltes 24-cm-Hintergrundquadrat zwischen 2 einfarbig blaue 24-cm-Hintergrundquadrate **(Abb. 1)**. Bügeln Sie die Nahtzugaben in Pfeilrichtung, wie die Abbildung zeigt. Arbeiten Sie eine zweite solche Einheit.

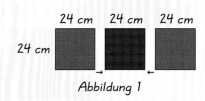

Abbildung 1

② Nähen Sie das letzte einfarbig blaue 24-cm-Hintergrundquadrat zwischen die beiden restlichen rot gewürfelten 24-cm Hintergrundquadrate. Bügeln Sie die Nahtzugaben zu den roten Stoffen hin.

③ Nähen Sie die Einheit aus Schritt 2 zwischen die beiden Einheiten aus Schritt 1 (Abb. 2). Bügeln Sie.

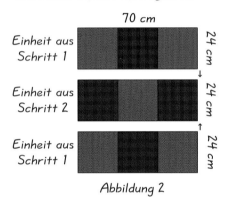

70 cm

Einheit aus Schritt 1 — *24 cm*

Einheit aus Schritt 2 — *24 cm*

Einheit aus Schritt 1 — *24 cm*

Abbildung 2

④ Nähen Sie die 3,8 cm breiten und 70 cm langen Kontraststreifen an Ober- und Unterkante des Quilts. Bügeln Sie die Nahtzugaben zu den Kontraststreifen hin.

⑤ Nähen Sie die 11,5 cm breiten und 70 cm langen Randstreifen an Ober- und Unterkante. Bügeln Sie die Nahtzugaben zu den Kontraststreifen hin.

Applikation

① Lesen Sie die Anleitung »Aufbügelapplikation« auf Seite 270/271 und beachten Sie die Grafik »Anordung des Quilts« rechts. Übertragen Sie jeweils eines der Sportmotive (allerdings nur einen Inlineskate) für die Hintergrundteile und 10 Sterne für den Rand von den Vorlagen der Seiten 207 bis 215 auf Stoff und schneiden Sie die Formen aus.

Fußballfans

Für fußballbegeisterte Kinder nähen Sie auf alle Quadrate einen Fußball. Oder Sie applizieren den Namen des Kindes, seine Trikotnummer und den Namen des Teams in einige der Quadrate. Jedes Hintergrundquadrat kann aus einem anderen Stoff bestehen, sodass Sie viele Stoffreste aufbrauchen können.

② Bügeln Sie jedes Sportmotiv mit Klebevlies in die Mitte des entsprechenden Hintergrundquadrates. Legen und bügeln Sie immer nur ein Teil auf (siehe Foto auf Seite 216). Bügeln Sie auf jeden Randstreifen 5 große Sterne auf und lassen Sie die 0,6 cm breite Nahtzugabe frei.

③ Zeichnen Sie die Stichlinien des Baseballs und die Nahtlinien des Basketballs mit wasserfestem Filzstift auf.

71 cm

97 cm

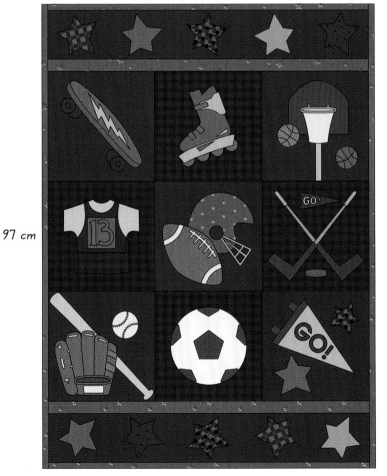

ANORDNUNG DES QUILTS

Quiltlagen montieren

Legen und heften Sie Rückseite, Flanell und Oberseite aufeinander, wie unter »Quiltlagen montieren« auf Seite 275 beschrieben. Schneiden Sie Vlies und Rückseite bis auf 0,6 cm an die Kanten der Oberseite zurück.

Quilt einfassen

Verwenden Sie die 4 Einfassstreifen à 7 × 107 cm und folgen Sie der Anleitung »Quilt einfassen« auf Seite 275/276.

Letzte Stiche

Quilten Sie von Hand oder mit Maschine in den Nahtlinien der Hintergrundquadrate und der Kontraststreifen. Umquilten Sie die Umrisse der Applikationen. Zwischen den Sternen auf dem Rand quilten Sie vertikale Linien.

MANNSCHAFTSKISSEN

LÄNDLICH DEKORIEREN   EINFACH UND SCHNELL

Ob es nun Baseball, Fußball oder ein anderer Mannschaftssport ist – diese Kissen sind jedem Spieler willkommen. Legen Sie sie auf einen Stuhl oder auf das Bett, auf dem sich die Jugendlichen gerne räkeln. Auf dem Stuhl sehen Sie das Wimpelkissen mit Namen (unten), das Baseball-Neunerblock-Kissen (oben links; Anleitung Seite 221) und das Fußball-Kissen (oben rechts; Seite 222).

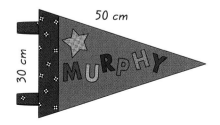

50 cm

30 cm

WIMPELKISSEN MIT NAMEN

Fertige Größe: 50 × 30 cm

Zusammensetzen und applizieren

① Angaben zu Material und Zuschnitt finden Sie auf der nächsten Seite. Arbeiten Sie mit 0,6 cm Nahtzugabe und nähen Sie den 7,5 cm breiten und 35,5 cm langen Randstreifen an das grün gemusterte 53 × 35,5 cm große Wimpelteil. Bügeln Sie die Naht zum Rand hin.

MATERIAL UND ZUSCHNITT *(für das Wimpelkissen mit Namen)*

Waschen und bügeln Sie alle Stoffe. Schneiden Sie die Stoffe entsprechend der Tabelle zu. Verwenden Sie dabei Rollschneider, Quiltlineal und Schneidematte. Alle Maße beinhalten 0,6 cm Nahtzugabe.

STOFF	MENGE	TEILE	MASS
grün gemustert für Wimpel und Rückseite	0,70 m	1 1	Rechteck: 53 × 35,5 cm (Wimpel) Rechteck: 61 × 35,5 cm (Rückseite)
rot gemustert für Rand und Schlaufen	0,10 m	1 1	Streifen: 7,5 × 35,5 cm (Rand) Streifen: 7,5 × 30 cm (Schlaufen)
verschiedene passende Stoffe für die Applikationen	Reste oder 0,10-m-Stücke	–	–
dünnes, aufbügelbares Klebevlies *(Vliesofix®)*; ausreißbares Stickvlies; Polyesterwatte			

② Schneiden Sie die Einheit von Schritt 1 als Kissenoberseite zu **(Abb. 1)**. Schneiden Sie die Kissenrückseite aus dem grün gemusterten 61 × 35,5 cm großen Rückseitenstück genauso zu wie die Oberseite.

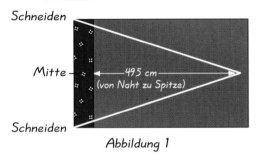

Abbildung 1

③ Lesen Sie die Anleitung »Aufbügelapplikation« auf Seite 270/271. Arbeiten Sie mit dünnem, aufbügelbarem Klebevlies. Übertragen Sie den großen Stern von der Vorlage auf Seite 212 auf Stoff und schneiden Sie ihn aus. Für den Namen zeichnen Sie einzelne Buchstaben. Die Größe der Buchstaben hängt von der Länge des Namens ab, der auf den Wimpel passen soll. Zeichnen Sie die Buchstaben spiegelverkehrt auf die Papierseite des Klebevlieses.

④ Lassen Sie die 0,6 cm breite Nahtzugabe frei und legen und bügeln Sie die Applikationsteile auf den Wimpel.

⑤ Arbeiten Sie einen schmalen Zickzackstich um alle Kanten der Applikationsteile (siehe »Maschinenapplikation«, Seite 271/272). Legen Sie ausreißbares Stickvlies unter den Wimpel, das erleichtert das gleichmäßige Nähen. Entfernen Sie danach das Stickvlies.

Persönlich signiert

Lassen Sie das Kind seinen Namen selbst schreiben und arbeiten Sie daraus die Buchstaben.

Kissen fertig stellen

① Für die Schlaufen falten Sie den rot gemusterten Schlaufenstreifen von 7,5 × 30 cm der Länge nach rechts auf rechts. Nähen Sie mit 0,6 cm Nahtzugabe entlang der langen, offenen Kante, wenden Sie

den Streifen auf rechts und bügeln Sie ihn. Steppen Sie knapp an beiden Kanten entlang. Teilen Sie den Streifen in 2 jeweils 15 cm lange Stücke und falten Sie diese quer zur Hälfte. Legen Sie die Schlaufen so auf, dass die offenen Schmalseiten an der Kante des Randstreifens liegen. Stecken und heften Sie die Schlaufen fest. Sie werden später in der Naht mitgefasst **(Abb. 2)**.

② Legen Sie Kissenoberseite und Rückseite rechts auf rechts und stecken Sie beide aufeinander fest. Nähen Sie mit 0,6 cm Nahtzugabe entlang der Kanten und lassen Sie etwa 10 cm zum Wenden offen. Dann schneiden Sie die Ecken der Nahtzugaben ab, wenden die Kissenhülle und bügeln sie. Stopfen Sie die Hülle mit Polyesterwatte aus und schließen Sie die Wendeöffnung mit Handstichen.

Abbildung 2

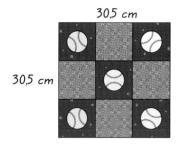

30,5 cm

30,5 cm

BASEBALL-
NEUNER-
BLOCK-KISSEN

Fertige Größe: 30,5 × 30,5 cm

(Siehe Foto auf Seite 219, auf dem Stuhl links oben)

Zusammensetzen und applizieren

Beachten Sie die Angaben zu Material und Zuschnitt unten. Setzen Sie die Kissenoberseite zusammen, bevor Sie die Applikationen aufnähen. Arbeiten Sie mit 0,6 cm Nahtzugabe und bügeln Sie nach jedem Arbeitsschritt.

① Nähen Sie die blau gemusterten und die gelb gemusterten 11,5-cm-Quadrate zu Reihen **(Abb. 3)**. Bügeln Sie die Nahtzugaben zu den blauen Stoffen hin. Nähen Sie die Reihen zur Kissenoberseite zusammen und bügeln Sie die Nahtzugaben in Pfeilrichtung.

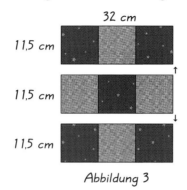

32 cm

11,5 cm

11,5 cm

11,5 cm

Abbildung 3

② Lesen Sie die Anleitung »Aufbügelapplikation« auf Seite 270/271. Arbeiten Sie mit dünnem, aufbügelbarem Klebevlies. Pausen Sie 5 Basebälle von der Vorlage auf Seite 209 ab.

③ Lassen Sie die 0,6 cm breite Nahtzugabe frei und bügeln Sie auf jedes blaue Hintergrundquadrat einen Baseball.

④ Nähen Sie einen schmalen Zickzackstich um alle Kanten der Applikationen (siehe »Maschinenapplikation«, Seite 271/272). Legen Sie ausreißbares Stickvlies unter den Stoff, das erleichtert das gleichmäßige Nähen. Entfernen Sie das Stickvlies nach dem Nähen. Zeichnen Sie die Nahtlinien der Basebälle mit wasserfestem Filzstift auf.

Kissenrückseite nähen

① Arbeiten Sie entlang einer langen Kanten der 21,5 × 32 cm großen Rückseitenstoffe einen schmalen Saum, indem Sie 0,6 cm nach innen falten, bügeln und dann noch einmal 0,6 cm umschlagen und bügeln. Steppen Sie entlang der gefalteten Kante.

MATERIAL UND ZUSCHNITT *(für Baseball-Neunerblock-Kissen)*

Waschen und bügeln Sie alle Stoffe. Schneiden Sie die Stoffe entsprechend der Tabelle zu. Verwenden Sie dabei Rollschneider, Quiltlineal und Schneidematte. Alle Maße beinhalten 0,6 cm Nahtzugabe.

STOFF	MENGE	TEILE	MASS
blau gemustert für den Hintergrund	0,15 m	5	Quadrate: 11,5 × 11,5 cm
gelb gemustert für den Hintergrund	0,15 m	4	Quadrate: 11,5 × 11,5 cm
Rückseitenstoff	0,30 m	2	Rechtecke: 21,5 × 32 cm
verschiedene passende Stoffe für die Basebälle	Reste oder 0,10-m-Stücke	–	–

dünnes, aufbügelbares Klebevlies *(Vliesofix®)*; ausreißbares Stickvlies; wasserfester Filzstift; gekauftes Kissen, 30 × 30 cm

② Legen Sie ein Rückseitenteil über das andere, beide mit der rechten Seite nach oben, sodass die gesäumten Kanten einander um 9 cm überlappen **(Abb. 4)**. Heften Sie die Teile dort aufeinander, wo sie einander überlappen. Die Kissenrückseite misst nun 32 cm im Quadrat.

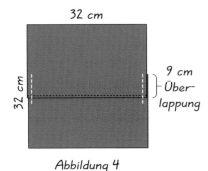

Abbildung 4

Kissen fertig stellen

① Nähen Sie Kissenoberseite und Rückseite mit 0,6 cm Nahtzugabe rechts auf rechts. Dann schneiden Sie die Ecken ab, wenden die Kissenhüllen und bügeln sie.

② Schieben Sie das gekaufte Kissen durch die Öffnung auf der Rückseite. Wie Sie selbst ein passendes Kissen nähen können, lesen Sie auf Seite 194.

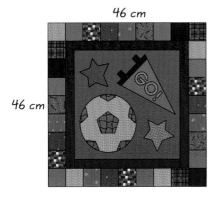

FUSSBALL-KISSEN

Fertige Größe: 46 × 46 cm

(Siehe Foto auf Seite 219, auf dem Stuhl, oben rechts)

Zusammensetzen und applizieren

Beachten Sie die Tabelle »Material und Zuschnitt« auf Seite 223. Setzen Sie die Kissenoberseite zusammen, bevor Sie die Applikationen aufnähen. Arbeiten Sie mit 0,6 cm Nahtzugabe und bügeln Sie nach jedem Arbeitsschritt.

① Nähen Sie die 3,8 cm breiten und 32 cm langen Kontraststreifen an Ober- und Unterkante des 32-cm-Mittelquadrates. Bügeln Sie die Nahtzugaben zu den Kontraststreifen hin.

② Nähen Sie die 3,8 cm breiten und 37 cm langen Kontraststreifen an die Seiten. Bügeln Sie.

③ Für die Patchworkbordüre legen Sie die 9 Streifen à 6,5 × 30 cm in gewünschter Farbfolge zurecht. Nähen Sie die Streifen zu einem 47 × 30 cm großen Streifenset zusammen. Schneiden Sie mit Rollschneider und Quiltlineal 4 Abschnitte à 6,5 × 47 cm von diesem Streifenset ab. Jeder Streifen besteht aus 9 Quadraten **(Abb. 5)**.

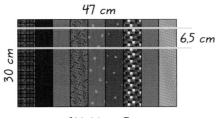

Abbildung 5

④ Trennen Sie von 2 der 6,5 cm breiten und 47 cm langen Streifen jeweils 2 Quadrate ab. Die Patchworkstreifen messen nun 6,5 × 37 cm und bestehen aus jeweils 7 Quadraten. Vergleichen Sie die Länge der Streifen mit Ober- und Unterkante des Kissenoberteils. Vielleicht müssen Sie einige Nähte enger oder weiter nähen (maximal 1 mm), bis die Länge passt. Stecken und nähen Sie die Patchworkstreifen an Ober- und Unterkante. Bügeln Sie die Nahtzugaben zu den Kontraststreifen hin.

⑤ Passen, stecken und nähen Sie die anderen beiden 6,5 cm breiten und 47 cm langen Patchworkstreifen an die Seiten. Bügeln Sie.

⑥ Lesen Sie die Anleitung »Aufbügelapplikation« auf Seite 270/271. Arbeiten Sie mit dünnem, aufbügelbarem Klebevlies. Übertragen Sie 2 große Sterne von der Vorlage auf Seite 212, 1 Fußball von Seite 213 und 1 Wimpel von Seite 210 auf Stoff und schneiden Sie die Formen aus.

⑦ Legen und bügeln Sie die Applikationsteile auf das Hintergrundquadrat, wie beim abgebildeten Fußballkissen zu sehen.

⑧ Nähen Sie einen schmalen Zickzackstich um alle Kanten der Applikationen (siehe »Maschinenapplikation«, Seite 271/272). Legen Sie ausreißbares Stickvlies unter den Stoff, das erleichtert das gleichmäßige Nähen. Entfernen Sie das Stickvlies nach dem Nähen.

MATERIAL UND ZUSCHNITT *(für das Fußballkissen)*

Waschen und bügeln Sie alle Stoffe. Schneiden Sie die Stoffe entsprechend der Tabelle zu. Verwenden Sie dabei Rollschneider, Quiltlineal und Schneidematte. Alle Maße beinhalten 0,6 cm Nahtzugabe.

STOFF	MENGE	TEILE	MASS
uni blau für den Hintergrund	0,35 m	1	Quadrat: 32 × 32 cm
rot gemustert für den Kontraststreifen	0,10 m (in 2 Streifen von 3,8 × 107 cm schneiden)	2 2	Streifen: 3,8 × 37 cm Streifen: 3,8 × 32 cm
verschiedene Stoffe für die Patchworkbordüre	je 0,10 m oder je 1 Streifen à 6,5 × 30 cm von 9 Stoffen	je 1	Streifen: 6,5 × 30 cm
Rückseitenstoff	0,35 m	2	Rechtecke: 29 × 47 cm
verschiedene passende Stoffe für die Applikationen	Reste oder Stücke à 0,10 – 0,25 m	–	–

dünnes, aufbügelbares Klebevlies *(Vliesofix®)*; ausreißbares Stickvlies; gekauftes Kissen, 46 × 46 cm

Kissenrückseite nähen

① Arbeiten Sie an jeweils einer langen Kanten der 29 × 47 cm großen Rückseitenstoffe einen schmalen Saum, indem Sie 0,6 cm nach innen falten, bügeln und dann noch einmal 0,6 cm umschlagen und wieder bügeln. Steppen Sie entlang der gefalteten Kante.

② Legen Sie ein Rückseitenteil so über das andere, dass die gesäumten Kanten einander um 9 cm überlappen **(Abb. 6)**. Beide Stoffe liegen mit der rechten Seite nach oben. Heften Sie die Teile dort aufeinander, wo sie einander überlappen. Die Kissenrückseite misst nun 47 cm im Quadrat.

Kissen fertig stellen

① Nähen Sie Kissenoberseite und Rückseite mit 0,6 cm Nahtzugabe rechts auf rechts. Dann schneiden Sie die Ecken ab, wenden die Kissenhülle und bügeln sie.

② Schieben Sie das gekaufte 46-cm-Kissen durch die Öffnung auf der Rückseite. Wie Sie selbst ein passendes Kissen nähen können, lesen Sie auf Seite 194.

Aus Debbies Notizbuch

Für Murphys Zimmer waren mir vier verschiedene Themen eingefallen. Ich ließ ihn wählen zwischen »Sport«, »Unter Wasser«, »Safari« oder »Käfer/Frösche/Natur«. Seine Antwort war knapp und deutlich: »SPORT!«

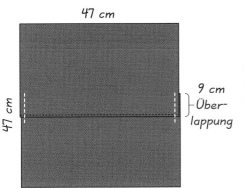

47 cm

47 cm

9 cm
Überlappung

Abbildung 6

ALLES FÜR DEN SPORT

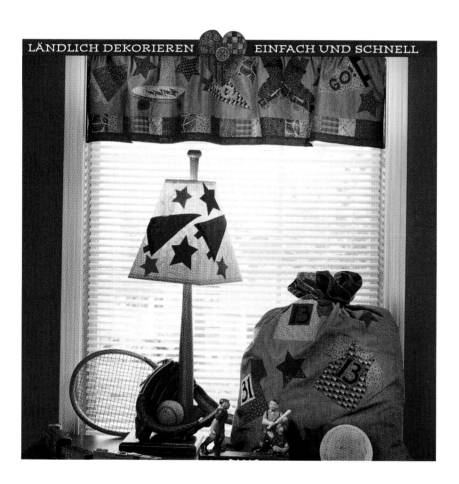

Zeigen Sie Sportsgeist! Dieses Zubehör im Sportlerschlafzimmer hat gerade noch gefehlt. Der Volant am Fenster und der Wäschebeutel (Anleitung auf Seite 226) machen wenig Arbeit, denn sie bestehen nur aus wenig Patchwork und alle Applikationen sind mit der Nähmaschine genäht.

Applikation

Für einen maßgearbeiteten Volant schneiden Sie den Hintergrundstoff auf 21,5 cm × Volantbreite zu. Vielleicht müssen Sie die Patchworkbordüre um 2 oder mehr Quadrate verbreitern, in diesem Fall rechnen Sie jeweils noch 0,6 cm Nahtzugabe dazu. Wählen Sie eine ausreichende Zahl von Sportmotiven aus den Vorlagen der Seiten 207 bis 215. Angaben zu Material und Zuschnitt finden Sie auf Seite 225.

① Arbeiten Sie mit 0,6 cm Nahtzugabe und nähen Sie die beiden einfarbig blauen Hintergrundteile à 21,5 × 65 cm zu einem 21,5 × 128 cm großen Hintergrundteil zusammen. Bügeln Sie die Nahtzugaben auseinander.

127 cm

30 cm *30 cm*

SPORT-VOLANT

Fertige Größe: 127 × 30 cm

Die Anleitung gilt für einen Volant für ein 84 cm breites Fenster. Sie können ihn aber an jedes Fenster anpassen. Messen Sie Ihre Fensterbreite, multiplizieren Sie dieses Maß mit 1,5 und runden Sie auf die nächste Fünferzahl auf. Berücksichtigen Sie die neuen Maße auch beim Material- und Stoffbedarf. Bei den einzelnen Arbeitsschritten sind Hinweise für maßgearbeitete Volants angegeben.

MATERIAL UND ZUSCHNITT

Waschen und bügeln Sie alle Stoffe. Schneiden Sie die Stoffe entsprechend der Tabelle zu. Verwenden Sie dabei Rollschneider, Quiltlineal und Schneidematte. Alle Maße beinhalten 0,6 cm Nahtzugabe. (Material für 1 Volant)

STOFF	MENGE	TEILE	MASS
uni blau für den Hintergrund	0,60 m	2	Rechtecke: 21,5 × 65 cm
verschiedene Stoffe für den Patchworkrand	Reste oder je 0,10 m von 8 Stoffen	25	Quadrate: 6,5 × 6,5 cm
rot gemustert für den Rand	0,15 m (in 3 Streifen von 4 × 107 cm schneiden)	2 2	Streifen: 4 × 98 cm Streifen: 4 × 32 cm
Rückseitenstoff	0,70 m	2	Rechtecke: 32 × 65 cm
verschiedene passende Stoffe für die Applikationen	Reste oder Stücke à 0,10 – 0,25 m	–	–
dünnes aufbügelbares Klebevlies (Vliesofix®); ausreißbares Stickvlies			

② Lesen Sie die Anleitung »Aufbügelapplikation« auf Seite 270/271. Arbeiten Sie mit dünnem, aufbügelbarem Klebevlies. Übertragen Sie 6 große Sterne von der Vorlage auf Seite 212, 3 Wimpel von Seite 210, 1 Skateboard von Seite 215 und 1 Paar Inlineskates von Seite 214 auf Stoff und schneiden Sie die Formen aus.

③ Lassen Sie die 0,6 cm-Nahtzugaben frei und bügeln Sie die Applikationsmotive mit Klebevlies auf den Hintergrund (siehe Grafik auf Seite 224).

④ Nähen Sie einen schmalen Zickzackstich um alle Kanten der Applikationen (siehe »Maschinenapplikation«, Seite 271/272). Legen Sie ausreißbares Stickvlies unter den Stoff, das erleichtert das gleichmäßige Nähen. Entfernen Sie das Stickvlies nach dem Nähen.

Randbordüren und Rückseite

Für einen maßgeschneiderten Volant ermitteln Sie zuerst, wie viele Patchworkquadrate Sie für die Bordüre benötigen. Teilen Sie das Breitenmaß durch 5 und schneiden Sie genau so viele 6,5-cm-Quadrate aus verschiedenen Stoffen zu. Schneiden Sie jeden der rot gemusterten 4-cm-Randstreifen in der neuen Länge zu. Schneiden Sie die Rückseite 32 cm breit und so lang wie den Hintergrundstoff zu. Vielleicht müssen Sie den rot gemusterten Streifen und das Rückseitenteil verlängern. Rechnen Sie in diesem Fall jeweils 0,6 cm Nahtzugabe dazu.

① Legen Sie die 25 Quadrate mit 6,5 cm Seitenlänge in gewünschter Farbfolge aus. Nähen Sie alle mit 0,6 cm Nahtzugabe zu einer 6,5 cm breiten und 128 cm langen Bordüre zusammen.

② Vergleichen Sie die Patchworkbordüre mit der Unterkante des einfarbig blauen Hintergrundstoffes. Vielleicht müssen Sie ein paar Nähte enger oder weiter nähen (maximal 1 mm), bis die Länge passt. Stecken und nähen Sie die Bordüre an den Hintergrund. Bügeln Sie die Nahtzugabe zum Hintergrund hin.

③ Nähen Sie die 2 rot gemusterten Streifen à 4 × 98 cm mit den beiden rot gemusterten Streifen à 4 × 32 cm zu einer Gesamtlänge von 127 cm zusammen. Bügeln Sie.

④ Nähen Sie die Streifen aus Schritt 3 an Ober- und Unterkante des Volant-Vorderteiles. Bügeln Sie die Nahtzugaben zu den rot gemusterten Randstreifen hin.

⑤ Nähen Sie die beiden 32 × 65 cm großen Rückseitenteile zu einem 32 × 128 cm großen Stück zusammen. Bügeln Sie die Nahtzugaben auseinander.

⑥ Stecken Sie Vorderseite und Rückseite des Volants rechts auf rechts. Beginnen Sie an der Nahtlinie des roten Streifens an der Oberkante des Volants und schließen Sie die Seitennähte **(Abb. 1)**.

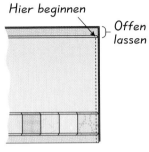

Abbildung 1

⑦ Wenden Sie den Volant auf rechts und bügeln Sie die Seitennähte. Steppen Sie die offen gelassenen Kanten ab **(Abb. 2)**.

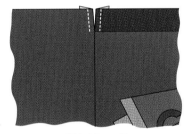

Abbildung 2

⑧ Wenden Sie den Volant auf links, sodass die rechten Stoffseiten aufeinander liegen. Stecken und nähen Sie Ober- und Unterkante des Volants zu und lassen Sie etwa 15 cm zum Wenden offen. Wenden Sie den Volant auf rechts, schließen Sie die Wendeöffnung mit Handstichen und bügeln Sie.

⑨ Um den Tunnel für die Aufhängestange fertig zu stellen, nähen Sie in der Nahtlinie zwischen dem rot gemusterten Streifen und dem einfarbig blauen Hintergrund-Stoff entlang.

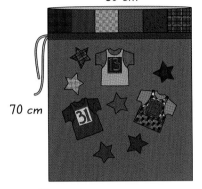

60 cm

70 cm

WÄSCHE-BEUTEL

Fertige Größe: 60 × 70 cm
(Siehe Foto auf Seite 224)

Applikation

① Beachten Sie die Angaben zu Material und Zuschnitt auf Seite 227. Lesen Sie die Anleitung »Aufbügelapplikation« auf Seiten 270/

271 und arbeiten Sie mit dünnem, aufbügelbarem Klebevlies. Übertragen Sie 3 Trikots und 6 große Sterne von den Vorlagen auf Seite 212 auf Stoff und schneiden Sie die Formen aus.

② Falten Sie das einfarbig blaue Hintergrundteil von 123 × 60 cm quer zur Hälfte links auf links und bügeln Sie es. Lassen Sie 0,6 cm Nahtzugabe frei und bügeln Sie die Applikationsmotive auf der vorderen Hälfte zwischen Kante und Falz auf (siehe Abbildung des Wäschebeutels links).

③ Nähen Sie einen schmalen Zickzackstich um alle Kanten der Applikationen (siehe »Maschinenapplikation«, Seite 271/272). Legen Sie ausreißbares Stickvlies unter

Decke aus Faserpelz
(Siehe Foto auf Seite 198, Decke auf dem oberen Bett)

Material

Decke aus Faserpelz, fertig gekauft
Reste oder Stücke à 0,10 – 0,25 m von verschiedenen passenden Stoffen für die Applikationen
dünnes, aufbügelbares Klebevlies (Vliesofix®)
ausreißbares Stickvlies
Perlgarn Nr. 5

Zusammensetzen

① Lesen Sie die Anleitung »Aufbügelapplikation« auf Seite 270/271. Übertragen Sie verschiedene Sportmotive von den Vorlagen auf den Seiten 207 bis 215 auf Stoff und schneiden Sie die Formen aus.

② Legen und bügeln Sie die Motive auf die Decke.

③ Nähen Sie einen schmalen Zickzackstich um alle Kanten der Applikationen (siehe »Maschinenapplikation«, Seite 271/272). Legen Sie ausreißbares Stickvlies unter den Stoff, das erleichtert das gleichmäßige Nähen. Entfernen Sie das Stickvlies nach dem Nähen.

④ Wenn die Faserpelzdecke mit Schlingstich eingefasst ist, so übersticken Sie jeden zweiten Schlingstich von Hand mit 2 Fäden Perlgarn in einer Kontrastfarbe zur Decke.

MATERIAL UND ZUSCHNITT

Waschen und bügeln Sie alle Stoffe. Schneiden Sie die Stoffe entsprechend der Tabelle zu. Verwenden Sie dabei Rollschneider, Quiltlineal und Schneidematte. Alle Maße beinhalten 0,6 cm Nahtzugabe.

STOFF	MENGE	TEILE	MASS
uni blau für den Hintergrund	1,40 m	1	Rechteck: 123 × 60 cm
rot gemustert für den Kontraststreifen	0,10 m	2	Streifen: 4 × 107 cm
verschiedene Stoffe für die Patchworkbordüre	je 0,15 m von 6 Stoffen	je 2	Quadrate: 11,5 × 11,5 cm
Futterstoff	1,40 m	1	Rechteck: 123 × 73 cm
verschiedene passende Stoffe für die Applikationen	Reste oder Stücke à 0,10 – 0,25 m	–	–
dünnes aufbügelbares Klebevlies *(Vliesofix®)*; ausreißbares Stickvlies; 1,50 m Zugschnur			

den Stoff, das erleichtert das gleichmäßige Nähen. Entfernen Sie das Stickvlies nach dem Nähen.

Zusammensetzen

① Nähen Sie die 12 Patchworkquadrate mit 11,5 cm Seitenlänge mit 0,6 cm Nahtzugabe zu einem Streifen von 11,5 × 123 cm zusammen.

② Nähen Sie die beiden 4 cm breiten und 107 cm langen Kontraststreifen zu 212 cm Gesamtlänge zusammen. Bügeln Sie. Kürzen Sie den Streifen auf 123 cm.

③ Nähen Sie Futter, Patchworkbordüre, Kontraststreifen und Hintergrund zusammen **(Abb. 3)**. Bügeln Sie die Nahtzugaben in die durch Pfeile angegebene Richtung.

④ Falten Sie den Wäschebeutel zur Hälfte rechts auf rechts. Nähen Sie mit 0,6 cm Nahtzugabe entlang der Seiten und der langen offenen Kante. Lassen Sie eine Wendeöff-

nung im Futterstoff frei und nähen Sie nicht über den Kontraststreifen, denn dort wird die Zugschnur eingeführt **(Abb. 4)**. Machen Sie Rückstiche an den Enden dieser Nähte, um den Tunnel zu sichern.

⑤ Wenden Sie den Wäschebeutel auf rechts und schließen Sie die Wendeöffnung von Hand. Bügeln Sie. Schieben Sie das Futter ins Innere des Beutels und bügeln Sie entlang der Oberkante.

⑥ Für den Tunnel der Zugschnur nähen Sie in den beiden Nahtlinien rechts und links des Kontraststreifens entlang. Ziehen Sie die Zugschnur in den Tunnel und machen Sie an beiden Enden einen Knoten.

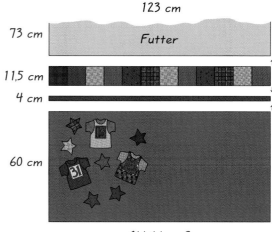

Abbildung 3

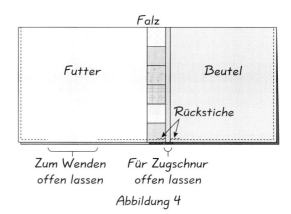

Abbildung 4

ROMANTISCHES MÄDCHENZIMMER

Mit Herzen und Blumen wird ein Mädchenzimmer so richtig romantisch.

Alle Projekte werden nach den gleichen Anleitungen gearbeitet, die auch für das

Sportlerzimmer angegeben sind (die Anleitungen beginnen auf Seite 201), inklu-

sive Kissenhüllen, Sofakissen, Volant, Wäschebeutel und Jacke. Ich habe zwar

andere Motive und Farben ausgewählt, doch der Stoffverbrauch, die Zuschneide-

maße und die Technik des Zusammensetzens sind grundsätzlich gleich.

Quilt »Herzen und Blumen«

Fertige Größe: 190 × 220 cm

Nähen Sie diesen entzückenden Mädchenquilt nach der Anleitung für den Sportquilt ab Seite 201. Verwenden Sie Stoffe in Rosa, Gelb, Hellblau und Lindgrün; weniger die leuchtenden Grundfarben. Ersetzen Sie die Sportmotive durch Herzen und Blüten und benutzen Sie dafür die Applikationsvorlagen von Seite 232. Bügeln

Sie Herzen auf die kleinen und Blumen auf die großen Eckquadrate.

Quilten Sie mit der Maschine oder von Hand. Bei dem Quilt auf dem Foto gegenüber wurde um alle Applikationen herum mit der Maschine gequiltet. Auf dem Hintergrund wurden flächige Mäanderlinien und Herzen gequiltet. Arbeiten Sie für jede Blüte ein Jo-Jo

aus der großen Jo-Jo-Vorlage auf Seite 232 und nähen Sie es in die Blütenmitte (siehe dazu »Jo-Jos nähen«, (Seite 272/273).

Anmerkung: Der Quilt »Herzen und Blumen«, der nach der Anleitung des Sportquilt gearbeitet wird, fällt ein wenig größer aus als das Beispiel auf dem Foto links. Der Rand reicht dann etwas weiter über das Bett.

Rundes Rüschenkissen

Fertige Größe: 46 cm Durchmesser

(Siehe Foto Seite 228, auf dem Bett in der Mitte)

MATERIAL UND ZUSCHNITT

Waschen und bügeln Sie alle Stoffe. Schneiden Sie die Stoffe entsprechend der Tabelle zu. Verwenden Sie dabei Rollschneider, Quiltlineal und Schneidematte. Alle Maße beinhalten 0,6 cm Nahtzugabe.

STOFF	MENGE	TEILE	MASS
grün gemustert für Ober- und Rückseite	0,50 m	2	Kreise: 32 cm ⌀
blau gemustert für die Rüsche	0,60 m	2 1	Streifen: 16 × 100 cm Streifen: 16 × 50 cm
verschiedene passende Stoffe für Applikationen und Jo-Jos	Reste oder Stücke à 0,10 – 0,25 m	–	–

0,25 m dünnes, aufbügelbares Klebevlies *(Vliesofix®)*; ausreißbares Stickvlies; 1,20 m starkes Häkelgarn oder Perlgarn No. 5; Polyesterfüllwatte

Applikation

① Lesen Sie die Anleitung »Aufbügelapplikation« auf Seite 270/271. Arbeiten Sie mit dünnem aufbügelbarem Klebevlies. Übertragen Sie 1 Blume und 6 Blätter von den Vorlagen auf Seite 232 auf Stoff und schneiden Sie die Formen aus.

② Legen und bügeln Sie das Motiv in die Mitte der Kissenoberseite.

③ Nähen Sie einen schmalen Zickzackstich um alle Kanten der Applikationen (siehe »Maschinenapplikation«, Seite 271/272). Legen Sie ausreißbares Stickvlies unter den Stoff, das erleichtert das gleichmäßige Nähen. Entfernen Sie das Stickvlies nach dem Nähen.

Kissen fertig stellen

① Arbeiten Sie ein großes Jo-Jo aus der Vorlage von Seite 232 (siehe »Jo-Jos nähen«, Seite 272/273). Nähen Sie das Jo-Jo in die Mitte der Blüte.

② Nähen Sie die beiden 16 cm breiten und 100 cm langen sowie den 50 cm langen Rüschenstreifen mit 0,6 cm Nahtzugabe zusammen und zu einem geschlossenen Ring. Bügeln Sie die Rüsche längs links auf links zur Hälfte.

③ Nähen Sie einen Reihstich entlang der offenen Kante, indem Sie über das Häkelgarn oder Perlgarn einen breiten Zickzackstich arbeiten. Teilen Sie die Rüsche in Viertel ein und markieren Sie die Stellen.

④ Teilen Sie auch die Kissenoberseite in Viertel ein, indem Sie es zweimal zur Hälfte falten und die Knicke an den Kanten markieren. Legen und stecken Sie die Rüsche rechts auf rechts auf die Kissenoberseite, sodass die Markierungen aufeinander treffen. Ziehen Sie die Rüsche an dem Häkelgarn zusammen. Verteilen Sie den Stoff gleichmäßig **(Abb. 1)**. Heften Sie die Rüsche auf.

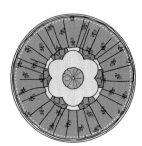

Abbildung 1

⑤ Legen und stecken Sie Kissenoberseite und Rückseite rechts auf rechts, die Rüsche liegt dazwischen. Nähen Sie mit 0,6 cm Nahtzugabe um das Kissen und lassen Sie etwa 10 cm zum Wenden offen. Dann wenden Sie die Kissenhülle auf rechts und bügeln sie. Füllen Sie das Kissen mit Polyesterwatte und schließen Sie die Wendeöffnung von Hand.

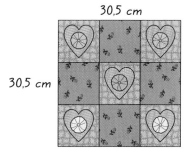

30,5 cm

30,5 cm

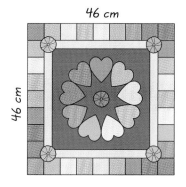

46 cm

46 cm

HERZKISSEN

Für das Herzkissen (Foto auf Seite 228, auf dem Bett links) folgen Sie der Anleitung für das Fußballkissen auf Seite 222. Um den Kranz aus Herzen aufzunähen, zeichnen Sie zuerst einem Kreis von 20 cm Durchmesser in die Mitte des Hintergrundquadrates. Übertragen Sie 9 Herzen von der Vorlage auf Seite 232 auf Stoff, schneiden sie aus und bügeln sie auf das Hintergrundquadrat. Der Kreis dient als Platzierungshilfe. Arbeiten Sie 5 große Jo-Jos von der Vorlage auf Seite 232 (siehe »Jo-Jos nähen«, Seite 272/273). Nähen Sie ein Jo-Jo in jede Ecke des Kontraststreifens und eines in die Mitte des Kissens.

NEUNER-BLOCK-KISSEN

Das Neunerblock-Kissen (Foto auf Seite 228, auf dem Bett rechts) arbeiten Sie in Pastellfarben. Verwenden Sie einen geblümten und einen zart karierten Stoff für die Hintergrundquadrate. Folgen Sie der Anleitung für das Baseball-Neunerblock-Kissen auf Seite 221 und bügeln Sie anstelle der Basebälle die Herzen auf, die Sie von der Vorlage auf Seite 232 auf Stoff übertragen. Arbeiten Sie 5 kleine Jo-Jos nach der Vorlage auf Seite 232 (siehe »Jo-Jos nähen«, Seite 272/ 273) und nähen Sie eines auf jedes Herz.

76 cm

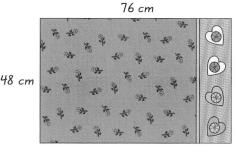

48 cm

KISSENHÜLLE

Die Herzen und Jo-Jos auf dem Rand dieses Kissens wirken romantisch und feminin. Folgen Sie der Anleitung für das Sportkissen auf Seite

205. Übertragen Sie 4 Herzen von der Vorlage auf Seite 232 auf Stoff, schneiden Sie die Formen aus und bügeln Sie alle auf den Rand des Kissenbezugs. Arbeiten Sie 4 kleine Jo-Jos nach der Vorlage auf Seite 232 (siehe »Jo-Jos nähen«, Seite 272/273) und nähen Sie eines auf jedes Herz.

60 cm

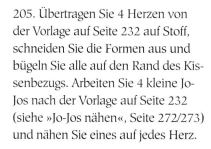

70 cm

WÄSCHEBEUTEL

Folgen Sie der Anleitung für den Sportler-Wäschebeutel auf Seite 226. Nähen Sie anstelle der Trikots und der Sterne Herzen und Blumen auf. Übertragen Sie 4 Herzen, 3 Blumen mit runden Mittelteilen und 9 Blätter von den Vorlagen auf Seite 232 auf Stoff und schneiden Sie die Formen aus. Legen und bügeln Sie die Motive auf den Beutel, wie die Abbildung oben zeigt.

VOLANT

Folgen Sie der Anleitung für den Sport-Volant auf Seite 224. Nähen Sie anstelle der Sportmotive Herzen und Blumen auf. Arbeiten Sie ein großes Jo-Jo für jede Blume nach der Vorlage auf Seite 232 (siehe »Jo-Jos nähen«, Seite 272/273) und nähen Sie ein Jo-Jo in jede Blütenmitte.

127 cm

30 cm

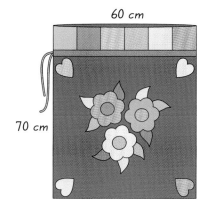

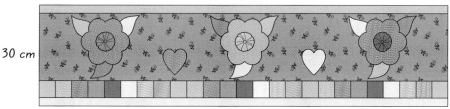

JACKE

Verwandeln Sie eine einfache Jeansjacke in das Lieblings-kleidungsstück eines jungen Mädchens. Folgen Sie der Anlei-tung für die Sportlerjacke auf Seite 206. Übertragen Sie 3 Herzen, 1 Blume und 3 Blätter von den Vorlagen unten auf Stoff. Nähen Sie verschiedene Knöpfe auf die Jacke.

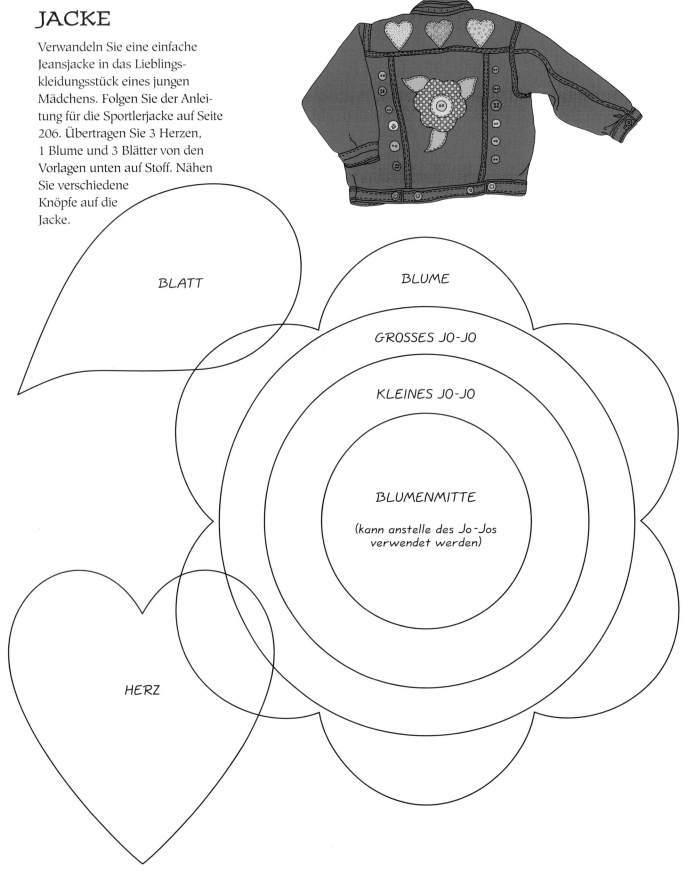

BLATT

BLUME

GROSSES JO-JO

KLEINES JO-JO

BLUMENMITTE

(kann anstelle des Jo-Jos verwendet werden)

HERZ

FREUNDLICHE NISCHEN, WINKEL UND TÜREN

Fast in jedem Haus gibt es kleine, ungenutzte
Nischen und Winkel. Sie eignen sich ganz vorzüg-
lich zum Dekorieren mit verschiedenen Themen.
In diesem Kapitel stelle ich Ihnen solche Ecken
zu den Themen Garten (Seite 234) und
Weihnachten (Seite 243) sowie eine festlich
geschmückte Haustüre (Seite 252) vor.

DIE GARTENECKE

Ob Sie nun gerne im Garten arbeiten oder nicht, dieser niedliche Engel wird

Ihr Herz gewinnen. Der gerahmte Gartenblumenstrauß (Anleitung auf Seite

237) links auf dem Tisch entsteht aus Jo-Jos und aufgebügelten plastischen

Blüten – eine wunderbare Geschenkidee! Die hübsche Vase mit den Tulpen

(Seite 238) ist als Bild gerahmt und sieht mit den Knöpfen auf dem breiten

Rahmen ganz reizend aus.

Blumenengel im Garten

Fertige Bildgröße: 50 × 40 cm   **Fertige Größe mit Rahmen: 60 × 50 cm**

MATERIAL UND ZUSCHNITT

Waschen und bügeln Sie alle Stoffe. Schneiden Sie die Stoffe entsprechend der Tabelle zu. Verwenden Sie dabei Rollschneider, Quiltlineal und Schneidematte. Alle Maße beinhalten 0,6 cm Nahtzugabe.

STOFF	MENGE	TEILE	MASS
verschiedene blau gemusterte Stoffe für den Himmel	Reste oder je 0,10 m von 8 – 12 Stoffen	40	Quadrate: 6,5 × 6,5 cm
verschiedene grün gemusterte Stoffe für die Wiese	Reste oder je 0,10 m von 8 – 10 Stoffen	40	Quadrate: 6,5 × 6,5 cm
Nessel zum Einrahmen	0,10 m (in 2 Streifen von 5 × 107 cm schneiden)	2 2	Streifen: 5 × 52 cm Streifen: 5 × 48 cm
verschiedene passende Stoffe für Applikationen, Blüten, Blätter und Jo-Jos	Reste oder Stücke à 0,10 – 0,25 m	–	–

dünnes, aufbügelbares Klebevlies *(Vliesofix®)*; Sticktwist; verschiedene Knöpfe; 40 × 50 cm Baumwollvlies; Rahmen, 50 × 60 cm, mit einem Ausschnitt von 40 × 50 cm; Klebstoff oder Klebeband

Zusammensetzen

Setzen Sie den Hintergrund zusammen, bevor Sie die Applikationen aufnähen. Arbeiten Sie mit 0,6 cm Nahtzugabe und bügeln Sie nach jedem Arbeitsgang.

① Legen Sie die hellblauen 6,5-cm-Quadrate für den Himmel in gewünschter Anordnung in 4 Reihen zu je 10 Quadraten aus. Halten Sie sich beim Zusammennähen an die gefundene Anordnung. Bügeln Sie die Nahtzugaben in den Reihen 1 und 3 nach links und in den Reihen 2 und 4 nach rechts. Setzen Sie die Reihen zusammen und bügeln Sie.

② Wiederholen Sie Schritt 1 mit den grünen 6,5-cm-Quadraten.

③ Nähen Sie die Einheit aus Schritt 1 an die Einheit aus Schritt 2. Bügeln Sie.

④ Nähen Sie die 5 cm breiten und 52 cm langen Nesselstreifen an Ober- und Unterkante. Bügeln Sie die Nahtzugaben zu den Streifen hin. Nähen Sie die 48 cm langen Nesselstreifen an die Seiten. Bügeln Sie.

Applikation

① Lesen Sie die Anleitung »Aufbügelapplikation« auf Seite 270/271. Übertragen Sie den Engel von den Vorlagen auf den Seiten 240/242 auf Stoff und schneiden Sie die Formen aus. Die plastischen Flügel bügeln Sie zuerst auf den »Flügelstoff« und schneiden sie aus. Dann bügeln Sie sie nicht auf den Hintergrund, sondern links auf links wiederum auf »Flügelstoff«. Schneiden Sie die Kanten beider Stoffe glatt aus.

② Legen Sie die Flügel unter den Engel und bügeln Sie die Figur auf den Hintergrund (siehe Grafik unten). Nähen Sie die Flügel mit zweifädigem Sticktwist und Vorstichen jeweils entlang der Mittellinie auf den Hintergrund.

③ Übertragen Sie insgesamt 10 bis 15 Blumen und 35 bis 42 Blätter von den Vorlagen auf Seite 239 auf Stoff und schneiden Sie die Formen aus. Für plastische Blumen und Blätter bügeln Sie die Stoffe auf Klebevlies und schneiden sie aus. Bügeln Sie sie dann auf die linke Seite eines anderen Stoffes, wie für eine zweite Blüte oder ein zweites Blatt. Schneiden Sie die Kanten glatt. Bei den Glockenblumen schneiden Sie kleine, schmale Fransen in die Unterkante der Blüten.

④ Arbeiten Sie 25 bis 30 Jo-Jo-Blumen in verschiedenen Größen nach den Vorlagen auf Seite 241 (siehe »Jo-Jos nähen«, Seite 272/273).

⑤ Arrangieren Sie die Blüten auf dem Hintergrund (siehe Grafik unten). Nähen Sie die Blumen von Hand mit Blindstichen auf. Setzen Sie in die Mitte einen kleinen Knopf oder machen Sie einen Knötchenstich (siehe »Zierstiche, Seite 272).

⑥ Zeichnen Sie den Henkel des Eimers und die Blumenstängel auf den Hintergrund. Arbeiten Sie die Linien mit Stielstichen aus dreifädigem Sticktwist (siehe »Zierstiche«, Seite 272). Nähen Sie von Hand je ein Blatt an jeden Stiel. Sticken Sie das Auge des Engels als Knötchenstich mit zweifädigem Sticktwist.

⑦ Legen Sie das Vlies auf den Rückseitenkarton aus dem Bilderrahmen. Breiten Sie das genähte Bild darüber und spannen Sie es gleichmäßig über den Karton. Befestigen Sie die Kanten mit Klebeband oder Klebstoff auf der Rückseite des Kartons. Legen Sie das Bild von der Rückseite her in den Rahmen und sichern Sie es.

52 cm

42 cm

ANORDNUNG DES BLUMENENGEL-BILDES

Gartenblumenstrauss

Fertige Bildgröße: 20 × 25 cm

Fertige Größe mit Rahmen: 25 × 30 cm

(Siehe Foto auf Seite 234, Blumenbild links auf dem Tisch)

MATERIAL UND ZUSCHNITT

Waschen und bügeln Sie alle Stoffe. Schneiden Sie die Stoffe entsprechend der Tabelle zu. Verwenden Sie dabei Rollschneider, Quiltlineal und Schneidematte. Alle Maße beinhalten 0,6 cm Nahtzugabe.

STOFF	MENGE	TEILE	MASS
blau gemusterte Stoffe für den Hintergrund	Reste oder je 0,10 m von 5 – 9 Stoffen	20	Quadrate: 6,5 × 6,5 cm
Nessel zum Einrahmen	0,10 m (in 2 Streifen von 5 × 107 cm schneiden)	2 2	Streifen: 5 × 33 cm Streifen: 5 × 21,5 cm
verschiedene passende Stoffe für die plastischen Blumen, Blätter und Jo-Jos	Reste oder Stücke à 0,10 m	–	–

dünnes, aufbügelbares Klebevlies (*Vliesofix®*); verschiedene Knöpfe; Sticktwist; Seidenband; 20 × 25 cm Baumwollvlies; Rahmen, 25 × 30 cm, mit einem Ausschnitt von 20 × 25 cm; Klebstoff oder Klebeband

Zusammensetzen

Setzen Sie den Hintergrund zusammen, bevor Sie die Applikationen aufnähen. Arbeiten Sie mit 0,6 cm Nahtzugabe und bügeln Sie nach jedem Arbeitsgang.

① Legen Sie die 6,5-cm-Hintergrundquadrate in 5 Reihen zu je 4 Quadraten in gewünschter Farbfolge aus. Halten Sie sich beim Zusammennähen an die gefundene Anordnung. Bügeln Sie die Nahtzugaben der Reihen 1, 3 und 5 nach links und die der Reihen 2 und 4 nach rechts. Nähen Sie die Reihen zusammen und bügeln Sie alle Nahtzugaben in eine Richtung.

② Nähen Sie die 5 cm breiten und 21,5 cm langen Nesselstreifen an

Ober- und Unterkante. Bügeln Sie die Nahtzugaben zu den Streifen hin. Nähen Sie die 33 cm langen Nesselstreifen an die Seiten. Bügeln Sie.

Applikation

① Lesen Sie die Anleitung »Aufbügelapplikation« auf Seite 270/271. Übertragen Sie insgesamt 4 bis 6 Blumen und 10 bis 12 Blätter von den Vorlagen auf Seite 239 auf Stoff und schneiden Sie die Formen aus. Für plastische Blumen und Blätter bügeln Sie die Stoffe auf Klebevlies und schneiden sie aus. Dann bügeln Sie sie auf die linke Seite eines anderen Stoffes, wie für eine zweite Blüte oder ein zweites Blatt. Schneiden

Sie die Kanten glatt. Bei den Glockenblumen schneiden Sie in die Blütenunterkante kleine, schmale Fransen ein. Schneiden Sie Schlitze in die großen, runden Blüten, wie auf der Vorlage angegeben.

② Arbeiten Sie 8 bis 12 Jo-Jo-Blumen in verschiedenen Größen nach den Vorlagen auf Seite 241 (siehe »Jo-Jos nähen«, Seite 272/273).

③ Legen Sie die Blüten auf den Hintergrund (siehe Grafik »Anordnung des Blumenstraußes«, Seite 238). Nähen Sie die Blumen von Hand mit Blindstichen auf und setzen Sie in die Mitte einen kleinen Knopf oder machen Sie einen

Knötchenstich. Arbeiten Sie die Linien der Stängel mit Rückstichen aus zweifädigem Sticktwist (siehe »Zierstiche«, Seite 272). Nähen Sie die Blätter von Hand an die Stängel.

④ Binden Sie aus dem Seidenband eine Schleife, die Sie von Hand an die Stiele des Blumenstraußes nähen. Befestigen Sie das Schleifenband in gefälliger Anordnung auf den Hintergrund.

⑤ Legen Sie das Baumwollvlies auf den Rückseitenkarton aus dem Bilderrahmen. Breiten Sie

das genähte Bild darüber und spannen Sie es gleichmäßig über den Karton. Befestigen Sie die Kanten mit Klebeband oder Klebstoff auf der Rückseite des Kartons. Legen Sie das Bild von der Rückseite her in den Rahmen und sichern Sie es.

ANORDNUNG DES
BLUMENSTRAUSSES

Vase mit Tulpen

Fertige Bildgröße: 10 × 15 cm
Fertige Größe mit Rahmen: 18 × 23 cm

(Siehe Foto auf Seite 234, an der Wand)

Material

18 × 23 cm Baumwollstoff, grün gemustert, für den Hintergrund
Reste von verschiedenen passenden Baumwollstoffen für die Applikationen
aufbügelbares Klebevlies (Vliesofix®)
Sticktwist
Seidenband
10 × 15 cm Baumwollvlies
18 × 23 cm Rahmen mit einem Ausschnitt von 10 × 15 cm
Klebstoff oder Klebeband
verschiedene Knöpfe

Zusammensetzen

① Lesen Sie die Anleitung »Aufbügelapplikation« auf Seite 270/271.

Übertragen Sie die Tulpen mit Vase von Seite 239 auf Stoff und schneiden Sie sie aus. Bügeln Sie das Motiv in die Mitte des grün gemusterten Hintergrundrechtecks.

② Sticken Sie die Tulpenstängel mit Stielstichlinien aus zweifädigem Sticktwist (siehe »Zierstiche«, Seite 272).

③ Binden Sie eine Schleife aus Seidenband und nähen Sie sie von Hand auf die Vase.

④ Legen Sie das Baumwollvlies auf den Rückseitenkarton aus dem Bilderrahmen. Breiten Sie das genähte Bild darüber und spannen Sie es gleichmäßig. Befestigen Sie

die Kanten mit Klebeband oder Klebstoff auf der Rückseite des Kartons. Legen Sie das Bild von der Rückseite her in den Rahmen und sichern Sie es. Kleben Sie die Knöpfe auf den Rahmen.

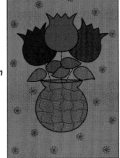

ANORDNUNG DES
TULPENSTRAUSSES

Farbe bekennen

Bemalen Sie den Rahmen in einer Farbe, die zur Blumenvase passt. Dekorieren Sie die innere Kante mit einer Miniatur-Schachbrettbordüre. Anstelle der aufgeklebten Knöpfe können Sie auch winzige Tulpenblüten aufmalen.

ZEICHENERKLÄRUNG

――――― Kontur

- - - - - Kontur (wird später von Stoff bedeckt)

BLUMENENGEL: VORLAGEN FÜR DIE BLUMEN

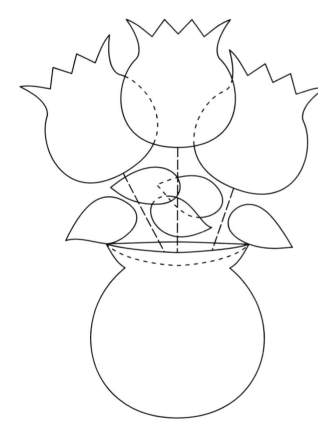

TULPENVASE

BLÄTTER

Schlitze einschneiden

GARTENBLUMENSTRAUSS: VORLAGEN FÜR DIE BLUMEN

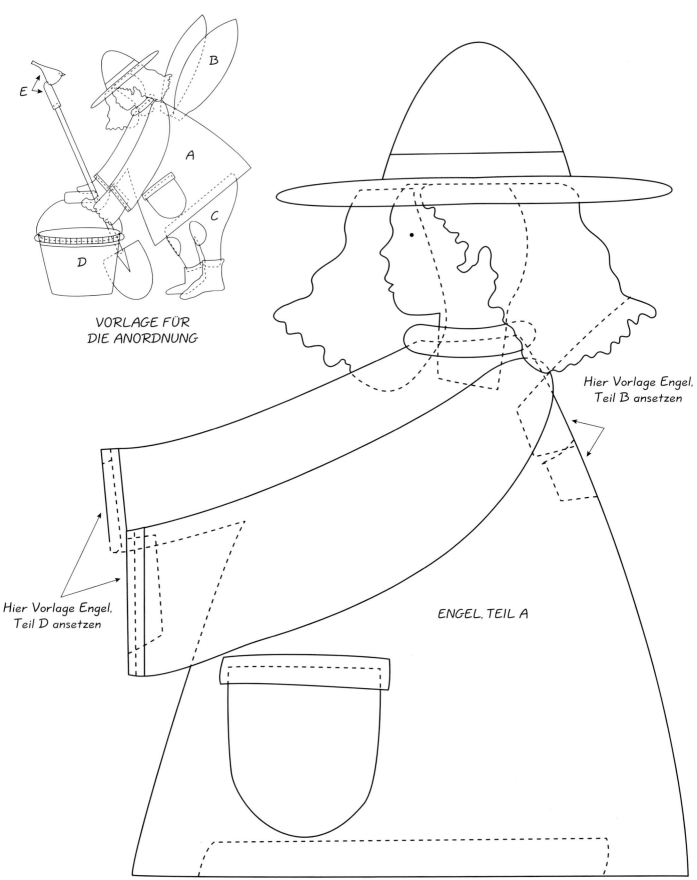

VORLAGE FÜR
DIE ANORDNUNG

Hier Vorlage Engel,
Teil B ansetzen

Hier Vorlage Engel,
Teil D ansetzen

ENGEL, TEIL A

Hier Vorlage Engel, Teil C ansetzen

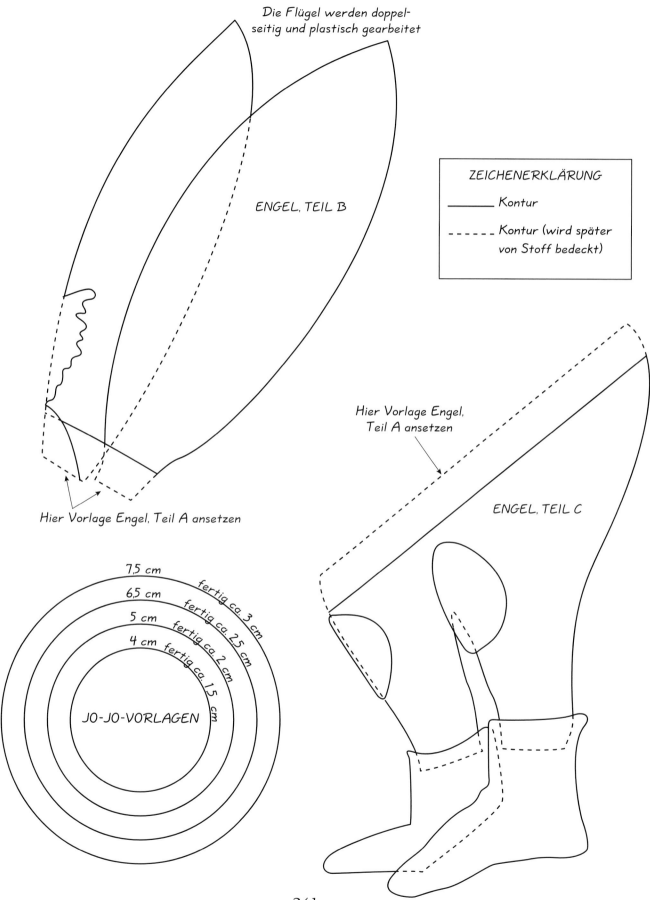

Die Flügel werden doppel-
seitig und plastisch gearbeitet

ENGEL, TEIL B

ZEICHENERKLÄRUNG

———————— Kontur

- - - - - - Kontur (wird später
von Stoff bedeckt)

Hier Vorlage Engel,
Teil A ansetzen

Hier Vorlage Engel, Teil A ansetzen

ENGEL, TEIL C

7,5 cm
6,5 cm
5 cm
4 cm

fertig ca. 3 cm
fertig ca. 2,5 cm
fertig ca. 2 cm
fertig ca. 1,5 cm

JO-JO-VORLAGEN

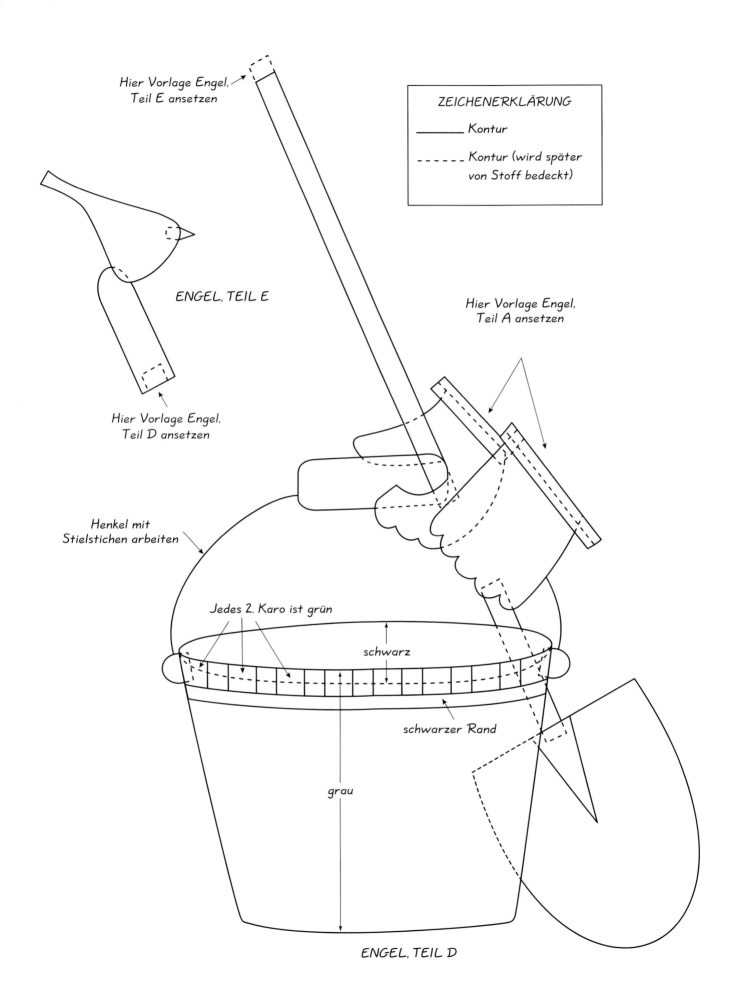

Hier Vorlage Engel,
Teil E ansetzen

ENGEL, TEIL E

Hier Vorlage Engel,
Teil D ansetzen

ZEICHENERKLÄRUNG

——————— Kontur

– – – – – Kontur (wird später
von Stoff bedeckt)

Hier Vorlage Engel,
Teil A ansetzen

Henkel mit
Stielstichen arbeiten

Jedes 2. Karo ist grün

schwarz

schwarzer Rand

grau

ENGEL, TEIL D

DIE WEIHNACHTS- ECKE

Dekorieren Sie eine Ecke Ihrer Wohnung mit sechs Textilbildern, die schnell und einfach zu arbeiten sind, und erfreuen Sie sich an den Winterthemen. Wie Sie auf der nächsten Seite sehen, ist der Hintergrund hinter dem fröhlichen Schneemann und dem Vogelhaus aus verschiedenen Stoffen zusammengesetzt und sieht sehr kunstvoll aus. Der gestickte Baum (Anleitung Seite 245), gegen die Wand gelehnt, wirkt durch die Stickerei handwerklich aufwändig und ist doch schnell fertig. Die Bilder mit Vogelhaus und Kerzenleuchter (Seite 246) an der Wand und die Stern- und Mondbilder im Regal (Seite 247) zu arbeiten ist ein Vergnügen – und Sie werden dabei Ihre Stoffreste los. Und nicht zuletzt sind diese Bilder ein ganz persönliches Geschenk!

Fröhlicher Schneemann mit Vogelhaus

Fertige Bildgröße: 30 × 36 cm   **Fertige Größe mit Rahmen: 38 × 46 cm**

MATERIAL UND ZUSCHNITT

Waschen und bügeln Sie alle Stoffe. Schneiden Sie die Stoffe entsprechend der Tabelle zu. Verwenden Sie dabei Rollschneider, Quiltlineal und Schneidematte. Alle Maße beinhalten 0,6 cm Nahtzugabe.

STOFF	MENGE	TEILE	MASS
☐ grau gemustert für den Himmel-Hintergrund	Reste oder je 0,10 m von 6 – 8 Stoffen	30	Quadrate: 6,5 × 6,5 cm
☐ beige gemustert für den Schnee-Hintergrund	Reste oder je 0,10 m von 6 – 8 Stoffen	12	Quadrate: 6,5 × 6,5 cm
Nessel zum Einrahmen	0,10 m (in 2 Streifen von 5 × 107 cm schneiden)	2 2	Streifen: 5 × 32 cm Streifen: 5 × 43 cm
verschiedene passende Stoffe für die Applikationen	Reste oder Stücke à 0,10 – 0,25 m	—	—

dünnes, aufbügelbares Klebevlies *(Vliesofix®)*; Sticktwist; verschiedene Knöpfe; 30 × 36 cm Baumwollvlies; Rahmen, 38 × 46 cm, mit einem Ausschnitt von 30 × 36 cm; Klebstoff oder Klebeband

Zusammensetzen

Setzen Sie den Hintergrund zusammen, bevor Sie die Applikationen aufnähen. Arbeiten Sie mit 0,6 cm Nahtzugabe und bügeln Sie nach jedem Arbeitsgang.

① Legen Sie die grau gemusterten 6,5-cm-Quadrate in gewünschter Farbfolge in 5 Reihen zu je 6 Quadraten aus. Halten Sie sich beim Zusammennähen an die gefundene Anordnung. Bügeln Sie die Nahtzugaben der Reihen 1, 3 und 5 nach links und die der Reihen 2 und 4 nach rechts. Nähen Sie die Reihen zusammen und bügeln Sie.

② Legen Sie die beige gemusterten 6,5-cm-Quadrate in gewünschter Farbfolge in 2 Reihen zu je 6 Quadraten aus. Halten Sie sich beim Zusammennähen an die gefundene Anordnung. Bügeln Sie die Nahtzugaben von Reihe 1 nach links und von Reihe 2 nach rechts.

Nähen Sie die Reihen zusammen und bügeln Sie.

③ Nähen Sie die Einheit aus Schritt 1 an die Einheit aus Schritt 2. Bügeln Sie.

④ Nähen Sie die 5 cm breiten und 32 cm langen Nesselstreifen an Ober- und Unterkante. Bügeln Sie die Nahtzugaben zu den Streifen hin. Nähen Sie die 43 cm langen Nesselstreifen an die Seiten. Bügeln Sie.

Applikation

① Lesen Sie die Anleitung »Aufbügelapplikation« auf Seite 270/271. Übertragen Sie den Schneemann, den Vogel und das Vogelhaus von den Vorlagen auf den Seiten 249/250 auf Stoff und schneiden Sie die Formen aus. Bügeln Sie die Motive auf das Hintergrundteil (siehe Grafik rechts).

② Zeichnen Sie den Stechpalmenzweig und die Beine des Vogels auf den Hintergrund. Sticken Sie die Linien mit zweifädigem Sticktwist und Rückstichen. Arbeiten Sie die Ge-

sichter von Schneemann und Vogel mit Knötchenstich (siehe »Zierstiche«, Seite 272). Wenn Sie möchten, können Sie Knöpfe auf das Vogelhaus und den Stechpalmenzweig aufnähen.

③ Legen Sie das Vlies auf den Rückseitenkarton aus dem Bilderrahmen. Breiten Sie das genähte Bild darüber und spannen Sie es gleichmäßig über den Karton. Befestigen Sie die Kanten mit Klebeband oder Klebstoff auf der Rückseite des Kartons. Legen Sie das Bild von der Rückseite her in den Rahmen und sichern Sie es.

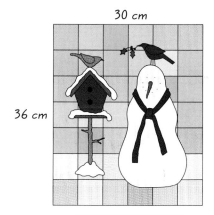

ANORDNUNG DES
SCHNEEMANNBILDES

Gestickter Baum

Fertige Bildgröße: 30 × 36 cm
Fertige Größe mit Rahmen: 33 × 41 cm

(Siehe Foto, links an der Wand)

Material

38 × 46 cm uni brauner Wollstoff
   für den Hintergrund
Reste von verschiedenen passenden Stoffen für die applizierten
   Sterne
dünnes, aufbügelbares Klebevlies
   (Vliesofix®)

Sticktwist
verschiedene Keramikknöpfe
30 × 36 cm Baumwollvlies
Rahmen, 33 × 41 cm, mit einem
   Ausschnitt von 30 × 36 cm
Klebstoff oder Klebeband
Passepartout, 30 × 36 cm, mit
   einem Ausschnitt von 20 × 28 cm

Zusammensetzen

① Übertragen Sie das Stickmotiv von der Vorlage aus Seite 251 mittig auf den braunen Wollstoff.

Keramikknöpfe

Die reizenden Keramik-
knöpfe auf dem gestick-
ten Baum sind Debbie
Mumm-Knöpfe der
Firma Hill Mill. Die
Knöpfe und noch viele
andere schöne Dinge
finden Sie im Patch-
workladen in Ihrer Nähe
oder im Versandhandel
für Patchworkbedarf.

② Lesen Sie die Anleitung »Aufbügelapplikation« auf Seite
270/271. Übertragen Sie die
Sterne von der Vorlage auf Seite
251 auf Stoff und schneiden sie

die Formen aus. Bügeln Sie die
Sterne auf den Hintergrund
(siehe Vorlage auf Seite 251).

③ Sticken Sie Baum und Schnee
mit dreifädigem Sticktwist in
Rückstich. Arbeiten Sie die Knötchenstiche für die Schneeflocken
mit zweifädigem Sticktwist (siehe
»Zierstiche«, Seite 272).

④ Nähen Sie verschiedene Keramikknöpfe auf den Hintergrund
(siehe Vorlage auf Seite 251).

⑤ Legen Sie das Baumwollvlies
auf den Rückseitenkarton aus
dem Bilderrahmen. Breiten Sie
das genähte Bild darüber und
spannen Sie es gleichmäßig über
den Karton. Befestigen Sie die

Kanten mit Klebeband oder
Klebstoff auf der Rückseite des
Kartons. Legen Sie das Bild von
der Rückseite her in den Rahmen
und sichern Sie es.

Textiler Rahmen

Fragen Sie in Ihrem
Rahmengeschäft, ob
man dort das Passepar-
tout mit passendem
Stoff beziehen kann,
bevor es zugeschnitten
wird. Oder nähen Sie
einen Randstreifen um
den Hintergrund, bevor
Sie das Bild rahmen.

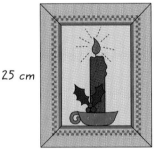

20 cm

25 cm

Vogelhaus oder Kerzenleuchter

Fertige Bildgröße: 13 × 18 cm
Fertige Größe mit Rahmen: 20 × 25 cm

(Siehe Foto auf Seite 244, rechts an der Wand)

Material
für ein Bild

20 × 25 cm beige gemusterter
 Baumwollstoff für den Hintergrund
Reste von verschiedenen passenden Stoffen für die Applikationsmotive
dünnes, aufbügelbares Klebevlies
 (Vliesofix®)
Sticktwist
verschiedene Knöpfe
13 × 18 cm Baumwollvlies

Rahmen, 20 × 25 cm, mit einem
 Ausschnitt von 13 × 18 cm
Klebstoff

Zusammensetzen

① Lesen Sie die Anleitung »Aufbügelapplikation« auf Seite
270/271. Übertragen Sie das Vogelhaus von der Vorlage auf Seite
250 oder den Kerzenleuchter von
Seite 248 auf Stoff und schneiden
Sie die Formen aus. Bügeln Sie
das Motiv in die Mitte des beige

gemusterten Hintergrundstoffes
(siehe Foto auf Seite 244).

② Auf dem Vogelhausbild sticken
Sie das Auge des Vogels als Knötchenstich mit zweifädigem Stick-

Greifen Sie zum Pinsel!

Bemalen Sie Ihre
Bilderrahmen in
passenden Farben.

twist (siehe »Zierstiche«, Seite 272). Nähen Sie Knöpfe als »Fluglöcher« auf das Häuschen. Auf dem Kerzenleuchterbild zeichnen Sie die Strahlen der Kerzenflamme auf den Hintergrund vor. Sticken Sie die Strahlen mit

Vorstichen in zweifädigem Sticktwist. Nähen Sie Knöpfe als Beeren auf den Stechpalmenzweig.

③ Legen Sie das Baumwollvlies auf den Rückseitenkarton aus dem Bilderrahmen. Breiten Sie das

genähte Bild darüber und spannen Sie es gleichmäßig über den Karton. Befestigen Sie die Kanten mit Klebstoff auf der Rückseite des Kartons. Legen Sie das Bild von der Rückseite her in den Rahmen und sichern Sie es.

14 cm

14 cm

Stern oder Mond

Fertige Bildgröße: 7,5 × 7,5 cm
Fertige Größe mit Rahmen: 14 × 14 cm

(Siehe Foto auf Seite 244, auf dem Regal)

Material

für ein Bild

14 × 14 cm rot gemusterter Wollstoff oder Filz für den Hintergrund
Reste von verschiedenen passenden Stoffen für die Applikationen
dünnes, aufbügelbares Klebevlies (Vliesofix®)
Sticktwist
verschiedene Knöpfe
7,5 × 7,5 cm Baumwollvlies
Rahmen, 14 × 14 cm, mit einem Ausschnitt von 7,5 × 7,5 cm
Klebstoff

Zusammensetzen

① Lesen Sie die Anleitung »Aufbügelapplikation« auf Seite 270/271. Übertragen Sie den Stern oder den Mond von der Vorlage auf Seite 250 auf Stoff und schneiden Sie die Formen aus. Bügeln Sie das Motiv in die Mitte des rot gemusterten Hintergrundquadrates (siehe Foto auf Seite 244).

② Arbeiten Sie mit zweifädigem Sticktwist eine Vorstichreihe um den Stern. Nähen Sie einen Knopf in die Mitte des Sterns. Beim Mond arbeiten Sie die Augenbraue mit Rückstichen in zweifädigem Sticktwist. Sticken Sie mit zweifädigem Sticktwist eine Vorstichreihe um den Mond

und arbeiten Sie das Auge als Knötchenstich (siehe »Zierstiche«, Seite 272).

③ Legen Sie das Baumwollvlies auf den Rückseitenkarton aus dem Bilderrahmen. Breiten Sie das genähte Bild darüber und spannen Sie es gleichmäßig über den Karton. Befestigen Sie die Kanten mit Klebstoff auf der Rückseite des Kartons. Legen Sie das Bild von der Rückseite her in den Rahmen und sichern Sie es.

Schachbrettmuster

Malen Sie eine winzige Schachbrettbordüre um die Innenkante des Bilderrahmens.

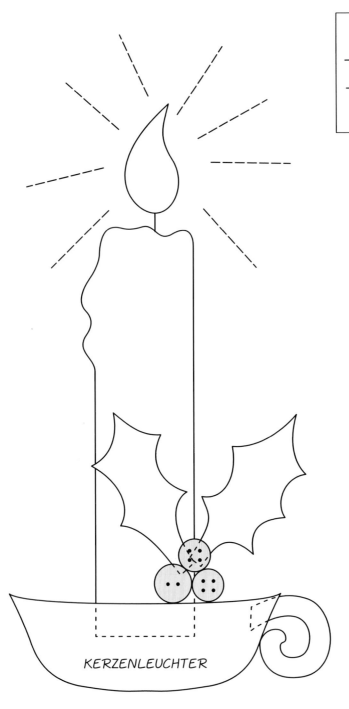

ZEICHENERKLÄRUNG

—————— Kontur

- - - - - - Kontur (wird später
von Stoff bedeckt)

KERZENLEUCHTER

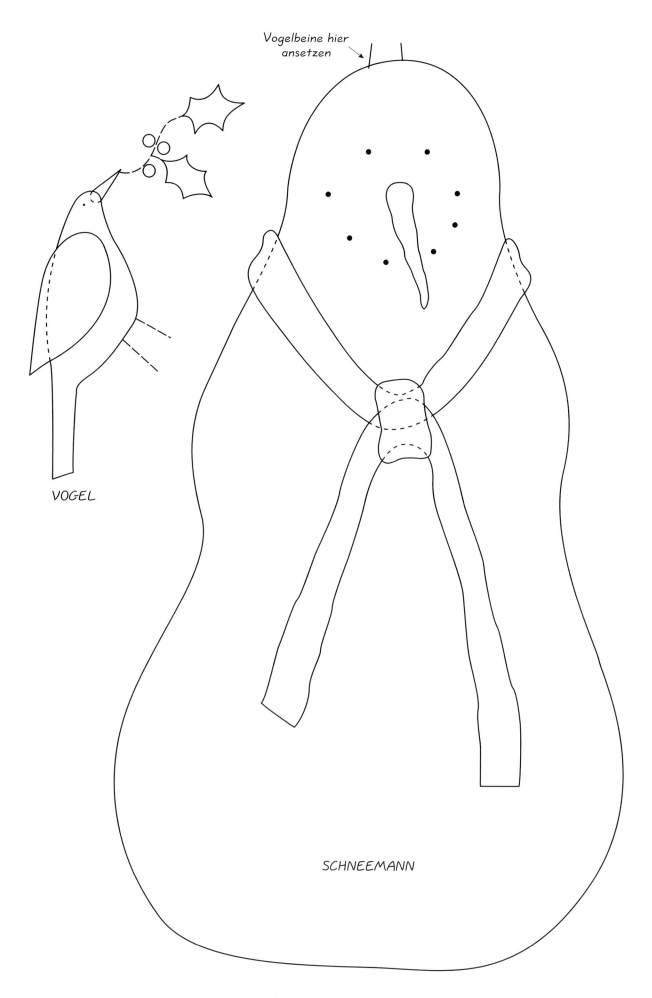

Vogelbeine hier
ansetzen

VOGEL

SCHNEEMANN

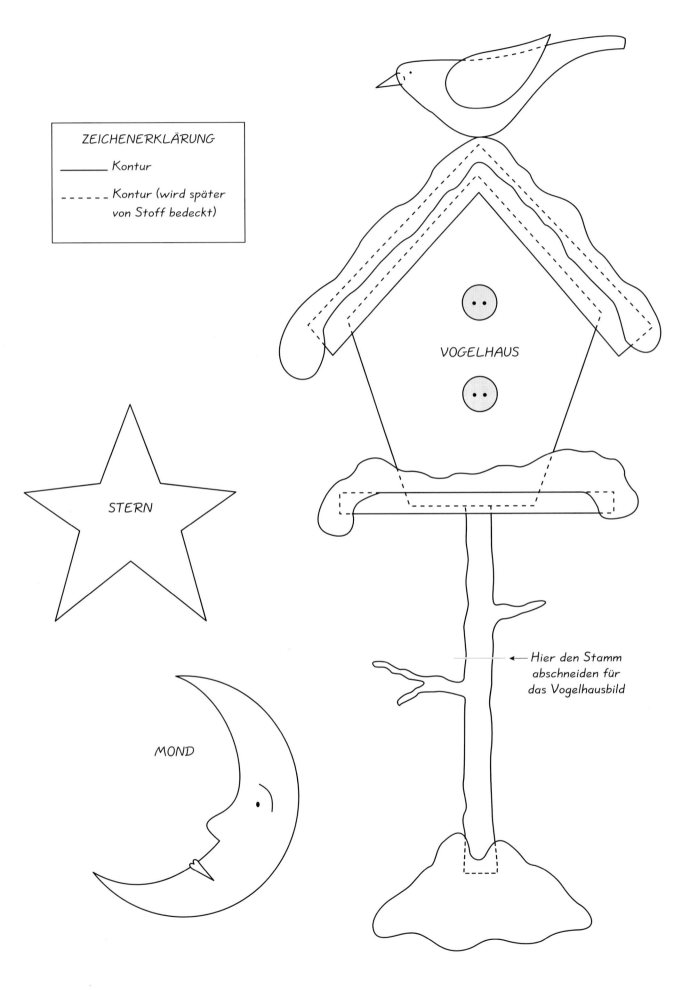

ZEICHENERKLÄRUNG

——— Kontur

- - - - - - Kontur (wird später
von Stoff bedeckt)

STERN

MOND

VOGELHAUS

← Hier den Stamm
abschneiden für
das Vogelhausbild

250

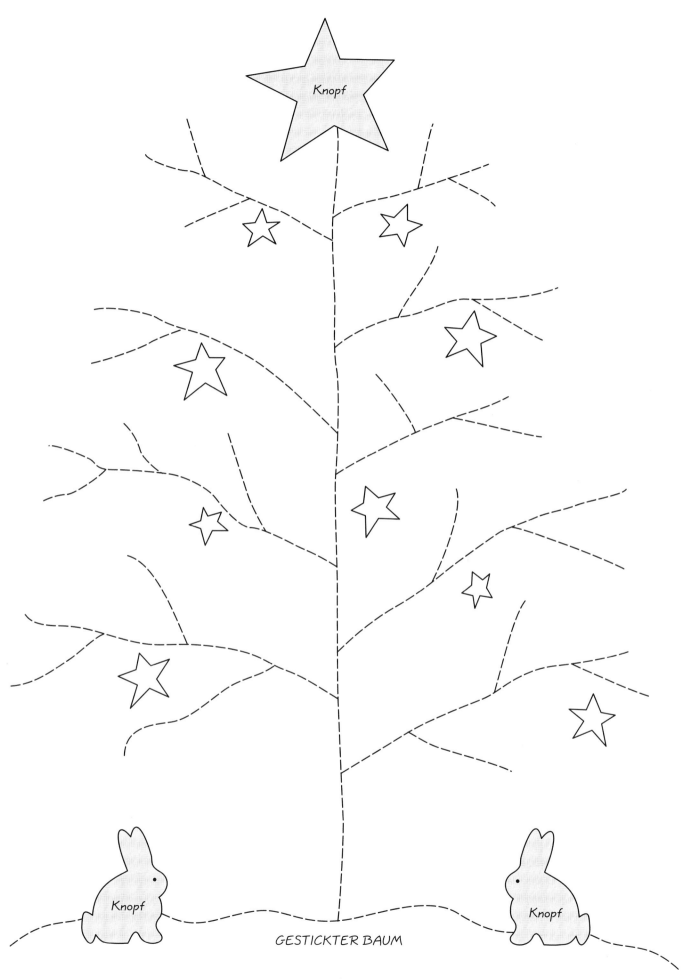

Knopf

Knopf

Knopf

GESTICKTER BAUM

WEIHNACHTLICH GESCHMÜCKTE HAUSTÜRE

Willkommen! Dieser kleine Quilt mit dem Nikolausstrumpf und dem aufge-
stickten Familiennamen begrüßt Ihre Gäste. Stellen Sie einen Baum mit
selbst angefertigten Filzfiguren (Anleitung Seite 257) und einer Weihnachts-
girlande (Seite 257) neben den Eingang und hängen Sie einen rustikalen
Zweig (Seite 258) über die Türe. Gibt es einen schöneren Willkommensgruß?
Vielleicht wird sogar der Weihnachtsmann angelockt und kommt durch die
Haustüre herein, statt durch den Kamin zu rutschen.

Türquilt mit Nikolausstrumpf

Fertige Größe: 53 × 64 cm

MATERIAL UND ZUSCHNITT			

Waschen und bügeln Sie alle Stoffe. Schneiden Sie die Stoffe entsprechend der Tabelle zu. Verwenden Sie dabei Rollschneider, Quiltlineal und Schneidematte. Alle Maße beinhalten 0,6 cm Nahtzugabe.

STOFF	MENGE	TEILE	MASS
beige gemustert für den Hintergrund	0,50 m	1	Rechteck: 34 × 44,5 cm
uni schwarz für Kontraststreifen und Einfassung	0,50 m	2	Streifen: 2,5 × 47 cm (Kontraststreifen)
		2	Streifen: 2,5 × 34 cm (Kontraststreifen)
		4	Streifen: 7 × 107 cm (Einfassung)
rot gemustert für die Schachbrettbordüre	0,10 m	2	Streifen: 3,8 × 107 cm
grün gemustert für die Schachbrettbordüre	0,10 m	2	Streifen: 3,8 × 107 cm

Fortsetzung auf Seite 254

MATERIAL UND ZUSCHNITT —FORTSETZUNG

STOFF	MENGE	TEILE	MASS
gelb gemustert für die Patchworkzacken	0,25 m (in 3 Streifen von 6,5 × 107 cm schneiden)	40	Quadrate: 6,5 × 6,5 cm
schwarz gemustert für die Patchworkzacken	0,25 m (in 3 Streifen von 6,5 × 107 cm schneiden)	18 4	Rechtecke: 6,5 × 11,5 cm Quadrate: 6,5 × 6,5 cm
gelb gemustert für die Hängeschlaufen	0,10 m	1	Streifen: 6,5 × 80 cm
Rückseitenstoff	0,70 m		
dünnes Volumenvlies	0,70 m		
uni roter Wollstoff für die Strumpfoberkante	0,15 m	1	Rechteck: 10 × 20 cm
rot karierter Wollstoff für den Strumpf	0,35 m	–	–
Futterstoff für den Strumpf	0,35 m	–	–
verschiedene Filzstücke oder Wollstoffe für Stechpalmenblätter, Applikationen und Jo-Jos	Reste oder jeweils 0,10-m-Stücke	–	–

Sticktwist; dünnes aufbügelbares Klebevlies *(Vliesofix®)*; Perlgarn Nr. 3; Polyesterwatte; Holzdübelstab, 1,5 cm ⌀, 60 cm lang, dunkel gebeizt; Klebstoff

Zusammensetzen

① Nähen Sie die 2,5 cm breiten und 34 cm langen Kontraststreifen an Ober- und Unterkante des beige gemusterten Hintergrundes. Bügeln Sie die Nahtzugaben zum Kontraststreifen hin.

② Nähen Sie die 2,5 cm breiten und 47 cm langen Kontraststreifen an die Seiten. Bügeln Sie.

③ Nähen Sie die 4 Streifen für die Schachbrettbordüre à 3,8 × 107 cm farblich abwechselnd zu einem 11,5 × 107 cm großen Streifenset zusammen. Wechseln Sie bei jeder Naht die Nährichtung und bügeln Sie die Nahtzugaben zu den dunklen Stoffen hin.

Schneiden Sie von diesem Streifenset 4 Stücke von jeweils etwa 25 cm Länge ab **(Abb. 1)**.

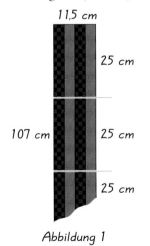

Abbildung 1

④ Nähen Sie die 4 Stücke zu einem 42 × 25 cm großen Streifen-

set zusammen. Schneiden Sie mit Rollschneider und Lineal 5 Abschnitte à 3,8 × 42 cm ab. Jeder Abschnitt besteht aus 16 Quadraten **(Abb. 2)**.

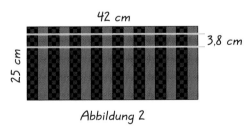

Abbildung 2

⑤ Für Ober- und Unterkante trennen Sie mit dem Nahttrenner je 2 Quadrate von zweien der 3,8 cm breiten und 42 cm langen Streifen ab, die danach 3,8 × 37 cm lang sind und 14 Quadrate umfassen. Vergleichen Sie die Streifen mit der

Ober- und Unterkante des Quilts. Vielleicht müssen Sie ein paar Nähte enger oder weiter nachnähen (maximal 1 mm), damit die Längen stimmen. Beachten Sie in der Grafik »Anordnung des Türquilts« (Seite 256) die Lage der roten und grünen Quadrate und stecken und nähen Sie die Schachbrettstreifen an Ober- und Unterkante.

⑥ Für die Streifen an den Seiten entfernen Sie jeweils 4 Quadrate von einem der 3,8 cm breiten und 42 cm langen Streifen. Nähen Sie je eine der abgetrennten Einheiten an die beiden verbleibenden 3,8 cm breiten und 42 cm langen Streifen, sodass 2 Schachbrettstreifen à 3,8 × 52 cm aus je 20 Quadraten entstehen. Passen, stecken und nähen Sie die Schachbrettstreifen an die Seiten.

Eckdreiecke nähen

Lesen Sie die Anleitung »Eckdreiecke schnell genäht« auf Seite 269. Bügeln Sie die Nahtzugaben zu den angenähten Dreiecken hin.

① Nähen Sie 18 gelb gemusterte 6,5-cm-Quadrate auf die Ecken der 18 schwarz gemusterten Stücke à 11,5 × 6,5 cm (**Abb. 3**).

11,5 cm / 6,5 cm

Abbildung 3

② Nähen Sie 18 weitere gelb gemusterte 6,5-cm-Quadrate an die 18 Einheiten aus Schritt 1 (**Abb. 4**). Bügeln Sie.

11,5 cm / 6,5 cm

Abbildung 4

③ Nähen Sie die 4 verbleibenden gelb gemusterten 6,5-cm-Quadrate an die 4 schwarz gemusterten 6,5 cm-Quadrate (**Abb. 5**). Bügeln Sie.

6,5 cm / 6,5 cm

Abbildung 5

Bordüre mit Patchworkzacken

① Für Ober- und Unterkante nähen Sie 8 Dreieckseinheiten à 11,5 × 6,5 cm zu 2 Streifen mit jeweils 4 dieser Dreieckseinheiten zusammen (**Abb. 6**). Bügeln Sie.

② Beachten Sie auf dem Foto auf Seite 252, wie die gelben und schwarzen Dreiecke angeordnet sind. Passen, stecken und nähen Sie die Bordüren an Ober- und Unterkante. Bügeln Sie die Nahtzugaben zur Patchworkbordüre hin.

③ Für die Seiten nähen Sie die verbleibenden 10 Dreieckseinheiten à 11,5 × 6,5 cm zu 2 Streifen mit je 5 Dreieckseinheiten (**Abb. 7**). Bügeln Sie.

④ Beachten Sie auf dem Foto Seite 252 die Anordnung der gelben und schwarzen Dreiecke und nähen Sie

ein einzelnes 6,5-cm-Eckdreieckquadrat an jedes Ende der beiden Patchworkbordüren aus Schritt 3 (**Abb. 8**). Bügeln Sie.

⑤ Passen, stecken und nähen Sie die Patchworkbordürenstreifen an die Seiten. Bügeln Sie.

Quiltlagen montieren

Legen und heften Sie Rückseite, Vlies und Oberseite aufeinander, wie unter »Quiltlagen montieren« auf Seite 275 beschrieben. Schneiden Sie Vlies und Rückseite bis auf 0,6 cm an die Kanten der Oberseite zurück.

Quilt einfassen

Fassen Sie den Türquilt mit den 4 Einfassstreifen à 7 × 107 cm ein (siehe »Quilt einfassen«, Seite 275/276).

Letzte Stiche

Quilten Sie von Hand oder mit Maschine in den Nahtlinien von Kontraststreifen, Schachbrettquadraten und Patchworkzacken. Auf den Hintergrund quilten Sie ein diagonales 2,5-cm-Gitter.

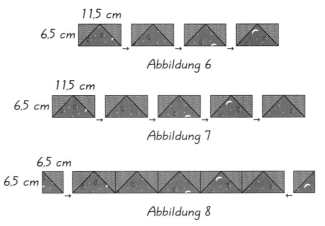

11,5 cm / 6,5 cm

Abbildung 6

11,5 cm / 6,5 cm

Abbildung 7

6,5 cm / 6,5 cm

Abbildung 8

Strumpf nähen

① Lassen Sie die Nahtzugabe von 0,6 cm frei und schreiben Sie einen Namen auf das obere 20 × 10 cm große Teil des Strumpfes. Sticken Sie den Namen mit zweifädigem Sticktwist in Vorstichen.

② Schneiden Sie die beiden unteren Strumpfteile und das Futter nach den Vorlagen auf den Seiten 263 bis 265 zu. Nähen Sie das obere Teil mit 0,6 cm Nahtzugabe an die unteren Teile. Bügeln Sie die Nahtzugaben zum oberen Teil hin.

③ Legen Sie Strumpfvorderseite und Futter rechts auf rechts und stecken Sie beides aufeinander. Nähen Sie um alle Kanten und lassen Sie etwa 10 cm zum Wenden offen. Schneiden Sie die Ecken ab, knipsen Sie die Kurven ein und wenden Sie den Strumpf auf rechts. Schließen Sie die Wendeöffnung mit Handstichen und bügeln Sie den Strumpf.

④ Lesen Sie die Anleitung »Aufbügelapplikation« auf Seite 270/271. Übertragen Sie Ferse und Strumpfspitze von der Vorlage auf Seite 261 auf Stoff, schneiden Sie die Formen aus und bügeln Sie sie auf den Strumpf. Arbeiten Sie mit dünnem, aufbügelbarem Klebevlies.

⑤ Sticken Sie die mittleren Linien auf Ferse und Spitze mit Vorstichen in zweifädigem Sticktwist. Nähen Sie die Kanten von Ferse und Spitze mit Schlingstichen fest. Arbeiten Sie Schlingstiche mit Perlgarn um alle Außenkanten des Strumpfs, aber lassen Sie die Oberkante offen.

⑥ Übertragen Sie 4 kleine Stechpalmenblätter (2 Vorderseiten und 2 Rückseiten) von der Vorlage auf Seite 258 auf Stoff und schneiden Sie die Formen aus. Legen Sie immer 2 Blätter links auf links und arbeiten Sie einen Vorstich mit zweifädigem Sticktwist um die Kanten. Lassen Sie ein Stück der Naht zum Ausstopfen und Wenden frei. Füllen Sie etwas Polyesterwatte ins Innere und nähen Sie die Naht zu Ende. Nähen Sie die mittlere Blattrippe mit Vorstichen.

⑦ Arbeiten Sie 3 Jo-Jo-Beeren nach der Vorlage auf Seite 258 (siehe »Jo-Jos nähen«, Seite 272/273). Wenn Sie die Jo-Jos aus Wollstoff oder Filz arbeiten, brauchen Sie beim Zusammenziehen die Nahtzugaben nicht einzuschlagen.

⑧ Legen und nähen Sie die Stechpalmenblätter und die 3 Jo-Jo-Beeren auf den Strumpf, wie auf der Grafik »Anordnung des Türquilts« (unten) zu sehen.

⑨ Legen und stecken Sie den Strumpf auf den Quilt und nähen Sie ihn von Hand um die Kanten fest. Lassen Sie die Oberkante offen.

Türquilt aufhängen

① Für die Hängeschlaufen falten Sie den gelb gemusterten Streifen à 6,5 × 80 cm der Länge nach rechts auf rechts. Nähen Sie mit 0,6 cm Nahtzugabe entlang der Kante gegenüber dem Falz, wenden Sie den Schlauch auf rechts und steppen Sie entlang beider Kanten. Teilen Sie den Streifen in 4 Stücke von jeweils 20 cm Länge. Falten Sie jedes der Stücke zur Hälfte und nähen Sie jedes an den Schnittkanten mit 0,6 cm Nahtzugabe zusammen. Dann wenden Sie die Schlaufen und bügeln sie; die Naht liegt an der Unterseite innerhalb der Schlaufe. Die fertigen Schlaufen stecken Sie in gleichmäßigen Abständen an die Oberkante der Quiltrückseite und nähen sie von Hand fest.

② Fertigen Sie 8 Stechpalmenblätter und 12 Jo-Jo-Beeren nach der Anweisung in Schritt 6 und 7 von »Strumpf nähen« (oben). Nähen Sie die Blätter und Beeren auf die Schlaufen.

③ Arbeiten Sie nach der Anleitung für die Filzfiguren (Seite 257) je einen Kardinalvogel mit Blick nach links und nach rechts. Schieben Sie den Dübelstab durch die Schlaufen und kleben Sie auf jedes Ende des Stabes einen Vogel.

53 cm

64 cm

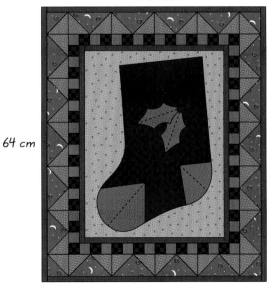

ANORDNUNG DES TÜRQUILTS

Filzfiguren

(Siehe Foto auf Seite 252, auf dem Baum)

Material

Reste von verschiedenen passen-
den Stoffen
Filz für die Rückseiten
dünnes, aufbügelbares Klebevlies
(Vliesofix®)
Zackenschere
Perlgarn Nr. 3
Heißklebepistole mit Klebesticks
Raffiaband
verschiedene Knöpfe

Zusammensetzen

① Lesen Sie die Anleitung »Aufbügelapplikation« auf Seiten 270/271.
Übertragen Sie verschiedene Stechpalmenblätter, Sterne und Vögel
von den Vorlagen auf den Seiten
258 bis 262 auf die Papierseite des
Klebevlieses und schneiden Sie die
Formen aus. Bügeln Sie jedes
Motiv auf die Rückseite des gewünschten Stoffes und schneiden
Sie es aus. Bügeln Sie das Motiv
auf den Filzhintergrund und
schneiden Sie mit etwa 0,6 cm

Zugabe mit der Zackenschere um
die Kanten.

② Sticken Sie die mittlere Blattader
der Stechpalmenblätter mit Perlgarn Nr. 3 und Vorstichen. Kleben
Sie eine Schleife aus Raffiaband
auf die Mitte der Sterne und nähen
Sie einen Knopf darauf.

③ Für einen Aufhänger schneiden
Sie ein 20 bis 25 cm langes Stück
Perlgarn ab, falten es zur Hälfte
und knoten die Enden zusammen.
Kleben Sie das geknotete Ende auf
die Rückseite der Figur.

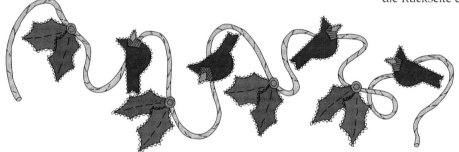

Weihnachtsgirlande

(Siehe Foto Seite 252, auf dem Baum)

Material

Reste von verschiedenen passen-
den Stoffen
Filz für die Rückseiten
dünnes, aufbügelbares Klebevlies
(Vliesofix®)
Zackenschere
Perlgarn Nr. 3
Heißklebepistole mit Klebesticks

dickes Hanfseil
verschiedene Knöpfe

Zusammensetzen

① Fertigen Sie so viele Stechpalmenblätter und Kardinalvögel an,
wie Sie wollen (siehe Anleitung
für die Filzfiguren oben).

② Schneiden Sie das Hanfseil in
der erforderliche Länge ab. Verteilen Sie die Stechpalmenblätter
und die Kardinalvögel auf der
Schnur und kleben Sie die Motive
fest. Kleben Sie auf jedes Blatt
einen Knopf.

Rustikaler Weihnachtszweig

(Siehe Foto auf Seite 252, über der Türe)

Material

Reste von verschiedenen passen-
den Stoffen
Filz für die Rückseiten
dünnes, aufbügelbares Klebevlies
(*Vliesofix®*)
Zackenschere
Perlgarn Nr. 3
Heißklebepistole mit Klebesticks
gekaufter Zweig
verschiedene Knöpfe

Zusammensetzen

① Fertigen Sie den großen Stern,
rote Kardinalvögel und kleine
Stechpalmenblätter nach den Anleitungen für die Filzfiguren auf
Seite 257 an.

② Verteilen Sie Stern, Vögel und
Blätter auf dem Zweig (siehe Foto
auf Seite 252). Kleben Sie die Motive mit Heißkleber fest. Bringen
Sie auf der Spitze der Stechpalmenblätter jeweils einen Knopf
an.

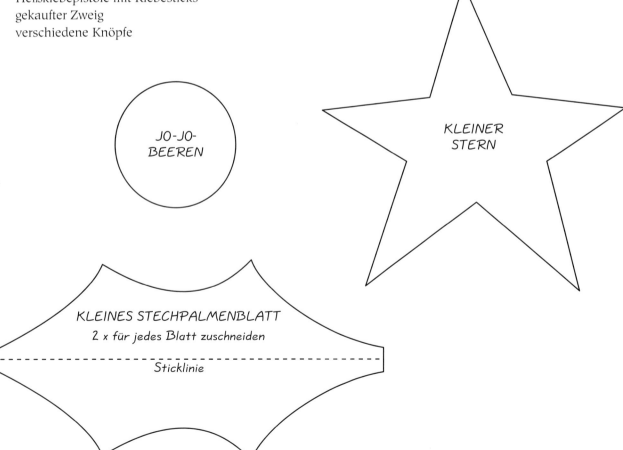

JO-JO-
BEEREN

KLEINER
STERN

KLEINES STECHPALMENBLATT
2 x für jedes Blatt zuschneiden

Sticklinie

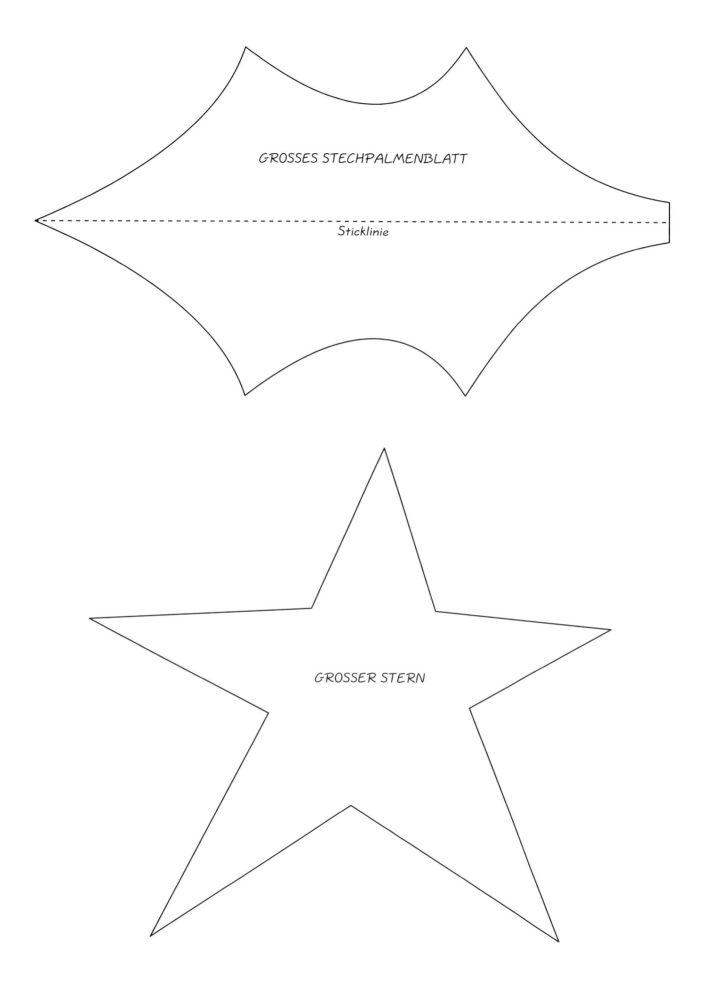

GROSSES STECHPALMENBLATT

Sticklinie

GROSSER STERN

259

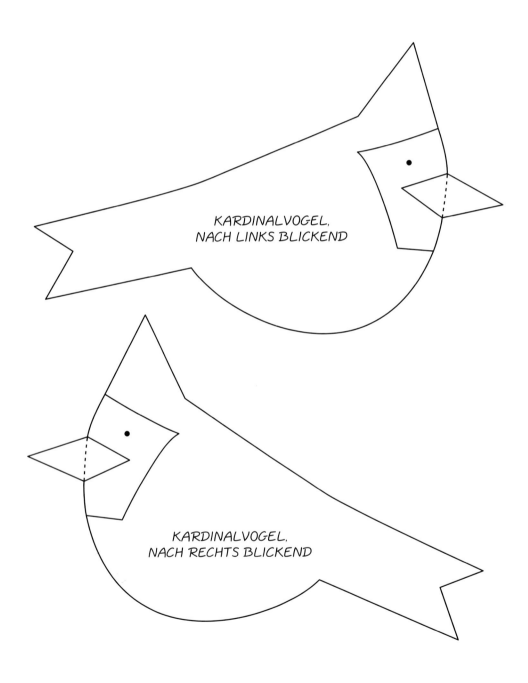

ZEICHENERKLÄRUNG

_____ Kontur

- - - - - - Kontur (wird später
von Stoff bedeckt)

KARDINALVOGEL,
NACH LINKS BLICKEND

KARDINALVOGEL,
NACH RECHTS BLICKEND

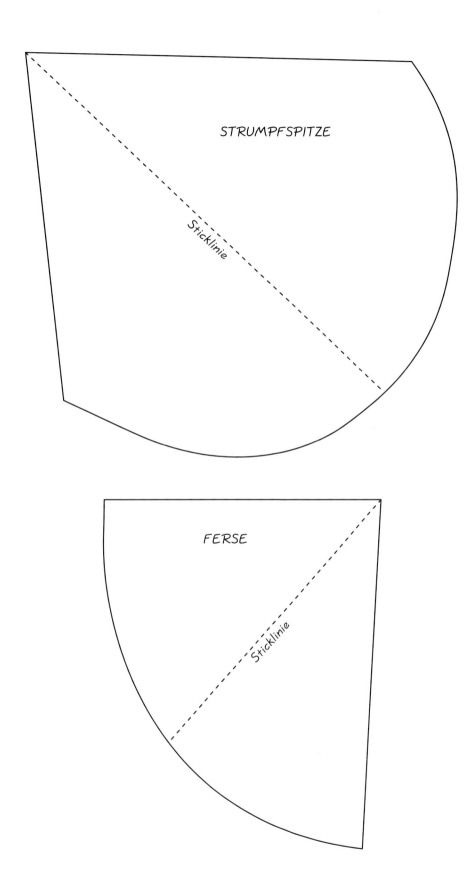

STRUMPFSPITZE

Sticklinie

FERSE

Sticklinie

STERN FÜR DIE BAUMSPITZE

STRUMPF, OBERER TEIL

FUTTER UND STRUMPFTEIL

1 x Futter zuschneiden, linke Stoffseite nach oben
1 x Strumpfteil zuschneiden,
rechte Stoffseite nach oben

Hier für Strumpfteil abschneiden

Hier die rote Linie der Strumpfteile B und C ansetzen

STRUMPF,
TEIL A

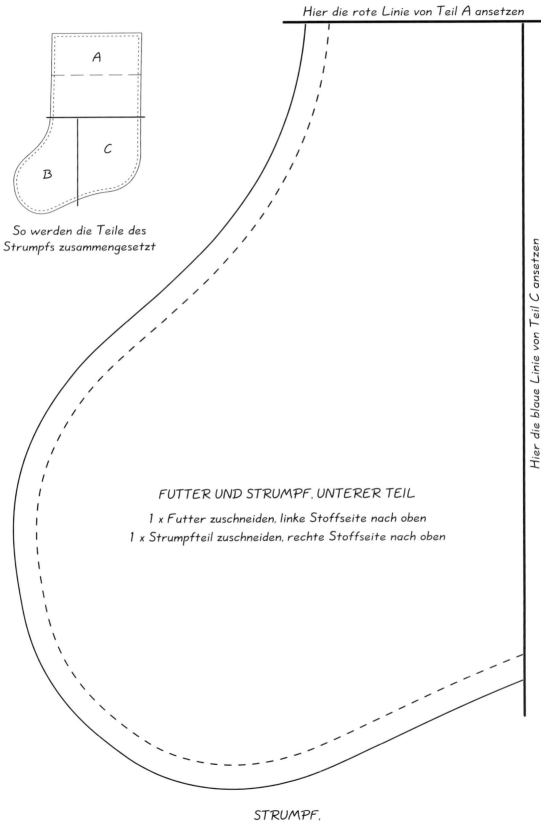

So werden die Teile des
Strumpfs zusammengesetzt

Hier die rote Linie von Teil A ansetzen

Hier die blaue Linie von Teil C ansetzen

FUTTER UND STRUMPF, UNTERER TEIL

1 x Futter zuschneiden, linke Stoffseite nach oben
1 x Strumpfteil zuschneiden, rechte Stoffseite nach oben

STRUMPF,
TEIL B

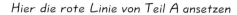

Hier die rote Linie von Teil A ansetzen

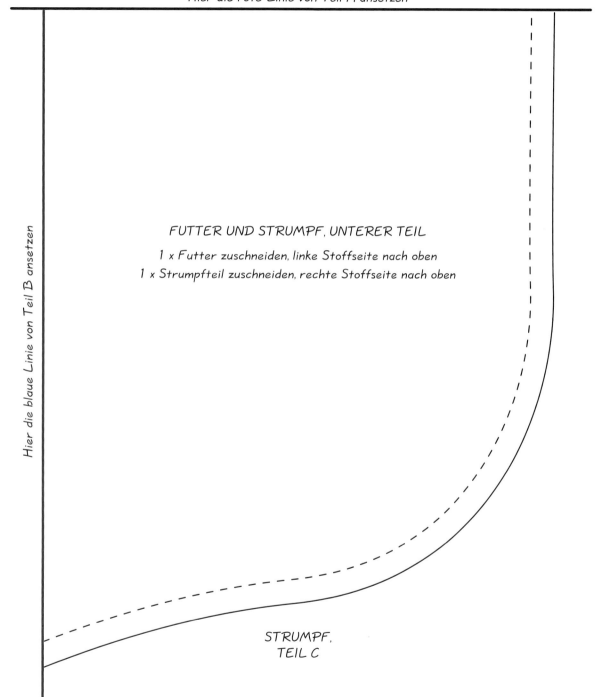

FUTTER UND STRUMPF, UNTERER TEIL

1 x Futter zuschneiden, linke Stoffseite nach oben

1 x Strumpfteil zuschneiden, rechte Stoffseite nach oben

Hier die blaue Linie von Teil B ansetzen

STRUMPF,
TEIL C

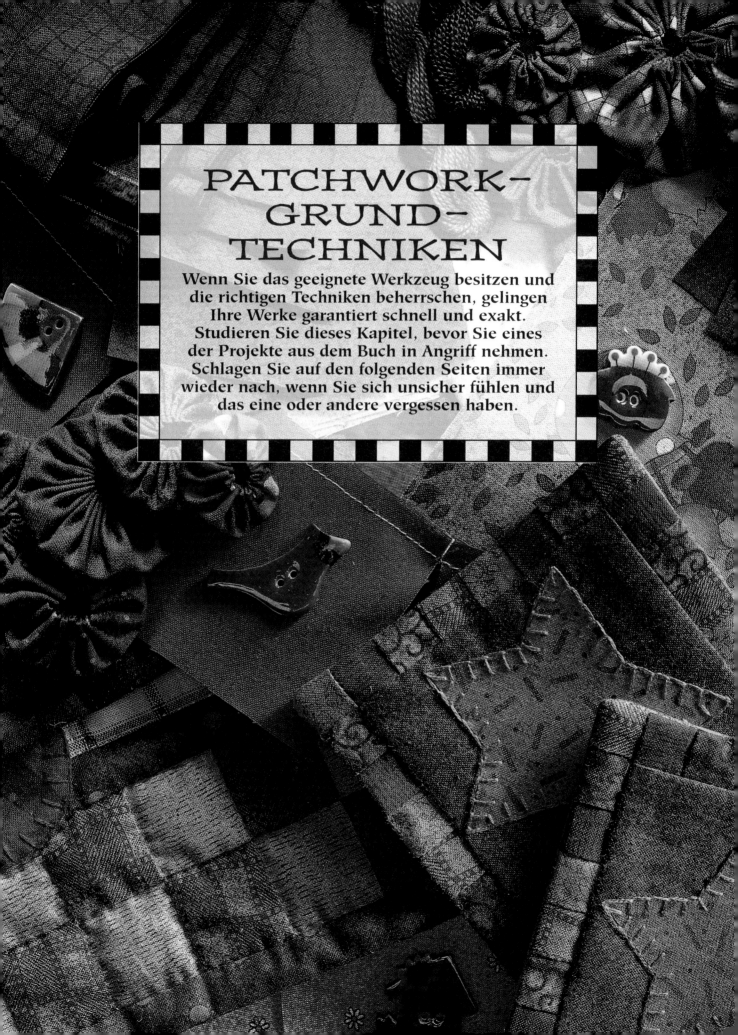

PATCHWORK-GRUND-TECHNIKEN

Wenn Sie das geeignete Werkzeug besitzen und
die richtigen Techniken beherrschen, gelingen
Ihre Werke garantiert schnell und exakt.
Studieren Sie dieses Kapitel, bevor Sie eines
der Projekte aus dem Buch in Angriff nehmen.
Schlagen Sie auf den folgenden Seiten immer
wieder nach, wenn Sie sich unsicher fühlen und
das eine oder andere vergessen haben.

ZUSCHNEIDEN UND NÄHEN

Ⓘn diesem Kapitel stelle ich all das Werkzeug und Zubehör vor, das Sie für den Anfang benötigen. Ich erkläre das Schneiden mit dem Rollschneider und einfache Nähtechniken, mit denen Sie Ihre Quilts im Nu zusammensetzen.

Was Sie zum Schneiden und Nähen brauchen

Nähmaschine: Für das Zusammensetzen von Stoffteilen brauchen Sie eine Maschine mit einem guten, zuverlässigen Geradstich. Für das Applizieren genügt ein schöner, gleichmäßiger Zickzackstich.

Rollschneider und Schneidematte: Rollschneider gibt es in Patchworkgeschäften, in Stoffläden und im Versandhandel. Ich bevorzuge die 45-mm-Klinge. Eine große Klinge können Sie besser führen und sie hält länger.

Benutzen Sie einen Rollschneider niemals ohne Schneidematte. Die Matte ist die Oberfläche, auf die Sie Ihren Stoff legen, bevor Sie ihn zuschneiden. Die Matte schützt sowohl Ihre Tischplatte als auch die Klinge Ihres Rollschneiders. Kaufen Sie die größte Schneidematte, für die Sie Platz haben. Die 60 × 90 cm große Matte passt fast überall.

Quiltlineal: Es sind Lineale in vielen verschiedenen Größen und Formen auf dem Markt. Zu Beginn empfiehlt sich ein Quiltlineal im Format 15 × 60 cm mit aufgezeichnetem 45°-Winkel.

Nähfaden: Wählen Sie Nähfaden guter Qualität für Patchworkarbei-

ten. Verwenden Sie die Farben Beige oder Grau für helle Stoffe und Dunkelgrau für dunkle Stoffe.

Bügeleisen, Bügelbrett und Bügeltuch: Stellen Sie das Bügeleisen auf »Baumwolle« ein und halten Sie die Laufläche sauber (Näheres siehe »Bügelanweisung« auf Seite 269).

Nahttrenner: Beim Anpassen zusammengesetzter Bordüren leistet der Nahttrenner zum Abtrennen von Patchworkteilen hervorragende Dienste.

Schere: Obwohl die meisten Stoffe für meine Arbeiten mit dem Rollschneider geschnitten werden, brauchen Sie eine gute, scharfe Schere.

Schneiden mit dem Rollschneider

Wenn Sie zum ersten Mal mit dem Rollschneider arbeiten, sollten Sie dieses Kapitel besonders aufmerksam lesen. Üben Sie an ein paar Stoffresten. Das genaue Zuschneiden ist der erste Schritt für exaktes Patchwork. Lassen Sie sich Zeit beim Messen und Schneiden Ihrer Stoffstücke und Streifen. Waschen Sie Ihre Stoffe vor und bügeln Sie sie. Legen Sie das Lineal exakt an die Kanten des Stoffes.

In den Anleitungen werden die Stoffe quer über die Gesamtbreite von 110 cm geschnitten. Natürlich variieren die Stoffbreiten, doch wurde dies bei den Maßangaben und Zuschnitten berücksichtigt. Ist Ihr Stoff weniger als 100 cm breit, so müssen Sie möglicherweise mehr kaufen und einen Streifen mehr zuschneiden.

① Falten Sie den Stoff Webkante auf Webkante. Achten Sie darauf, dass der Stoff glatt liegt. Legen Sie den Stoff so, dass die Webkanten von Ihnen weg zeigen und die gefaltete Kante bei Ihnen liegt **(Abb. 1)**.

Webkanten

Falz
Abbildung 1

② Benutzen Sie Ihr durchsichtiges Lineal als Schneidehilfe. Legen Sie eine der horizontalen Linien des Lineals an der gefalteten Kante an, sodass das Lineal im rechten Winkel über den Stoff läuft **(Abb. 2)**. Halten Sie das Lineal fest auf den Stoff gedrückt und schneiden Sie mit dem Rollschneider die ungleichmäßigen Kanten an der rechten Stoffseite ab. Nun sollten Sie eine exakt gerade Schnittkante haben.

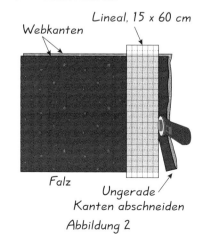

Lineal, 15 × 60 cm
Webkanten

Falz
Ungerade Kanten abschneiden
Abbildung 2

③ Drehen Sie den Stoff so, dass die geschnittene Kante zur linken Seite zeigt. Dafür drehen Sie einfach die Schneidematte mitsamt dem Stoff um.

④ Ermitteln Sie die Breite des ersten Streifens, den Sie schneiden möchten. Legen Sie die entsprechende Markierungslinie des Lineals an die geschnittene Stoffkante. Soll der Streifen zum Beispiel 7,5 cm breit werden, so legen Sie die 7,5-Linie des Lineals genau über die geschnittene Kante des Stoffes. Eine der horizontalen Linien sollte an der gefalteten oberen Kante anliegen (**Abb. 3**). Erst wenn das Lineal genau an der geschnittenen Kante und an der gefalteten Kante liegt, halten Sie das Lineal fest und schneiden.

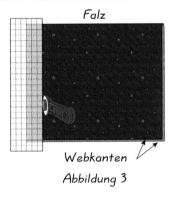

Falz

Webkanten

Abbildung 3

⑤ Manche Anleitungen geben einen zweiten Schnitt an. Nachdem Sie den Streifen geschnitten haben, können Sie ihn zusammengefaltet liegen lassen. Legen Sie das Lineal oben an den Streifen; eine der horizontalen Linien verläuft entlang der langen Kante des Streifens. Schneiden Sie die Webkante am Ende des Streifens ab und begradigen Sie die Kante im rechten Winkel (**Abb. 4**). Drehen Sie den Stoff so, dass das geschnittene Ende auf der linken Seite liegt. Schneiden Sie die Stücke wie angegeben zu (**Abb. 5**).

Tipps für Linkshänderinnen

Wenn Sie Linkshänderin sind – so wie ich –, ist es vielleicht bequemer, die Schnitte an der rechten Seite des gefalteten Stoffes auszuführen. Drehen Sie einfach die Arbeitsschritte 2 und 3 um. Schneiden Sie die ungeraden Kanten am linken Ende der Streifen in Schritt 2 ab. Drehen Sie den Stoff so, dass die geschnittenen Kanten in Schritt 3 zu Ihrer Rechten liegen. Denken Sie daran, dass die Abbildungen für Rechtshänderinnen gezeichnet sind.

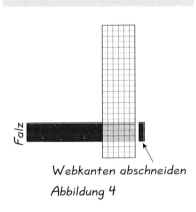

Falz

Webkanten abschneiden
Abbildung 4

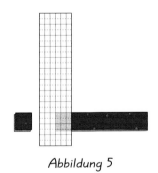

Abbildung 5

Rationelles Nähen

Am schnellsten geht das Nähen, wenn Sie die Arbeitsschritte rationell planen. Indem Sie die gleichen

Schritte immer wiederholen, arbeiten Sie schnell und effizient.

Nehmen wir an, Sie arbeiten einen Quilt mit 12 Blöcken. Der erste Schritt weist Sie an, 2 Quadrate zusammenzunähen. Wiederholen Sie diesen Schritt zwölfmal (einmal für jeden Block). Beim Nähen der weiteren Schritte werden Ihre Sicherheit und Ihre Arbeitsgeschwindigkeit zunehmen und alle Blöcke sind zur gleichen Zeit fertig.

Kettennähen

Wenn möglich sollten Sie in der Ketten- oder Fahnentechnik arbeiten. Legen Sie alle Teile von allen Blöcken für den ersten Arbeitsschritt neben Ihre Nähmaschine. Nähen Sie die ersten beiden Teile rechts auf rechts zusammen. Lassen Sie sie so liegen, wie sie sind. Legen Sie die nächsten beiden Stoffteile direkt hinter die bereits genähten, ohne die Naht zu unterbrechen, und nähen Sie weiter. Schieben Sie alle Stoffteile paarweise durch die Nähmaschine, ohne die Naht zu unterbrechen, bis Sie alle Teile zusammengenäht haben.

Am Ende haben Sie eine lange Kette von zusammengenähten Teilen am Faden hängen (**Abb. 6**). Schneiden Sie die Fäden zwischen den Teilen durch und bügeln Sie.

Abbildung 6

Exaktes Patchwork

Damit Ihre Näharbeit exakt wird, lassen Sie sich Zeit, haben Sie Geduld und arbeiten Sie immer mit genau 0,6 cm Nahtzugabe.

Kleben Sie auf die Stichplatte Ihrer Nähmaschine einen Streifen Klebeband, mit dem Sie den 0,6-cm-Abstand ab der Nadelspitze festlegen. Nähen Sie eine Probe, und prüfen Sie das Maß. Wenn Sie mehrere Schichten Klebeband übereinander kleben, so wirkt dies wie eine Führungsschiene und lenkt den Stoff genau unter die Nadel. Bügeln Sie gleich nach dem Nähen, damit ihre Nahtzugaben flach liegen.

Vielleicht besorgen Sie sich einen speziellen 0,6-cm-Nähfuß. Fragen Sie bei dem Hersteller Ihrer Nähmaschine nach, ob es für Ihr Modell einen solchen Fuß gibt. Wenn nicht, so kann der Universalfuß der meisten Maschinen verwendet werden.

In jedem Projekt sind nach den Anleitungen die Blockmaße angegeben. Es ist ganz wichtig, dass Ihre Blöcke dieses Maß haben.

② Legen Sie dieses Quadrat rechts auf rechts auf das dazugehörige Stoffteil. Legen Sie die Kanten genau aufeinander, stecken Sie die Teile und nähen Sie entlang der aufgezeichneten Diagonallinie.

③ Schneiden Sie überstehenden Stoff ab und lassen Sie 0,6 cm Nahtzugabe stehen **(Abb. 8)**. Bügeln Sie alle Nahtzugaben in Richtung der angenähten Drei-

ecke, wenn nicht anders angegeben. Messen Sie jedes Teil nach. Das Stoffstück sollte genauso groß sein wie vor dem Aufnähen des Quadrats.

0,6 cm von der Nählinie entfernt abschneiden

Fertige Einheit mit Eckdreieck

Abbildung 8

Bügelanweisung

Bereiten Sie Ihr Bügelbrett vor und legen Sie ein Frottiertuch darüber. Es verhindert, dass sich die Nahtzugaben auf die Vorderseite des Quiltblocks durchdrücken. Die

Eckdreiecke schnell genäht

Ich benutze eine einfache Technik, mit der das Nähen von Dreiecken in einer oder mehreren Ecken eines Stoffteiles wirklich einfach ist. Solche Eckdreiecke oder Connector-Ecken gelingen besonders schnell, indem Sie Stoffquadrate auf die Ecken anderer Quadrate oder Rechtecke nähen.

Nählinie

① Zeichnen Sie mit Bleistift und Lineal eine Diagonale auf die linke Seite des Stoffquadrates, welches das Dreieck werden soll. Dies ist Ihre Nahtlinie **(Abb. 7)**.

Abbildung 7

Schnelle Streifen

Mit dieser sehr einfachen Technik nähen Sie Schachbrettbordüren, mehrfarbige Patchworkstreifen oder Restebordüren in kürzester Zeit.

Die Anleitungen der einzelnen Projekte geben genau an, wie viele Streifen Sie schneiden müssen und welche Stoffe Sie brauchen, um die benötigten Streifensets zu nähen.

Nähen Sie die Streifen an den Längsseiten zusammen und wechseln Sie dabei die Farben ab, wie angegeben. Nach jedem Streifen, den Sie angenäht haben, unterbrechen Sie kurz, um die Naht zu bügeln. Bügeln Sie die Nahtzugaben zu den dunklen Stoffen hin oder alle in die gleiche Richtung. Wechseln Sie bei jeder Naht die Nährichtung. Dadurch vermeiden Sie, dass sich die Streifensets verziehen.

Sind alle Streifen zusammengenäht, so haben Sie ein großes Streifenset vor sich liegen. Die Anleitung für das Projekt gibt jeweils an, wie Sie dieses Set zerschneiden und neu zusammensetzen müssen (siehe »Zusammengesetzte Bordüren« auf Seite 273/274 mit zusätzlichen Informationen).

raue Oberfläche des Frottiers verhindert auch, dass sich der Stoff beim Bügeln verzieht.

Bügeln Sie nach jedem Arbeitsschritt. Zuerst bügeln Sie die genähte Einheit in der noch geschlossenen Form (rechts auf rechts), um die Stiche zu fixieren. Danach öffnen Sie die Einheit und drücken die Naht mit den Fingern glatt. Dann erst bügeln Sie mit dem Bügeleisen darüber. Die Einheit liegt mit der rechten Seite nach oben. Drücken Sie das Bügeleisen senkrecht auf die Naht. Ziehen Sie die Einheit nicht aus der Form, indem Sie das Bügeleisen zu stark hin und her schieben.

Ich benutze gerne das Dampfbügeleisen mit Baumwolleinstellung.

Die Pfeile auf den Abbildungen der Projekte geben für jeden Schritt die Bügelrichtung an. Wenn Sie diesen Pfeilen folgen, liegen Ihre Nähte immer glatt.

APPLIZIEREN

Die meisten meiner Projekte mit Applikationsmotiven sind mit der Aufbügeltechnik zu arbeiten. Ein einziger Strich mit dem heißen Bügeleisen klebt die Motive auf den Hintergrund! Sehr kleine Applikationen brauchen nicht mehr zusätzlich festgenäht zu werden. Größere Teile können mit der Nähmaschine oder mit Schlingstichen von Hand befestigt werden.

Sie benötigen für die Applikation

Nähfaden: Für das Maschinennähen benutzen Sie spezielles Maschinenstickgarn oder einen Universalfaden hoher Qualität. Für die Schlingstichapplikation von Hand verwenden Sie hochwertigen Sticktwist.
Nadeln: Benutzen Sie eine Sticknadel mit Spitze für die Schlingstiche.
Scheren: Verwenden Sie für das Ausschneiden der auf Stoff aufgebügelten Motive eine gute, scharfe Schere. Es ist hilfreich, zwei verschiedene Größen zur Hand zu haben: eine große Schere für die großen Teile und eine kleine Stickschere für die kleinen Teile.

Bügeleisen: Für die Aufbügelapplikation rate ich zu einem Bügeleisen ohne Abschaltautomatik.
Aufbügelbares Klebevlies: Dies ist glattes Papier mit spezieller Klebeauflage, das es in Stücken abgepackt oder von der Rolle zu kaufen gibt. Die meisten Patchworkläden und Stoffgeschäfte führen es (Vliesofix®).
Ausreißbares Stickvlies: Legen Sie ausreißbares Stickvlies (es ist mit und ohne Rasteraufdruck erhältlich, auch als *Stitch-N-Tear* bekannt) unter den Hintergrundstoff, wenn Sie mit der Maschine applizieren. Es bewahrt den Stoff vor dem Verrutschen und verhilft zu einem gleichmäßigen Stich.
Wasserfester, feiner Filzstift: Benutzen Sie solche Stifte zum Aufzeichnen von Details wie Augen, Nasen und Mündern auf die verschiedensten Motive.
Sticktwist: Die Schlingstichapplikation wird mit Sticktwist gearbeitet. Wenn Sie schwarzen Faden wählen, wirkt die Arbeit antik. Sie können die Fadenfarbe aber natürlich auch auf die Stofffarbe abstimmen.

Aufbügelapplikation

Dies ist die schnellste und einfachste Art der Applikation. Wenn Sie vorhaben, mit der Nähmaschine zu nähen, wählen Sie ein nähbares, dünnes, aufbügelbares Klebevlies (Vliesofix®).

① Pausen Sie jedes Teil der Applikation einzeln auf die Papierseite des Klebevlieses ab. Da das Papier des Klebevlieses leicht durchsichtig ist, können Sie es direkt auf die Vorlagen in diesem Buch legen und die Teile durchpausen. Die Vorlagen sind alle spiegelverkehrt abgebildet.

② Schneiden Sie die Motive grob aus dem Vliespapier, mit etwas Abstand um die Linien (**Abb. 1**, Seite 271). Schneiden Sie jetzt noch nicht genau auf den Linien.

③ Stellen Sie Ihr Bügeleisen auf die Temperatur ein, die der Hersteller Ihres Klebevlieses empfiehlt. Bügeln Sie jedes Motiv auf die linke Seite des entsprechenden Stoffes. Legen Sie das Klebevlies mit der Papierseite nach oben und mit der Klebeseite nach unten auf den Stoff.

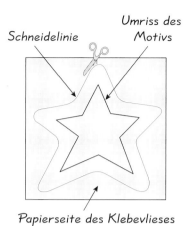

Schneidelinie

Umriss des Motivs

Papierseite des Klebvlieses

Abbildung 1

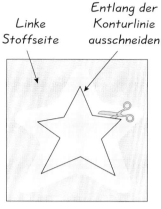

Linke Stoffseite

Entlang der Konturlinie ausschneiden

Abbildung 2

④ Sind alle Papierteile aufgebügelt, schneiden Sie die Applikationsmotive genau entlang der Umrisse aus **(Abb. 2)**. Entfernen Sie das Papier. Auf der linken Stoffseite bleibt eine dünne Klebeschicht zurück.

⑤ Legen Sie alle ausgeschnittenen Stoffteile mit der Klebeschicht nach unten auf den Hintergrundstoff. Wenn der Hintergrund später noch eingenäht werden soll, lassen Sie die 0,6 cm Nahtzugabe an den Kanten frei. Orientieren Sie sich an der Abbildung für die Anordnung der Motive oder an den Fotos. Die gepunkteten Linien der Vorlagen geben an, wo ein Motivteil unter ein anderes Teil gelegt werden muss. Wenn alle Teile richtig angeordnet sind, streichen Sie mit dem heißen Bügeleisen darüber und kleben alles fest. Wenn Sie die

Kanten der Motive einfassen möchten, so fahren Sie nach den Anleitungen »Maschinenapplikation« (unten) oder »Schlingstichapplikation« (Seite 272) fort.

Maschinenapplikation

Diese Technik eignet sich am besten für Projekte, die gewaschen werden müssen. Sie können einen engen Zickzackstich, einen Plattstich, einen Applikationsstich oder einen anderen Schmuckstich anwenden. Arbeiten Sie mit dem Applikationsfuß der Nähmaschine, wenn Sie einen haben. Nähen Sie immer zuerst auf einem Übungsstück, um den Stich korrekt einstellen zu können.

① Bügeln Sie alle Motivteile auf den Hintergrundstoff, wie unter »Aufbügelapplikation« auf der vorigen Seite beschrieben.

② Schneiden Sie ein ausreichend großes Stück Stickvlies zurecht, das den ganzen Bereich bedeckt, auf dem Sie sticken möchten. Stecken Sie das Stickvlies auf die linke Seite des Hintergrundteiles unter den zu bestickenden Bereich. Das verhindert, dass der Stoff Falten wirft und verhilft zu einem gleichmäßigen Applikationsstich.

③ Arbeiten Sie mit mehreren Fadenfarben, die zur Applikation passen und setzen Sie diese Farben jeweils als Oberfaden ein. Wechseln Sie die Farbe je nach Stoff. Wenn Sie die Spannung des Oberfadens etwas lockern, können Sie eine neutrale Farbe als Unterfaden verwenden.

Extratipps für die Aufbügelapplikation

- Wandquilts, Stofffiguren und andere Projekte mit aufgebügelten Applikationen sollten nicht gewaschen werden.

- Wenn Sie sehr kleine Teile applizieren, halten Sie sie während des Arrangierens mit einer Stecknadel an ihrem Platz.

- So genanntes Freezer Paper hilft beim Positionieren von Applikationsmotiven. Das leicht gewachste Papier kann als Schablone vorübergehend auf Stoff aufgebügelt werden und erleichtert die Applikationsarbeit. Es ist im Fachhandel für Patchworkbedarf erhältlich.

- Kontrollieren Sie die Lauffläche Ihres Bügeleisens, nachdem Sie die Stoffe aufgebügelt haben. Reinigen Sie nach Bedarf mit Spezialreiniger. Legen Sie ein sauberes Tuch auf das Bügelbrett, zum Schutz für Ihre Bügelauflage und für alle Kleider, die Sie später bügeln möchten.

④ Nähen Sie um alle Kanten der Applikationsteile. Wenn Sie fertig sind, zupfen Sie auf der Rückseite das Stickvlies aus allen Nähten.

Schlingstich-applikation

Diese Handnähtechnik ist sehr einfach und verleiht Ihrem Quilt ein sympathisch altmodisches Aussehen. Die Schlingstichapplikation eignet sich für Projekte mit relativ großen, einfachen Applikationen.

Nachdem Sie die Motive mit Klebevlies auf den Hintergrund gebügelt haben, umstechen Sie die Umrisse mit Sticktwist in Schlingstich (Abb. 3). Sticken Sie mit dreifädigem Sticktwist.

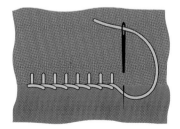

Abbildung 3

Jo-Jos nähen

① Fertigen Sie eine Kreis-Schablone in der gewünschten Größe

an. Zeichnen Sie den Umriss der Schablone auf die linke Stoffseite und schneiden Sie den Kreis entlang der Linie aus.

② Fädeln Sie eine Nadel ein und machen Sie einen Doppelknoten

am Ende des Fadens. Schlagen Sie während des Vorwärtsnähens eine 0,3 bis 0,6 cm breite Nahtzugabe um und nähen Sie mit Vorstichen kapp entlang der umgeschlagenen Außenkante. Ihre Stiche sollten etwa 0,3 bis 0,6 cm lang sein.

Zierstiche

Rückstich

Fädeln Sie die Nadel ein und verknoten Sie das Ende des Fadens. Bringen Sie die Nadel bei Punkt A nach oben, eine Stichlänge vom Beginn der Sticklinie entfernt. Stechen Sie die Nadel bei Punkt B nach unten und bringen Sie sie bei C wieder nach oben. Wiederholen Sie dies und stechen Sie die Nadel jedes Mal am Ende des soeben vollendeten Stiches ein.

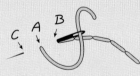

Rückstich

Knötchenstich

Fädeln Sie die Nadel ein und verknoten Sie das Ende des Fadens. Bringen Sie die Nadel an der Stelle durch den Stoff nach oben, an der das Knötchen sitzen soll. Wickeln Sie den Faden zweimal um die Nadel und halten Sie ihn mit den Fingern

fest. Stechen Sie die Nadel dort in den Stoff zurück, wo Sie nach oben gekommen sind. Ziehen Sie die Nadel zur Rückseite durch.

Knötchenstich

Stielstich

Fädeln Sie die Nadel ein und verknoten Sie das Ende des Fadens. Ziehen Sie die Nadel bei Punkt A aus dem Stoff nach oben, stechen Sie bei B wieder ein und kommen Sie bei Punkt C wieder nach oben, etwa auf der halben Strecke zwischen den Punkten A und B.

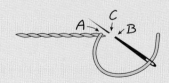

Stielstich

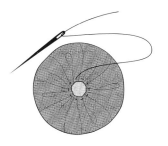

③ Haben Sie den Anfangspunkt wieder erreicht, raffen Sie die Stiche, indem Sie am Faden ziehen und schließen so den Kreis. Drücken Sie das Jo-Jo flach, sodass das Loch in der Mitte liegt.

Verknoten Sie die Fadenenden und schneiden Sie sie ab.

Tipp: Ist das Mittelloch des Jo-Jos zu groß, müssen Sie größere Stiche machen.

ZUSAMMENSETZEN DER EINZELTEILE

Sind alle Ihre Blöcke genäht oder appliziert, können Sie den Quilt zusammensetzen. Gitterstreifen sind der »Kitt«, der die einzelnen Blöcke optisch verbindet, sie bilden und betonen das Gesamtmuster des Quilts. Bügeln Sie beim Nähen alle Nahtzugaben zu den Gitterstreifen hin.

Ränder und Bordüren

In vielen der Projekte ist die erste Bordüre ein Kontraststreifen, der die Quiltoberseite abgrenzt. Die zweite Bordüre ist breiter und greift eine der Hauptfarben des Quilts auf. Oft kombiniere ich mehrere der Stoffe des Quilts in einer Patchworkbordüre, die alles farblich zusammenfasst.

Zusammengesetzte Bordüren

Zusammengesetzte Bordüren sehen kompliziert und zeitaufwendig aus, doch das täuscht. Mit dem Rollschneider und der auf Seite 269/270 beschriebenen Technik der »schnellen Streifen« sind sie in kurzer Zeit genäht. Eine Schachbrettbordüre besteht aus zwei Farben, einer hellen und einer dunklen und

kann sich aus mehreren Reihen zusammensetzen. Patchworkbordüren fassen die Quiltoberseite harmonisch zusammen. Sie enthalten die Farben, die bereits im Quilt vorkommen und haben alle die gleiche Form. Eine Restebordüre besteht ebenfalls aus Stoffen, die bereits im Quilt vorkommen; die Teile sind unterschiedlich breit.

Die zusammengesetzten Bordüren in diesem Buch beginnen alle mit einem Streifenset. Unten finden Sie einige hilfreiche Anweisungen für das Nähen von Schachbrett-, Patchwork- und Restebordüren. Bei jedem Projekt finden Sie die benötigten Stoffmengen, die

Zuschneidemaße und die Nähanleitung.

① Legen Sie alle Streifen in gewünschter Farbfolge vor sich und nähen Sie sie an den Längskanten zu einem Streifenset aneinander. Bügeln Sie die Nahtzugaben zu den dunklen Stoffen hin oder alle in die gleiche Richtung. Die Arbeitsanleitung weist Sie an, dieses Streifenset zu halbieren, zu dritteln oder in eine andere Länge zu teilen. **Abb. 1** zeigt ein Streifenset, das halbiert wurde. **Abb. 2** zeigt, wie die Hälften wieder zusammengesetzt und erneut geteilt werden. In diesem Beispiel wird das Streifenset zweimal geteilt und wieder zusammengesetzt, bevor die endgültigen Abschnitte geschnitten werden **(Abb. 3)**.

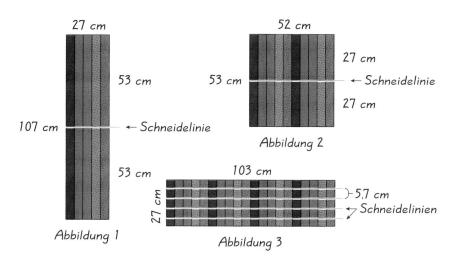

27 cm
53 cm
107 cm ← Schneidelinie

Abbildung 1

52 cm
27 cm
53 cm ← Schneidelinie
27 cm

Abbildung 2

53 cm
27 cm
103 cm
5,7 cm
Schneidelinien

Abbildung 3

② Benutzen Sie einen Nahttrenner, um überflüssige Teile abzutrennen, wie in den Anleitungen angegeben. Passen, stecken und nähen Sie die Patchworkstreifen Kante an Kante an die Ober- und Unterseite des Quilts. Bügeln Sie die Nahtzugaben von den zusammengesetzten Streifen weg. Passen, stecken und nähen Sie dann die Patchworkstreifen an die Seiten des Quilts.

Das richtige Vlies

Volumenvliese bestehen aus Baumwolle, Polyester, Baumwoll-Polyester-Gemisch oder Wolle. Baumwollvlies ergibt eine flache Oberfläche. Manche Leute finden, Baumwollvlies sei schwerer von Hand, aber leichter mit der Maschine zu quilten als Polyestervlies. Da die meisten meiner Quilts als Wandbehänge dienen, bevorzuge ich dünnes, leichtes Polyestervlies. Das dünne Vlies unterstreicht den Landhausstil meiner Arbeiten, was das dickere Vlies nicht tun würde.

Quiltmuster aufzeichnen

Am einfachsten ist es, wenn Sie das Quiltmuster aufzeichnen, noch bevor Sie die drei Quiltlagen aufeinander gelegt haben. Ich benutze zum Vorzeichnen gerne einen Silberstift oder Kreidestifte.

Probieren Sie immer zuerst auf einem Reststoff, ob sich die Linien nach der Arbeit wirklich wieder gut entfernen lassen.

Gittermuster aufzeichnen

Ihr Quiltlineal macht das Aufzeichnen von Gittermustern sehr einfach. Benutzen Sie die 45°-Linie als Richtlinie. Zeichnen Sie die erste Linie im Winkel von 45° zu den horizontalen Nählinien des Quilts (**Abb. 4**, Seite 275). Dann ziehen Sie in regelmäßigen Abständen weitere Linien über den Quilt. Als nächstes legen Sie den 45°-Winkel des Lineals an einer der vertikalen Nählinien des Quilts an und ziehen die Gitterlinien in die andere Richtung. Diese Linien bilden ein gleichmäßiges Gitter, an dem entlang Sie bequem quilten können (**Abb. 4**, Seite 275).

Umrissquilten

Es gibt zwei Möglichkeiten, die Umrisse von Patchworkblöcken, Gitterstreifen und Randbordüren zu quilten. Sie können »in der Naht quilten«, was bedeutet, dass Sie eine Reihe von Vorstichen knapp neben einer Nahtlinie ar-

Zusammengesetzte Randbordüren anpassen

Zählen Sie die Teile in der Bordüre. Mit Ausnahme der Restebordüren müssen die Streifen für Ober- und Unterkante aus gleich vielen Teilen bestehen. Dasselbe gilt für die Bordüren an den Seiten.

Eine zusammengesetzte Bordüre ist ziemlich dehnbar. Abhängig von ihrer Länge kann sie, wenn nötig, um 0,3 bis 0,6 cm gestreckt werden. Sie können den Streifen während des Aufnähens ein wenig ziehen. Aber ziehen Sie nicht zu stark!

Muss Ihre Randbordüre um mehr als 0,3 bis 0,6 cm angepasst werden, schlage ich vor, einige der Nähte zu korrigieren. Beispiel: Angenommen, eine Patchworkbordüre aus 16 Teilen ist um 1,5 cm zu lang. Nähen Sie 8 Nähte um jeweils 1 mm enger. Dies fällt in der fertigen Arbeiten nicht im Geringsten auf. Da sich die zusammengesetzten Bordüren dehnen, sollten Sie sie grundsätzlich feststecken, bevor Sie sie an der Quiltoberseite festnähen. Bügeln Sie alle Nahtzugaben von der zusammengesetzten Bordüre weg.

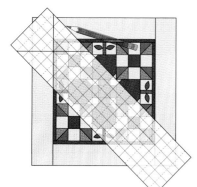

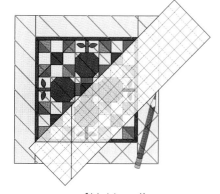

Abbildung 4

beiten. Dafür brauchen Sie nichts vorzuzeichnen. Quilten Sie auf der Seite der Naht, unter der keine Nahtzugabe liegt. Eine andere Möglichkeit ist, 0,6 cm von der Naht entfernt zu quilten. Wenn Sie das vorhaben, empfehle ich den 0,6 cm breiten Klebestreifen für Quilter. Kleben Sie den Streifen neben die Naht und benutzen Sie seine Kante als Führungslinie. Sie können den Streifen immer wieder benutzen, bis die Klebeseite abgenutzt ist. Lassen Sie den Klebestreifen nicht zu lange auf dem Stoff, da er Spuren hinterlassen kann.

Applikationsmotive umquilten Sie 1 bis 2 mm von den Kanten entfernt.

Quiltlagen montieren

Als Nächstes legen und heften Sie Quiltoberseite, Vlies und Rückseite aufeinander. **Abb. 5** zeigt alle Schritte.

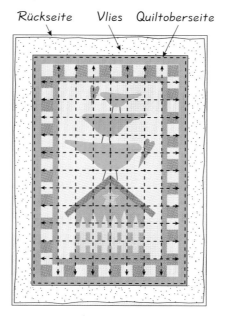

Abbildung 5

① Schneiden Sie Vlies und Rückseitenstoff 10 bis 15 cm größer zu als die Quiltoberseite, damit an allen Seiten gut 5 cm überstehen können.

② Bügeln Sie Oberseite und Rückseitenstoff. Suchen Sie sich eine große Arbeitsfläche, zum Beispiel den Esstisch. Legen Sie den Rückseitenstoff mit der rechten Seite nach unten auf den Tisch. Breiten Sie das Vlies darüber und streichen Sie es glatt. Dann legen Sie die Quiltoberseite darauf, mit der rechten Seite nach oben. Achten Sie darauf, dass alle Lagen in der Mitte ausgerichtet sind und dass alle glatt und flach liegen.

③ Rückseite und Vlies sollten an allen Kanten gut 5 cm überstehen,

denn beim Heften und Quilten verschieben sich die Lagen leicht.

④ Damit die Lagen während des Heftens nicht verrutschen, stecken Sie sie zuerst mit Stecknadeln aufeinander fest. Befestigen Sie die Stecknadeln in vertikalen und horizontalen Linien im Abstand von 15 cm. Beginnen Sie in der Mitte zu heften und arbeiten Sie in Richtung der Außenkanten des Quilts. Arbeiten Sie die Heftlinien gewissenhaft, denn es ist wichtig, dass die Lagen während des Quiltens gut aufeinander liegen bleiben. Zuletzt heften Sie einmal entlang der Außenkante des Quilts.

Tipps zum Heften

Hier sind einige Hinweise, die das Heften einfacher machen:

- Arbeiten Sie mit längeren Nadeln, als Sie sie gewöhnlich zum Handnähen verwenden.

- Bevor Sie beginnen, fädeln Sie mehrere Nadeln mit extra langem Faden ein.

- Machen Sie lange Stiche von 3 bis 8 cm Länge.

- Teilen Sie Ihren Quilt zum Heften in Viertel ein. Heften Sie immer ein Viertel fertig. Arbeiten Sie von der Mitte nach außen.

Quilt einfassen

Für Wandquilts und andere kleinere Projekte in diesem Buch, die Sie von Hand quilten, können Sie die Einfassung bereits vor dem Quilten anbringen. Bei größeren Projekten und bei Arbeiten, die Sie mit der Maschine quilten, bringen Sie die Einfassung erst nach dem Quilten an.

① Schneiden Sie die Einfassstreifen zu, wie in der Zuschneidetabelle angegeben. Bügeln Sie die Streifen links auf links der Länge nach zur Hälfte.

② Schneiden Sie Vlies und Rückseite bis auf 0,6 cm an die Kanten der Quiltoberseite zurück.

③ Legen Sie die gefalteten Einfassstreifen mit den offenen Kanten an die Ober- und Unterkanten des Quilts. Stecken Sie die Einfassstreifen fest. Nähen Sie mit 0,6 cm Abstand an den Quiltkanten entlang. Schneiden Sie überstehende Längen der Streifen zurück und bügeln Sie die Nähte zu den Einfassstreifen hin.

④ Schneiden Sie die Einfassstreifen auf der Höhe der Quiltkanten ab. Wiederholen Sie Schritt 3 auch an den Seiten. Ihr Quilt sollte nun aussehen wie in **Abb. 6.**

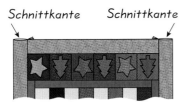

Quiltoberseite

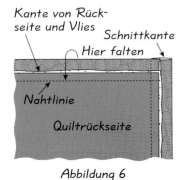

Abbildung 6

⑤ Falten Sie die Einfassstreifen von Ober- und Unterkante zur Rückseite, sodass die geschlos-

sene Kante auf die Nahtlinie zu liegen kommt **(Abb. 7)**. Bügeln Sie die Kanten und stecken Sie die Streifen fest.

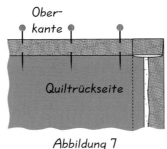

Abbildung 7

⑥ Falten Sie die Einfassstreifen der Seiten zur Rückseite, sodass die geschlossenen Kanten auf die Nahtlinien zu liegen kommen. Bügeln Sie die Kanten und stecken Sie die Streifen fest. Nähen Sie die gesamte Kante des Einfassstreifens von Hand fest. Nähen Sie die kleinen offenen Bereiche an allen vier Ecken zu **(Abb. 8)**.

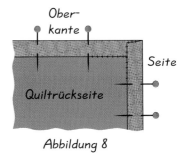

Abbildung 8

Nützliche Tipps zum Annähen der Einfassung

Wenn Sie durch mehrere Stofflagen nähen, wird die obere Lage vorwärtsgeschoben, und dies kann Ihre Einfassung dehnen und verziehen. Um das zu verhindern gebe ich folgende Tipps:

• Knausern Sie nicht mit Stecknadeln, wenn Sie die Einfassung an den Quilt stecken.

Werkzeug für das Handquilten

Wenn Sie von Hand quilten möchten, sind dies die richtigen Werkzeuge in Ihrem Nähkörbchen.

Quiltnadeln: Man nennt sie auch Betweens. Wenn Sie Anfängerin sind, rate ich zu einem Sortiment von Nadeln verschiedener Stärke. Stärke 10 wird gerne benutzt – unter anderem auch von mir.

Quiltgarn: Arbeiten Sie mit diesem extrastarken Garn, das speziell für das Quilten gemacht ist. Wählen Sie eine Fadenfarbe, die zu den Hintergrundstoffen passt. Wenn Sie Ihre Quiltstiche zeigen möchten, so benutzen Sie einen Faden in Kontrastfarbe.

Fingerhut: Es kann eine Weile dauern, bis Sie den richtigen Fingerhut gefunden haben. Probieren Sie aus, bevor Sie sich für ein Fabrikat entscheiden. Ich bevorzuge einen Lederfingerhut. Suchen Sie einen mit elastischem Gummizug (er sitzt besser auf Ihrem Finger), einem Schlitz für den Fingernagel und einer Verstärkung auf der Fingerkuppe.

Quiltreifen oder -rahmen: Reifen oder Rahmen halten die drei Lagen während des Arbeitens glatt und gespannt, sodass die Stoffe sich nicht werfen oder verschieben.

- Vergrößern Sie die Stichlänge.

- Nähen Sie langsam.

- Verwenden Sie einen Oberstofftransport, wenn Ihre Maschine einen besitzt. Er schiebt alle Lagen gleichmäßig vorwärts.

Kleine Applikationsprojekte fertig stellen

Für einige der kleineren Applikationsprojekte wird angegeben, den Quilt zu verstürzen. Legen Sie Oberseite und Rückseite rechts auf rechts über das Vlies und nähen Sie entlang der gesamten Kante. Lassen Sie eine Öffnung zum Wenden ungenäht. Wenden Sie das Innere nach außen und nähen Sie die Wendeöffnungen mit Handstichen zu. Bei solchen Projekten empfehle ich, für die Rückseite den gleichen Stoff zu nehmen wie für die Einfassung. Auf diese Weise fällt es nicht auf, wenn an der Quiltkante die Rückseite ein bisschen zu sehen ist.

Handquilten

Der Quiltstich ist eine Reihe gleichmäßiger Vorstiche, die entlang einer vorgezeichneten Linie verläuft. Zuerst sollten Sie sich auf die Gleichmäßigkeit der Stiche konzentrieren. Wenn Sie etwa Übung haben, werden Ihre Stiche kleiner. Schöne Quiltstiche sind klein und ebenmäßig.

① Schneiden Sie ein etwa 45 cm langes Stück Quiltgarn ab, fädeln Sie es in die Nadel und verknoten Sie das Ende.

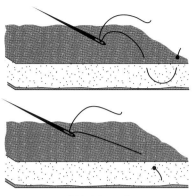
Abbildung 9

② Etwa 1,5 cm von dem Punkt entfernt, an dem Sie beginnen möchten, stechen Sie die Nadel in die Quiltoberfläche ein **(Abb. 9)**. Bringen Sie die Nadel am Startpunkt des ersten Stiches nach oben. Ziehen Sie am Faden, bis der Knoten auf dem Stoff liegt. Wenn Sie nun mit einem kleinen Ruck am Faden ziehen, schlüpft der Knoten in den Stoff und ist fest im Vlies verankert, ohne dass man ihn sieht, wie die Abbildung zeigt. Wiederholen Sie dies jedes Mal, wenn Sie einen neuen Faden beginnen.

③ Stechen Sie die Nadelspitze durch die drei Lagen nach unten. Schieben Sie mit dem durch den Fingerhut geschützten Finger **(Abb. 10)**. Sobald der Finger der Hand auf der Unterseite des Quilts die Nadelspitze fühlt, kippen Sie die Nadel und führen sie zurück zur

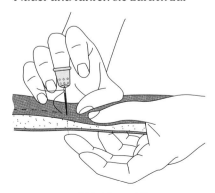
Abbildung 10

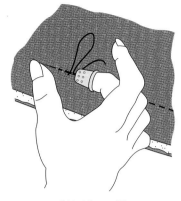
Abbildung 11

Oberfläche. Gleichzeitig drücken Sie die Nadel mit dem Fingerhutfinger nach vorn und lenken sie mit dem Finger der unteren Hand nach oben **(Abb. 11)**.

④ Ziehen Sie die Nadel mit Daumen und Zeigefinger der oberen Hand durch den Stoff. Ziehen Sie den Faden an, aber nicht zu straff, damit der Stoff keine Falten wirft.

⑤ Am Ende einer Quiltstichreihe bringen Sie die Nadel an der Stelle nach oben, an der Sie enden möchten. Wickeln Sie den Faden zweimal um die Nadel und ziehen Sie die Nadel durch diese Schlingen. So bilden Sie einen Knoten. Schieben Sie die Nadel durch die Quiltoberfläche zurück und stechen Sie etwa 1,5 cm entfernt wieder nach oben. Ziehen Sie mit einem kleinen Ruck den Knoten unter den Stoff in das Vlies **(Abb. 12)**. Ziehen Sie am Faden und schneiden Sie ihn knapp über der Oberfläche ab. Das Ende schlüpft unter die Stoffoberfläche und ist nicht mehr zu sehen.

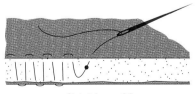
Abbildung 12

Maschinenquilten

Wie beim Handquilten, so brauchen Sie auch für das Maschinenquilten etwas Übung. Ich empfehle dringend einen Oberstofftransport oder eine entsprechende Vorrichtung an der Nähmaschine. Das verhindert das Problem von drei sich aufschiebenden Lagen.

Das Maschinenquilten empfiehlt sich besonders für kleine Projekte wie etwa einen Wandquilt mit Applikationen, bei dem Sie entlang der Kanten quilten. Denken Sie daran, wenn Sie zum ersten Mal mit der Nähmaschine quilten: Je kleiner das Projekt, desto einfacher ist es zu quilten.

Das Aufeinanderlegen der Quiltlagen entspricht dem für das Handquilten. Jedoch können Sie, anstatt zu heften, mit vielen Sicherheitsnadeln arbeiten. Stechen Sie die Sicherheitsnadeln so ein, dass sie beim Quilten nicht hinderlich sind. Quilten Sie die ganze Arbeit fertig, bevor Sie die Einfassung anbringen (außer, wenn Sie den Quilt verstürzen).

① Stimmen Sie den Oberfaden mit der Farbe der Quiltoberfläche ab, den Unterfaden mit der Unterseite.

② Stellen Sie den Geradstich der Nähmaschine ein. Sie können für das Quilten durch die drei Schichten einen etwas längeren Stich

wählen. Beginnen Sie in der Mitte des Quilts und arbeiten Sie zu den Kanten hin. Quilten Sie in den Nahtlinien von Blöcken und Rändern.

Aufhängetunnel

Für einen Aufhängetunnel messen Sie die Breite des Quilts. Schneiden Sie einen 13 cm breiten Stoffstreifen dieser Länge zu. Falten Sie an den Schmalseiten einen 0,6 cm breiten Saum und steppen Sie entlang der Kante. Falten Sie den Streifen der Länge nach rechts auf rechts und nähen Sie ihn an der Längskante zu. Wenden Sie diesen Schlauch und bügeln Sie ihn. Nähen Sie den Tunnel an beiden Längskanten von Hand auf die Rückseite des Quilts und schieben Sie einen Dübelstab durch.

Namensschilder

Vergessen Sie nicht, auf der Rückseite des Quilts ein Schild anzubringen. Schreiben Sie darauf beispielsweise Ihren Namen, den Titel des Quilts, das Jahr, in dem Sie ihn genäht haben, und vielleicht, wo und für wen Sie ihn angefertigt haben. Verwenden Sie einen wasserfesten, feinen Filzstift. Befestigen Sie das Namenschild mit Ihrer bevorzugten Applikationstechnik auf der Rückseite.

DANK

Dieses Buch entstand mit Hilfe vieler Personen. Ich möchte all den begeisterten und kreativen Menschen danken, die mithalfen, das Buch Wirklichkeit werden zu lassen. Dieses Buch ist mein bisher ehrgeizigstes Projekt, aber es war alle Anstrengung wert. Ich bin stolz darauf und auf alle, die meine Projekte und Raumdekorationen mit großem Fleiß ausführten.

Besonderer Dank gilt der Projektleiterin Kelly Fischer, die die Arbeit von Mumm's the World Editorial mit der des Nähteams koordinierte. Dank geht auch an die Assistentinnen Jodi Gosse und Geri Zimmer sowie an die Näherin Candy Huddleston. Sie haben nicht nur all die schönen Dinge in diesem Buch genäht, sondern auch jedes Wort und jede Zahl geprüft, damit die Anleitungen fehlerfrei, vollständig und klar wurden. Danke für ihre Ideen und ihre Kreativität!

Ich danke auch Nancy Kirkland, selbstständige Näherin und Quilterin, und Mairi Fischer, freiberufliche Handquilterin, für ihre hingebungsvollen und feinen Stiche.

Jackie Saling, meine »rechte Hand«, ist eine unwahrscheinlich hart arbeitende Person. Nie hörte ich von ihr ein »Unmöglich«. Sie weiß nie, was ich als Nächstes von ihr verlange, aber sie steht immer bereit. Sogar so langweilige Aufgaben wie das Organisieren und Transportieren der Requisiten zu den Fototerminen hat sie gut gelaunt absolviert. Sie ist eine begabte Malerin, hat so manches Requisit bemalt und stand uns bei allen Raumdekorationen mit Rat und Tat zur Seite.

Marcia Smith, Art Director, hat viele der Fotos arrangiert und überwacht. Die doppelseitigen Aufmacherfotos der einzelnen Kapitel waren sehr schwierig zu realisieren und sie sorgte dafür, dass alle Aufnahmen gut über die Bühne gingen. Danke, Marcia, für die ganze Planung und Organisation!

Ein ganz besonderer Dank geht an Bob Barros von Barros & Barros für die wunderbaren Fotos im ganzen Buch. Für eine gute Aufnahme fuhr er ohne zu zögern viele Meilen weit. Er nahm sich alle Zeit für die richtige Beleuchtung, damit jeder Raum und alle Projekte richtig zur Geltung kamen.

Lois Hansen, Mark Meyer und Barb Chase, die Fotoassistenten, schleppten endlose Mengen von Scheinwerfern, Batterien, Kabeln und anderem Zubehör zu allen Fototerminen. Sie halfen mit den Requisiten und trugen dazu bei, die besten Aufnahmeorte zu finden, damit der richtige Eindruck wiedergegeben werden konnte. Danke ihnen allen für ihre unschätzbaren Bemühungen und für das Holen der Zwischenmahlzeiten bei den Aufnahmen!

Lynn Guier und Bill Mound – freischaffende Innenarchitekten, die von Ideen übersprudeln – entwarfen und renovierten das große Schlafzimmer, Murphys Zimmer und das Vogelhausbad in meinem Haus. Die beiden haben viele Tage und Nächte in meinem Haus zugebracht! Danke, dass sie uns an ihren Talenten teilhaben ließen!

Dank an Nancy Eubanks, freischaffende Malerin, dafür, dass sie ihre Kenntnisse und ihr Geschick mit mir teilte. Sie hat die Küchenstühle und den Couchtisch im Wohnzimmer bemalt.

Dank an meine ebenfalls quiltbesessene Freundin Retta Warehime. Sie nähte die Rüschen und Vorhänge für das große Schlafzimmer. Melcina Siebert verdient großes Lob für ihre Meisterleistung, die Sessel des Schlafzimmers neu zu beziehen. Sie hat meine Dekostoffe verwendet und gab dem Werk mit den doppelten Paspeln den letzten Schliff.

Die Grafikerinnen Lou McKee und Sandy Ayers halfen mir beim Malen der Seiten »Ländlich dekorieren mit Debbie Mumm« und bei so manchen Federzeichnungen.

Ich füge noch ein Dankeschön an all meine Freunde, an meine Familie und alle Helfer hinzu, deren Unterstützung und Enthusiasmus das Buch erst möglich machten.

Zuletzt ein ganz besonderer Dank an die begabten Redakteurinnen Suzanne Nelson und Ellen Pahl und an die Grafikerin Carol Angstadt von Rodale Press, die dem Buch all ihre Fertigkeit, Kreativität und Hingabe widmeten. Es war eine Freude, mit ihnen zu arbeiten. Ich danke für die Unterstützung und ihre Ermutigung, und dafür, dass sie immer an meinen Erfolg glaubten.

BEZUGSQUELLEN

Fachgeschäfte für Patchwork- und Quilting-Zubehör gibt es inzwischen in jeder größeren Stadt. Darüber hinaus können Sie Stoffe, Werkzeug und Hilfsmittel auch im Versandhandel bestellen. Einige Dutzend Adressen finden Sie im Internet unter der Adresse: www.quilt.de/shop/

Adressen für Quilt- und Patchwork- zubehör nennt außerdem:

Patchwork Gilde Deutschland e.V.
Zum Weißen Feld 1
49179 Ostercappeln
Telefon 0 54 73/8125
Fax 0 54 73/22 23

Zubehör:

FIMO
Eberhard Faber
EFA-Straße 1
92318 Neumarkt i.d. Opf.
Telefon 0 91 81/4 30-0
Telefax 0 91 81/4 30-2 20

Granulex (Plastikkügelchen, z. B. zum Füllen der Schneemänner);
lufthärtende Modelliermasse
Glorex
79618 Rheinfelden
(über den Hobbyfachhandel)

Schlauchwender
Prym Consumer GmbH & Co. KG
Zweifaller Straße 130
52224 Stolberg
(in Kurzwarengeschäften)

Debbie Mumms Stoffe und Accessoires

Viele Patchwork-Fachgeschäfte führen Debbie Mumms Stoffkollektion. Nachfolgend finden Sie eine Liste von Bezugsquellen in Deutschland und der Schweiz.

Jakel's Quilt Studio
Richard-Latorf-Str. 33
30453 Hannover
Telefon 05 11/48 27 47

Stoffzauber
Elchenstr. 6
35745 Herborn

Das Stoffkränzchen
Eichendorffstr. 1
51427 Bergisch Gladbach/Refrath
Telefon 0 22 04/2 52 22
http://www.stoffkraenzchen.de

Quilt Studio
Willy-Brandt-Platz 3
59379 Selm
Telefon 02 59/2 24 06 26

Yolande Machemer GmbH
Königsteinstr. 20a
65812 Bad Soden am Taunus
Telefon 0 61 96/6 11 92

Patchwork Quilt
Speyererstr. 57
67141 Neuhofen
Telefon 0 62 36/5 44 08
http://www.patchwork-quilts.com

Ingrids Geschenk- und Bastelkiste
Talstr. 12
79429 Malsburg - Marzell
Telefon 0 76 26/84 50
http://www.bastelkiste.de

Comers
Hunister 3
88046 Friedrichshafen
Telefon 0 75 41/3 13 35

Cotton Field
Patchwork Stoffversand
Claudia Zeller
Lindhardstr. 49
97199 Ochsenfurt
Telefon 0 93 31/80 45 73
http://www.cotton-field.de

Cotton & Color
Lörracherstr. 80
Postfach 287
CH – 1820 Rienen

Wenn Sie mehr über Debbie Mumm erfahren möchten, besuchen Sie doch ihre Homepage unter http://www.debbiemumm.com. Dort erfahren Sie interessante Neuigkeiten aus der Quilter-Szene, Sie können Debbie Mumms Stoffkollektionen bewundern oder auch Mitglied im Debbie-Mumm-Friendship-Club werden.

REGISTER

FOTO-LOCATIONS

Danke allen, die uns großzügig erlaubten, ganze Lastwagenladungen von Requisiten und Fotozubehör in ihren Wohnungen auszubreiten.

Das stilvolle Esszimmer befindet sich im Haus von Judy und George Orr in Spokane, Washington.

Das schöne Wohnzimmer wurde in einem Blockhaus am Hayden Lake, Idaho aufgenommen.

Die Küche im Inneren des Buches und auf dem Umschlag wurde im Antiquitätengeschäft Triber's Barn aufgenommen. Die Inhaber sind Helen und Darell Triber in Otis Orchards, Washington.

Badezimmer, Schlafzimmer und Jungenzimmer sind Räume in meinem Haus in Spokane, Washington.

Das Mädchenzimmer befindet sich im Haus von Lois Hansen in Spokane, Washington.

Die Ecken und Nischen fanden wir im Haus von Candy und Mark Weaver in Spokane, Washington.

Die festliche Eingangstür ist die Haustüre meiner Nachbarn Lori und Joe Orr in Spokane, Washington.